D1529529

Г. Н. СЫТИН

ЖИВОТВОРЯЩАЯ СИЛА

ПОМОГИ СЕБЕ САМ

ТОО «Лейла»

Санкт-Петербург

1993

Сытин Г. Н.

С95   Животворящая сила. Помоги себе сам. — СПб.:
ТОО «Лейла», 1993.—416 с.: ил.

ISBN 5-85871-002-6

Для оздоровления предложен метод словесно-образного
эмоционально-волевого управления состоянием человека,
который базируется на методах психотерапии и некоторых
аспектах нетрадиционной медицины. Приведены тексты
исцеляющих психологических настроев при различных заболеваниях. Метод апробирован и рекомендован к применению
Минздравом СССР. В частности, он был успешно использован
для реабилитации больных, пострадавших в результате чернобыльской аварии. Метод безвреден и может применяться в
домашних условиях самостоятельно.

Для широкого круга читателей, интересующихся вопросами
психотерапии; рекомендуется также врачам.

ISBN 5-85871-002-6

Слово врачующее

Помните, как заговаривала кровь героиня повести А. Куприна "Олеся": "Она крепко обхватила рукой мою руку повыше раны и, низко склонившись к ней лицом, стала быстро шептать что-то, обдавая мою кожу горячим прерывистым дыханием. Когда же Олеся выпрямилась и разжала свои пальцы, то на пораненном месте осталась только красная царапина".

Интересно, что же шептала прекрасная колдунья? Задал я как-то этот вопрос Георгию Николаевичу Сытину, автору книги, которую Вы раскрыли, и услышал в ответ:

– Скорее всего вот этот старый заговор – я записал его на Смоленщине, неподалеку от Полесья, где происходило действие повести Куприна: "Едет святой Георгий на коне, конь у него карий, а ты кровь не кань..."

– А что значит "не кань"?

– Не знаю точно, возможно, есть общий корень со словом "канючить". Но замеры биопотенциалов показывают, что кровеостанавливающее действие оказывает именно оно...

Современные научные методы рядом со старинным заговором?! Г.Н. Сытину это соседство не кажется странным. Всем известно: слово может ранить, повергнуть в отчаяние, а то и вызвать настоящую болезнь, но оно способно и врачевать, залечивать душевные раны (на этом принципе базируется вся современная психотерапия). Но может ли слово стать в подлинном смысле "лекарством" не только для души, но и для тела –

"лекарством", не просто сравнимым с, увы, чрезвычайно привычными нам медикаментами, но и во многом превосходящим их? Признать это сегодня мало кто решится. И среди этих редких исключений – кандидат психологических наук, доцент Г.Н. Сытин.

Вот уже более сорока лет лечит он словом – и лечит успешно – от неврозов и бессонницы, от ишемической болезни сердца и гипертонии, от язвенной болезни и радикулита, от заболеваний дыхательных путей . . .

Те, кто не в силах признать торжество знахарской веры в целительную силу заговоров в конце XX столетия, в эпоху научно-технической революции, возможно, скажут: "Шарлатанство!" Менее предвзятые, наверное, удивятся: "Чудеса!" Сам же Георгий Николаевич другого мнения:

– Никакой мистики, чудес, никакого шарлатанства нет. Все основано на строгой науке – на учении И.П. Павлова о речи как второй сигнальной системе и ее связи с подсознанием человека, управляющим физиологическими процессами в организме. А раз такая связь есть, то с помощью слова можно оказывать целенаправленное воздействие на психику и при ее посредстве – на эти процессы, восстанавливать и усиливать функции внутренних органов, мобилизовывать саморегуляцию . . .

Ошибутся те, кто считает, будто Сытин лечит старыми дедовскими заговорами. Спору нет, он их хорошо знает – не зря долгие годы собирал и изучал. Но вся эта работа потребовалась лишь для того, чтобы понять принципы построения и воздействия лечебных текстов народной нелекарственной медицины. А Г. Н. Сытиным был разработан научный метод составления собственных оригинальных лечебных текстов, оказывающих целенаправленное воздействие на организм. Он получил название метода словесно-образного эмоционально-волевого управления состоянием человека, сокращенно СОЭВУС.

У метода давняя история, тесно переплетенная с непростым жизненным путем его создателя. А началась она холодным декабрьским утром 1943 года, когда рядовой Георгий Сытин поднялся вместе со своим взводом в атаку. До вражеских окопов он не добежал: осколок ударил в руку, потом близкий взрыв снаряда – и темнота . . . Беспамятство после тяжелой контузии длилось долго, а последствия ее могли поставить крест на судьбе молодого парня. Выпадение памяти . . . Ограниченная подвижность. Инвалид в двадцать с небольшим лет . . . И вот в этот трудный период своей жизни Г.Н. Сытин нашел опору в психологии, которой начал увлекаться еще в школе. Гогу Сытина интересовало, как можно развить волевые качества, использовать их для самосовершенствования, и он попросил совета у выдающегося советского психолога К.Н. Корнилова. Завязалась переписка между маститым ученым и школьником. В письмах К.Н. Корнилова была намечена широкая программа знакомства с психологией. Позднее, когда Сытин придет в психологическую науку, Корнилов станет его научным руководителем и первым одобрит идеи, развитые в кандидатской диссертации Георгия Николаевича. Знание основ психологии плюс редкая воля, упорство, желание вернуться к полноценной жизни – из этого вырос метод СОЭВУС.

В 1944 году демобилизованный из армии инвалид Георгий Сытин начал вырабатывать свои лечебные тексты с целенаправленным воздействием (сам автор называет их настроями): на восстановление памяти, работоспособности, функции мышц . . . Первые опыты доктор Сытин проводил на себе. Для тех, кто воспринимает настрои и сам сытинский метод с недоверием, подчеркну: их эффективность проверена автором на себе. И первым подтверждением стало то, что в 1957 году Георгий Николаевич, пройдя медицинскую комиссию, был признан годным к строевой службе без ограничений.

Нельзя сказать, чтобы метод рождался легко. Ведь понять принципы целительного воздействия слова и даже составить первые целительные тексты – это только начало. Нужно было создать тысячи и тысячи настроев, каждый из которых должен был оказывать специализированное целенаправленное воздействие на физиологию и психическое состояние человека.

Сначала пришлось идти наощупь, выбирая наиболее эффективные слова и словосочетания. Позднее, когда Георгий Николаевич начал сотрудничество со специалистами Минприбора СССР, помогая повысить в отрасли производительность труда и создать систему психологической поддержки на производстве, были разработаны приборы, позволяющие значительно ускорить поиск исцеляющего слова. Снимая с помощью датчиков потенциалы с биологически активных точек человеческого тела, ученый получил объективную информацию об адресах словесно-образных раздражений, их интенсивности и реакции человека. С накоплением опыта появилось и чутье, позволяющее быстрее находить слова, которые способны оказывать максимальное исцеляющее воздействие, своего рода психофилологическая конструкция.

Мне приходилось видеть, как составляются современные научные "заговоры" – настрои. Испытуемый сидит, как космонавт, облепленный датчиками, снимающими показания биоэлектрических потенциалов, – свидетельства реакции организма на содержание речевой информации. И хотя сегодня в картотеке Георгия Николаевича вместе с вариантами классифицировано более двадцати тысяч настроев, работа по созданию новых лечебных текстов не прекращается: доктор Сытин ищет средства борьбы с новыми и новыми заболеваниями.

Так, сейчас он ведет работу по лечению с помощью своих настроев шизофренической болезни. Результаты, которые достигнуты, обнадеживают. Что касается нервно-соматических заболеваний, то здесь высокая эффективность лечения подтверждена давно.

Метод Г.Н. Сытина применялся и при лечении поражений, вызванных радиоактивным излучением. В частности, он проверялся при лечении пациентов, пострадавших от последствий аварии на Чернобыльской АЭС, и показал себя как средство, усиливающее защитные силы организма, неспецифический иммунитет. Кроме того, усиливая волевые качества людей, их способность к самоконтролю, метод позволяет эффективно противодействовать радиофобии.

Для атомной энергетики очень важно и еще одно свойство метода СОЭВУС – способность вызывать концентрацию внимания, снимать последствия стрессов, поддерживать высокую работоспособность, что позволяет персоналу уверенно действовать в сложных ситуациях и избегать ошибок.

Для медицины же метод Сытина представляет особую ценность в тех случаях, когда по каким-то причинам лечение лекарственными средствами невозможно. Он не дает нежелательных побочных эффектов и является щадящим для пациентов.

Важно отметить и ту сторону метода СОЭВУС, на которую мы еще недавно не обращали внимания, – он глубоко, последовательно гуманистичен. Чтобы убедиться в этом, достаточно прочитать настрои Георгия Николаевича, обратить внимание на их словарный состав. Ведь слова, которые обычно употребляет человек, вольно или невольно отражают его мироощущение. Много слов унылых, неуверенных – и узнаешь человека нерадостного, не имеющего опоры в себе. А когда в речи преобладают слова живые, яркие, динамичные, то и жизнь бьет ключом. Такими словами и наполнены настрои Сытина. И такими – жизнерадостными, бодрыми, счастливыми, сумевшими пробудить в себе силы обновления и саморегуляции и поэтому избавившимися от стрессов и комплексов, неуверенности и усталости – хотел бы видеть Георгий Николаевич своих пациентов.

Можно сказать, что слова Сытина – "максималисты". Они безапелляционно, настойчиво стучатся в наше сознание, вытесняя населившие его комплексы и сомнения, внушая уверенность в своем здоровье, в своих силах. И здесь полутонов доктор не признает – только контрастные, яркие цвета: если здоровье – то несокрушимое, если огонь – то неугасимый, если кровь – то "течет по жилам широким свободным потоком", если радость – то "наполняет человека всего, насквозь"...

Кому-то, может быть, покажется нарочитым повторение одних и тех же слов, но это тоже принцип – с помощью повторов Сытин "нагнетает", усиливает основное настроение, которое должен вызвать текст, а значит, и степень его воздействия.

Тысячи людей обязаны Георгию Николаевичу своим выздоровлением. Конечно, наибольшую пользу метод СОЭВУС приносит тем, кто подходит к нему с доверием и надеждой. Но в практике Сытина известны и парадоксальные случаи, когда настрои оказывали целительное воздействие на людей, не только не признававших метод, но и оказывающих активное противодействие лечению. Эти пациенты сначала отказывались пользоваться настроями, срывали при их прослушивании наушники, открыто смеялись над методом лечения . . . Но через некоторое время даже самые строптивые пациенты обнаруживали, что лечение оказывает на них благотворное воздействие. Тогда начинал сходить на нет скептицизм, появлялось доверие к настроям и, более того, – потребность в них.

Конечно, нужно отдавать себе отчет в том, что метод Сытина – не панацея. Не все болезни можно исцелять с его помощью. И лучше всего осознает это сам его создатель. Больно видеть его в тот момент, когда он сталкивается со случаем, где СОЭВУС бессилен, явственно ощущаешь порой после такого приема его человеческую жалость к пациенту и какое-то чувство вины за то, что не смог вылечить. Но зато какой радостью светится доктор Сытин, когда может помочь людям, когда пациент покидает его кабинет исцеленным!

– Значение своего метода я вижу еще и в том, что он позволяет не только лечить, но и предотвращать многие заболевания, – подчеркивает Георгий Николаевич. – Метод СОЭВУС – это профилактика болезней, это мощное средство для поддержания жизненного тонуса организма. Им можно пользоваться всем, не дожидаясь, когда станет худо. И пользоваться везде и всегда – по дороге на работу можно проговаривать про себя настрои, вечером, готовя ужин на кухне или моя посуду, можно включить магнитофон, можно, сидя в кресле, почитать помогающие вам настрои из этой книги...

Метод Г.Н. Сытина не раз проверялся Минздравом СССР, Институтом биофизики АМН, НИИ судебной психиатрии им. В.П. Сербского. Выводы авторитетных комиссий недвусмысленны: метод признан состоятельным и эффективным.

В.И. Вьюницкий,
кандидат философских наук

От автора

Метод СОЭВУС (или метод психокоррекции) дает результаты, которые далеко превосходят все ранее известное в этой области. Так, в Институте нормальной физиологии им. акад. П.К. Анохина АМН СССР в присутствии академика К.В. Судакова в результате применения данного метода в течение десяти минут у сотрудницы (28 лет) была снята многолетняя устойчивая тахикардия с частотой пульса 120 ударов в минуту. Контрольную электрокардиограмму снимал ст. н. с. В.В. Синичкин. После словесно-образного воздействия частота пульса уменьшилась до нормальной (72 удара в минуту), которая и сохраняется по сей день. В другом случае в поликлинике № 1 АН СССР в присутствии заведующей Л.Н. Покровской у больного врача-хирурга (68 лет) метод применялся в течение 30 минут, после чего исчезла экстрасистолия, до этого не поддававшаяся лечению. Нормальный пульс наблюдается до настоящего времени.

Подобных примеров достаточно много. При этом широкие возможности метода СОЭВУС научно обоснованы.

Мозг человека хранит весь процесс его здорового и больного развития. Метод СОЭВУС использует именно этот феномен, главным образом на нем и базируются необыкновенные психосоматические изменения у людей.

Для оздоровления и улучшения деятельности какого-либо больного или ослабленного органа метод

СОЭВУС нормализует управление органом со стороны нервной системы, стремительным потоком крови его промывает и обеспечивает полноценным питанием и кислородом, вливает в него энергию и силу. Все это делается с помощью соответствующего настроя. В методе СОЭВУС такие настрои имеются для всех органов и систем организма.

За последние два десятилетия отечественные и зарубежные физиологи экспериментально показали, что вызванные словом импульсы второй сигнальной системы поступают с коры больших полушарий головного мозга во внутреннюю среду организма и перестраивают жизнедеятельность тканей, внутренних органов на длительное время. Этим и объясняется большая устойчивость здоровой жизнедеятельности организма, вызванной усвоением настроев метода СОЭВУС. Как показали наши исследования, результаты одного тридцатиминутного занятия с больным фиксируются приборами на протяжении месяца и более.

Например, в двух приведенных случаях положительный результат был достигнут после воздействия основного фрагмента настроя на оздоровление сердца: "В мое сердце вливается здоровая новорожденная юность (во втором случае – молодость), мое сердце полностью обновляется, мое сердце новое рождается новорожденно-юное, нетронутое сердце".

Так, у людей зрелого возраста для омоложения лица используют следующий фрагмент настроя на молодую жизнь: "Новорожденная молодость вливается в мое лицо, мое лицо полностью обновляется, мое лицо новое рождается новорожденно-молодое, первозданно-свежее, новорожденная молодость рождается в моем лице".

Применением метода СОЭВУС можно добиться и восстановления природного цвета седых волос в пожилом возрасте, для чего достаточно усвоения фрагмента настроя: "Животворящая новорожденная жизнь вливается в мои волосы, волосы полностью обновляются, волосы новые рождаются, новорожденно-густые, новорожденно-здоровые. Красивая природная краска наполняет мои волосы".

Подобные фрагменты полезно усваивать на фоне воздействия общего настроя на молодую жизнь, который способствует восстановлению и усилению всех физиологических функций организма и, таким образом, устранению их различных нарушений как в молодом, так и в пожилом возрасте.

Настрои метода СОЭВУС составлены из положительных утверждений, например: "У меня здоровое сильное сердце". В настроях не допускаются отрицательные выражения типа: "У меня не больное сердце, у меня не болит сердце", так как они приносят вред и лишь усиливают болезнь словами "больное", "болит".

В настроях метода используется так называемая обратная форма: "Подавляю все сомнения в том, что у меня здоровое сильное сердце". Подавление сомнений содействует усвоению настроя.

Построение настроев таково, что они формируют у человека яркие образы здоровья, молодости, силы, неутомимости и красоты, усиливают положительные чувства, например радость жизни, и стимулируют волевые усилия в целях управления состоянием.

Управление состоянием по методу СОЭВУС стимулирует жизненную позицию, активизирует личность, развивает волевые усилия человека. Многие задачи оздоровления-омоложения человека можно решать только на основе его активной жизненной позиции, на управлении своим состоянием во имя личных и общественных целей. В свою очередь управление состоянием обеспечивает высокую работоспособность, а в сочетании с самовоспитанием активной жизненной позиции, целеустремленности и сильной воли обеспечивает высокую производительность труда.

Метод СОЭВУС не требует какой-либо предварительной специальной подготовки для его применения. Настрои можно усваивать без всяких ограничений в возрасте от 16 лет и старше. Лишь специальный настрой на преодоление ночного недержания мочи рассчитан на детей.

По своей сущности метод СОЭВУС является методом психокоррекции соматических структур: при язвенной болезни желудка восстановление слизистой идет не рубцеванием, как обычно, а путем эпителизации и после заживления на слизистой не остается следов; при наступлении климакса у женщин восстанавливаются менструации, например спустя три года после их прекращения (при бо́льших сроках автор наблюдений не имеет), а у мужчин половая функция восстанавливается и даже через двенадцать лет после ее угасания, причем внешний вид лица и всего тела изменяется, седые волосы восстанавливают свой природный цвет и т.д.

Данный метод проходил неоднократные проверки в различных организациях по поручению Минздрава СССР. По результатам клинических испытаний метод СОЭВУС рекомендован к внедрению в практику врачей-психотерапевтов.

В качестве иллюстрации в гл. 1 приводится заключение по результатам клинических испытаний метода СОЭВУС при излечении больной от шубообразной шизофрении. В настоящее время у бывшей больной продолжается интенсивное развитие умственных способностей. Появившаяся в процессе лечения потребность в запоминании продолжает усиливаться и заставляет ее ежедневно заучивать песни или стихи.

С помощью метода СОЭВУС автор излечивает шизофрению, болезнь Миньера, нервный тик и другие заболевания, которые трудно поддаются лечению. Метод СОЭВУС открывает новую эпоху высокоэффективной медицины без ножа и лекарств. Но самое главное: метод открывает человечеству способы омоложения и долголетней здоровой счастливой жизни. Автор убежден в том, что продолжительность жизни человека многократно увеличится, и именно поэтому второй вариант настроя на долголетие написан так, чтобы к этой мысли люди начали привыкать. (Даже если указанные цифры и гиперболизированы. – *Ред.*)

Некоторые настрои написаны в двух вариантах, чтобы человек мог выбрать наиболее подходящий.

Исцеляющие настрои метода СОЭВУС нельзя редактировать. При переводе на другой язык очень важно сохранить авторские знаки препинания. Всякое редактирование снижает эффективность их воздействия, что многократно проверено на практике. (Учитывая это пожелание, все тексты настроев, приведенные в книге, даны без изменения в авторской редакции. – Ред.)

Для удобства пользования и усвоения тексты настроев можно прочитывать про себя, проговаривать вслух или прослушивать в звукозаписи в любое время дня. Каждому из нас необходимо иметь полный комплект настроев в тексте. Настоящая книга может быть настольной для семьи.

В целях профилактики заболеваний и перестройки организма на долголетнюю жизнь необходимо приучать людей к усвоению настроев как можно с более раннего возраста. Оказывать в этом помощь новым поколениям должна вся система воспитания и обучения в стране. Наиболее важные настрои полезно систематически передавать по радио, по телевидению, печатать в газетах, например настрои на устойчивость в жизни, на здоровый образ жизни, на долголетнюю жизнь и другие.

Эффективность применения метода СОЭВУС велика. Он дает прекрасные результаты в развитии всех способностей человека, в повышении его творческой активности в учебе, самовоспитании, науке, искусстве, на производстве. Для этого в книге приводятся соответствующие настрои.

Со временем метод СОЭВУС найдет себе применение во всех сферах жизни человека.

Глава 1
Метод СОЭВУС-
метод психокоррекции

Глава 1. Метод СОЭВУС – метод психокоррекции

1.1. Общая характеристика метода

В метод СОЭВУС (или метод психокоррекции) входят: исцеляющие настрои[1] (тексты), принципы построения настроев, методика их усвоения и приемы самоизменения, а также пути использования данного метода в разных условиях и с разными целями.

Основу метода СОЭВУС составляют настрои, разработанные автором. Они создают психологическую поддержку врачам, прежде всего врачам, лечащим тяжелобольных; повышают эффективность применяемого врачами лечения; создают психологическую поддержку больным; способствуют восстановлению и усилению физиологических функций отдельных внутренних органов и целых систем организма человека. Для решения каждой из этих задач метод имеет соответствующую систему типовых настроев. При необходимости разрабатываются настрои индивидуальные, учитывающие специфику общего состояния человека, его возраст и особенности нарушений отдельных физиологических функций.

Так как метод СОЭВУС содержит настрои для врачей, он может использоваться во всех областях медицины.

---

[1]Здесь и далее для упрощения изложения материала термин "исцеляющие" опускается. — *Ред.*

Психолингвистические исследования текстов настроев показали, что их п о с т р о е н и е отличается от всех до сих пор известных молитв, заговоров, текстов, используемых в психотерапии. Специфика структуры и смысловое содержание отдельных формул настроев обеспечивают их высокую эффективность, поэтому они не подлежат редактированию (резко снижается эффективность его применения). Настрои метода СОЭВУС базируются на смысловых элементах, впервые созданных и поэтому до сих пор неизвестных. В тех случаях, когда лечение тормозят навязчивые представления больного о его плохой наследственности, используются настрои, базирующиеся на следующих основных смысловых элементах:

"В меня вливается новая, вновь родившаяся жизнь. Новорожденная жизнь рождает во мне новую-здоровую-долголетнюю-долголетнюю наследственность. Новорожденная жизнь рождает во мне здоровую молодую жизнь и в пятьдесят лет и в сто лет. Мне по наследству передана здоровая веселая молодая жизнь и сейчас, и через тридцать лет, и через пятьдесят лет. И через тридцать, и через пятьдесят лет я буду молодой-веселый-несокрушимо-здоровый".

В тех случаях, когда лечению мешают навязчивые представления больного о том, что он стареет и потому его все равно не вылечишь, используются настрои, базирующиеся на следующих основных смысловых элементах:

"Человек, окрыленный идеей оздоровления, превосходит своей мощью время, старение и все болезни, все стихии естества и всесильную судьбу. Бурно-бурно-бурно развивающаяся новорожденная жизнь вливается в мою голову, во все мое тело, передвигает время внутри меня в обратном направлении: вперед, передвигает дату моего рождения вперед сквозь прошлые годы, приводит меня в полное соответствие с новой датой моего рождения, конец моей будущей жизни все дальше уходит в будущие годы, моя жизнь, передвигаясь в будущее, непрерывно удлиняется. Я становлюсь моложе и душой, и телом. Новорожденная молодость рождается в моей душе, все тело рождается новорожденно молодое, монолитно крепкое, гладкое красивое молодое тело. Каждый прожитый день удлиняет мою будущую жизнь и в этом смысле я живу по закону: "Чем старше – тем моложе".

Наблюдаемые женщиной процессы увядания могут становиться причиной пессимизма в лечении и замедления выздоровления. Для преодоления этого негативного явления используются настрои, базирующиеся на следующих основных смысловых элементах:

"Вновь родившаяся, новая бурно-бурно развивающаяся новорожденная жизнь вливается в мое лицо. Новорожденная жизнь рождает новое-новорожденно свежее-новорожденно юное первозданно красивое прекрасное лицо; свежесть юности рождается в моем лице, прелесть юности рождается в моем лице, радостная свежесть юности рождается в моем лице. Все лицо наполняется ровным розовым цветом. Под глазами мое лицо рождается новорожденно полное, ярко-розовое – румяное. Здоровый молодой румянец во все щеки разгорается все ярче. Бурно-бурно развивающаяся новорожденная жизнь вливается в мои губы, колоссальная энергия развития вливается в мои губы, ярко-красный цвет вливается в мои губы, мои губы рождаются ярко-красные, как маки, как у ребенка мои губы новорожденно красные, ярко-красные, как маки".

Представлениям больного о разрушении какой-либо ткани, например легочной, под влиянием болезненного процесса в методе СОЭВУС противопоставляются настрои на развитие данной ткани:

"Бурно-бурно развивающаяся новорожденная жизнь вливается в мои легкие, в каждую клеточку легочной ткани вливается бурно-бурно развивающаяся новорожденная жизнь, колоссальная энергия развития новорожденной жизни вливается в каждую клеточку легочной ткани, бурное-бурное развитие новорожденной жизни вливается в каждую клеточку легочной ткани, рождается легочная ткань новорожденно-бурно развивающаяся, новорожденно цельная-новорожденно цельная-новорожденно свежая, рождается легочная ткань колоссальной жизненной энергии, колоссальной жизненной силы. Мои легкие весело-радостно оживают-здоровеют. А сердце стремительным потоком гонит кровь сквозь легочную ткань, кровь стремительным потоком промывает-промывает легочную ткань, вся легочная ткань рождается новорожденно чистая-новорожденно чистая, новорожденно здоровая, первозданно здоровая. Каждой клеточке легочной ткани кровь несет в избытке прекрасное полноценное питание, вся легочная ткань живет полнокровной радостной здоровой жизнью. Новорожденная жизнь рождает легкие энергичные-сильные, несокрушимо здоровые. Рождается несокрушимо сильная-несокрушимо сильная богатырская здоровая молодая грудь, дыхание легкое-свободное, беззвучное неслышное свободное дыхание. А все внутренние органы, все системы организма работают с огромной – с колоссальной мощностью для полного оздоровления легких, для рождения новорожденно цельной легочной ткани. Головно-спинной мозг все более энергично-все более энергично активизирует-активизирует рождение новорожденно цельной легочной ткани. В трахее, в бронхах здоровеют-крепнут нервы. Весь организм мобилизует все свои резервы для рождения новорожденно здоровых-новорожденно здоровых-новорожденно цельных легких. Мои легкие рождаются новорожденно цельные-новорожденно свежие, первозданно здоровые-новорожденно здоровые".

При нарушении функции какого-либо органа в методе СОЭВУС имеются настрои, которые помогают лечащему врачу сформировать у больного представления о том, что "... этот орган кровь начисто промывает, очень хорошо его питает, несет органу энергию и силу, головно-спинной мозг энергично правильно управляет работой органа, все более энергично активизирует работу органа, данный орган оживает, весело-радостно оживает-здоровеет, работает все более энергично-весело-радостно, живет здоровой полнокровной жизнью".

В ходе практической работы постоянно наблюдается, что у людей, усваивающих какую-либо систему настроев, происходят соматические изменения в усвоении смыслового содержания настроев.

Метод СОЭВУС в своей структуре содержит настрои и общего характера, например на смелое поведение и высокую работоспособность, на устойчивость в жизни и другие.

Описание метода. СОЭВУС – это комплексный метод управления состоянием человека, заключающийся в речевом управлении его психическим и соматическим состоянием.

Теоретическую основу метода составляют фундаментально разработанные в зарубежных и отечественных научных исследованиях различные проблемы в области физиологии, медицины, психологии и педагогики. Метод СОЭВУС базируется на учениях академика И.П. Павлова о слове как реальном раздражителе для человека и о сигнальных системах; теории функциональных систем академика П.К. Анохина; основополагающем принципе единства психического и соматического, принятом в отечественной медицине; теоретических основах саморегуляции, разработанных советскими психологами и педагогами; самовоспитании; массовых психических явлениях и представлениях; воле и эмоциях; принципах и методах обучения и воспитания, разработанных советскими педагогами.

Метод СОЭВУС во многом отличается от всех существующих методов управления состоянием. В этом методе психосоматическое состояние человека управляется комплексным влиянием речи или отдельных слов, представлений человека о себе, других или о чем-либо, его эмоций, волевых усилий, массовых психических явлений, общественно значимых отношений и специальных физических приемов и упражнений. Все это достигается специфическим построением настроев, посредством усвоения которых в основном и осуществляется управление состоянием.

Занятия по управлению состоянием по этому методу в виде настроев могут быть записаны на магнитофонную ленту, переписаны или перепечатаны соответственно для дальнейшего их прослушивания, прочитывания (про себя и вслух), заучивания и глубокого прочного усвоения.

Кроме того, этот метод предусматривает не только самостоятельные занятия наедине. Не исключается возможность и полезность участия врача-методиста, который играет роль активизатора управления состоянием (АУС), помогая человеку усвоить нужный ему настрой. Деятельность методиста АУС характеризуется большой активностью. Если на обычных учебных занятиях педагог, как правило, ждет, пока ученик усвоит новый учебный материал, и только в порядке редкого исключения сам вместе с учеником читает его вслух, врач-методист обязательно сам по памяти проговаривает настрой, стараясь при этом с помощью специально разработанных приемов максимально активизировать человека в целях прочного усвоения настроя. Для этого он использует эмоционально-выразительную сторону речи, смысловые паузы и смысловые ударения, устные замечания, проговаривает специальные настрои на активизацию умственной деятельности. Это также могут быть и специальные приемы, например наложение своих рук или рук самого занимающегося на определенные места тела, о которых идет речь в настрое, для концентрации внимания на определенном органе или части тела; поглаживание головы, лица, массаж волосистой части головы массажной щеткой для волос или руками для улучшения мозгового кровообращения; упражнения на медленные движения; упражнения на статическое нервно-мышечное напряжение и другие. Врач-методист может проводить занятия с одним человеком или одновременно с несколькими людьми.

Данный метод допускает также возможность выполнения роли АУС одним из занимающихся или всеми занимающимися по очереди, особенно если занимаются врачи. Каждый усваиваемый настрой проговаривать желательно тому, кто хорошо его усвоил и может это делать без текста (но при необходимости можно заглядывать и в текст). Благодаря тому что методист АУС сам вслух проговаривает усваиваемый занимающимися настрой, все занимающиеся и сам методист находятся в этот момент под влиянием массового психического явления, которое является очень мощным стимулятором усвоения настроя.

В качестве АУС в настроях метода СОЭВУС используются речевые элементы, осуществляющие включение в работу воли, положительных эмоций, а также учитывается влияние представлений, в которых отражена мобилизующая сила системы общественно значимых отношений. Эти речевые элементы активизируют и стимулируют усвоение настроев. Кроме того, настрои содержат наиболее эффективные словесные формулы управления психическими и физиологическими процессами, отобранными в результате многолетних исследований.

1.2. Теоретические принципы построения настроев

Содержание настроя при усвоении должно быть приятно человеку. Слова и целые фразы, которые ему не нравятся, он сам должен исключить из настроя. Все словесные формулировки должны быть понятными, образными, формирующими яркое представление.

Настрой должен включать выражения типа: "Я стараюсь как можно отчетливей почувствовать...". Этот прием подключает в работу нужные чувства. Или это могут быть выражения типа: "Я стараюсь приложить усилия, чтобы как можно отчетливей почувствовать...". Этот прием активизирует влияние волевых усилий. Настрой должен включать словесные формулы, отражающие системы жизненно важных отношений человека, например: "Я стараюсь приносить как можно больше пользы государству своим трудом" или "Я люблю жену, детей, я буду стараться приносить им как можно больше радости и счастья", или "Я буду упорно работать над собой, чтобы людям было приятно со мной общаться".

23

Настрой, как правило, должен основываться на положительных утверждениях, например, "У меня сильная воля". Нельзя пользоваться такими выражениями: "У меня голова не болит", "У меня не больное сердце", так как они оказывают отрицательное влияние. Настрой следует основывать на подавлении сомнений: "Подавляю все сомнения в том, что у меня здоровое молодое сердце".

Настрой может быть как типовым, так и индивидуальным, отражающим индивидуальные и возрастные особенности человека, непосредственно для которого он разработан.

1.3. Рекомендации к усвоению настроев

В типовых настроях метода СОЭВУС применена начальная степень волевого напряжения и начальная сила выражения мысли, чтобы меньше утомлять человека при усвоении настроя.

Легче всего усваивать настрой, если прослушивать его в звукозаписи. Тон изложения должен быть деловым, твердым, отражающим действительный факт, без всякого пафоса, очень убедительным. Таким же тоном нужно и проговаривать настрой вслух. Если условий для этого нет, усваивать настрой можно чтением про себя. В соответствии со своими индивидуальными особенностями одни люди предпочитают прослушивать настрой, другие – прочитывать. Выбор индивидуален – кому как нравится! При прослушивании настроя в домашних условиях можно делать что-нибудь по хозяйству, но по возможности надо стараться не отвлекаться и сосредоточиться на настрое. Это повышает эффективность его усвоения.

В первые дни занятия по методу СОЭВУС следует начинать с вводного текста: "Настрой, который я сейчас буду усваивать, будет оказывать на меня сильнейшее влияние благодаря тому, что организм будет в десять раз усиливать, в сто раз усиливать его влияние и мобилизовывать все свои резервы для быстрого и полного исполнения того, что сказано в настрое; я настраиваю себя на глубокое-прочное усвоение содержания нужного, полезного настроя, я буду стараться как можно глубже и прочней его усвоить".

Независимо от того, знает человек текст настроя наизусть или нет, настрой усваивается только в процессе его прослушивания, проговаривания, или прочитывания. Поэтому продолжать усваивать настрой нужно до тех пор, пока состояние человека не придет в прочное соответствие с содержанием настроя.

При прослушивании настроя следует вести себя как можно активней (лучше ходить), прилагать усилия, чтобы запомнить текст. Это повышает вниматель-ность, усиливает яркость восприятия, а тем самым и эффективность усвоения настроя.

Те фрагменты настроя, которые человеку больше всего нравятся и имеют, по его мнению, для него наибольшее значение, полезно прослушивать, проговаривать или прочитывать большее число раз.

При усвоении настроя на здоровый сон надо стараться обязательно текст прослушать полностью (Постарайтесь не забыть по окончании выключить магнитофон, чтобы он не остался включенным на всю ночь).

Показания к примерению метода. Метод СОЭВУС рекомендуется использовать во всех лечебно-профи-лактических учреждениях. Врачам, работающим в отделениях интенсивной терапии и реанимации, а также лечащим тяжелобольных, полезно перед началом работы прослушать настрой на преодоление всех вредных влияний разговоров о болезнях и сохранение веселого жизнерадостного настроения (см. § 2.44). Особенно полезно это врачам-невропатологам, психиатрам, психотерапевтам. Кроме того, врачам следует обязательно использовать специальные настрои "На укрепление здоровья врача через общение с больными" и "На укрепление здоровья врача после общения с больными" (см. § 2.51; 2.52).

При желании такие настрои могут прослушивать все врачи отделения коллективно. Прослушивать их лучше по окончании утреннего совещания – "пятиминутки". При этом необходимо обеспечить всех врачей как текстом, так и звукозаписью настроя. Если врач на личном опыте убедится в действенности этого настроя, он будет применять его в лечебной работе.

Необходимо, чтобы каждый врач имел в своем распоряжении все типовые настрои данного метода и мог применять их в работе по собственному усмотрению.

Метод СОЭВУС рекомендован к применению Минздравом СССР, поэтому он должен быть доступен всем больным. В соответствии с назначением врача больной должен приобретать настрои в поликлинике, аптеке или больнице как любое лекарство. Следует при этом отметить, что в отдельных случаях настрои оказываются сильнее лекарств.

В целях широкого внедрения метода в лечебную практику полезно разъяснять населению особенности метода СОЭВУС, его высокую эффективность, результаты его использования, а также давать рекомендации по использованию конкретных настроев при различных заболеваниях.

Результаты клинических испытаний метода СОЭВУС. Из истории болезни больной П-ной В.К., 1938 года рождения, г. Москва: *"Анамнез.* Больная из семьи рабочего. Раннее развитие своевременное. Росла спокойной, послушной, обязательной, впечатлительной. Имеет среднее образование, получила специальность портнихи. В настоящее время разведена, воспитывает дочь. Инициатором развода был муж, узнав о заболевании жены. Наследственность отягощена: по линии матери дальняя родственница была больна хроническим психическим заболеванием.

Больной себя считает с 1972 года, когда "влюбилась в дантиста". Назначение на лечение воспринимала как объяснение в чувствах, понимала по взгляду и видела в манипуляциях врача намек на необходимость встречи. Появились иллюзорные восприятия, повысился фон настроения. Ощущала себя "необыкновенной", "всемогущей". В дальнейшем присоединились слуховые и зрительные галлюцинации. Госпитализирована в психиатрическую больницу (ПБ) № 1, где прошла курс лечения большими дозами транквилизаторов, нейролептиками, проведен также курс инсулинотерапии. *Диагноз:* шизофрения шубообразная.

26

В дальнейшем находилась на динамическом наблюдении в психоневрологическом диспансере (ПНД), продолжая прием нейролептиков. Состояние оставалось неустойчивым, была малоразговорчива, практически бездеятельна, могла часами сидеть в одной позе, потеряла интерес к работе. В связи с таким состоянием ей была оформлена вторая группа инвалидности на два года, после чего на год — третья группа инвалидности. Состояние сохранялось неустойчивым, шел бракоразводный процесс, тяжело переживала уход мужа. В 1976 году усилились слуховые галлюцинации (слышались голоса), действия окружающих воспринимала как "колдовство", ближних воспринимала как "привидения" Голоса носили императивный характер. В гипоманиакальном состоянии была госпитализирована в ПБ № 13. После проведенного лечения бредовая симптоматика потеряла свою актуальность. Больная считала, что ее спасение в работе, упорно лечилась и вернулась к трудовой деятельности. В состоянии отмечались колебания, регулярно по схеме принимала лекарства, засыпала только после приема тизерцина. В 1983 году встретила "травницу", которая уговорила ее бросить все лекарства и начать лечение травами, что она и сделала. Через месяц состояние стало ухудшаться, постепенно усилились слуховые галлюцинации, в дальнейшем перешедшие в псевдогаллюциноз, нарастало возбуждение. В связи с ухудшением состояния вновь была помещена в ПБ № 13. После стационарного лечения на протяжении двух лет состояние было неустойчивое. На фоне проводимой терапии возникали апатия, мысли о нежелании жить, усилились страхи, вновь беспокоили слуховые галлюцинации. Со временем слышимые голоса трансформировались в шум и неразборчивую речь. Страдала тахикардией: пульс обычно был 120 ударов в минуту, при физической нагрузке учащался до 200 и более ударов в минуту.

Все это время (до марта 1986 года) получала по схеме: галоперидол, тизерцин, тазепам, седуксен, пиразидол, циклодол, амитриптилин, на ночь порой по шесть таблеток тизерцина (100 мг).

В феврале 1986 года, как обычно в это время года, начался период обострения. Хуже стала спать, чаще просыпаться, возникли частые позывы на мочеиспускание, стало возникать чувство тревоги. П-на обратилась в ПНД с жалобами на плохой сон, слабость, недомогание, была доступна контакту формально, состояние ипохондрическое, фон настроения снижен. При таком самочувствии больной вышеуказанное терапевтическое лечение продолжалось, но были увеличены дозировки. Улучшения не наступало.

С 1 марта 1986 года в соответствии с решением Минздрава СССР о проведении клинических испытаний метода СОЭВУС с ней стал заниматься автор этого метода кандидат психологических наук, доцент Г.Н. Сытин. Периоду обострения он противопоставил усвоение настроя на бурное развитие всех способностей, на развитие чувства радости жизни, на долголетнюю молодость, на долголетнюю женскую красоту. Занятия записывались на магнитофоне для последующего прослушивания и усвоения больной П-ной.

С началом лечения по методу СОЭВУС были сразу полностью отменены все лекарства. В целях улучшения сна в первые дни проводилось 5—6 занятий в сутки. На третью ночь произошло ухудшение сна, начались частые позывы на мочеиспускание. Но на следующую же ночь сон восстановился. В первый месяц лечения сон продолжался 4—5 ч, а затем его продолжительность возросла до 7—8 ч в ночное время, при желании больная спала и днем. В течение всего периода лечения состояние П-ной больше не ухудшалось.

Тахикардия исчезла, сохранялся пульс устойчиво нормальный 72 удара в минуту, резко повысилась работоспособность. За весь период лечения П-на не пропустила ни одного рабочего дня. Но в апреле вследствие того, что больная спала у открытого балкона, у нее развился правосторонний ишиас, на правую ногу было больно наступить. С помощью метода СОЭВУС ишиас удалось снять за одни сутки, и П-на все дни была на работе. К июню П-на была практически здорова, исчезли все проявления шизофрении и в дальнейшем занятия проводились только на омоложение и долголетие. Полностью исчезли голоса, у нее появился интерес к жизни, выровнялся позвоночный столб, исчезла сутулая согбенная осанка, появился "живой взгляд". Ощущает себя практически здоровым человеком как в молодости, напевает за работой, легко реагирует на шутку. Появилась потребность в заучивании текстов наизусть. Заучивает часто новые песни и нужные настрои метода СОЭВУС. В связи с усвоением настроя на здоровое зрение практически прошло косоглазие правого глаза. Специальные занятия восстановили цикл менструаций и прекратились длительные кровотечения, вследствие которых возникло малокровие. Восстановился тургор кожи на горле и груди и она стала носить открытые платья. В настоящее время с удовольствием усваивает настрой на долголетнюю женскую красоту и знает его наизусть.

Статус: в ясном сознании. Держится естественно, непринужденно. В беседу вступает легко. Мимика живая, адекватная. Непринужденно, достаточно подробно и откровенно рассказывает историю своего заболевания, давая критическую оценку перенесенному состоянию. Об имевших место галлюцинаторно-бредовых переживаниях говорит как о "кошмарном сне". Считает, что стала такой, как в юности. Не таит обиду на родных и близких, которые не воспринимали лечение по методу СОЭВУС и всячески этому противились. За время бесед с нею никакой продуктивной психосоматической симптоматики выявлено не было.

4 августа 1986 года состоялась беседа с дочерью больной П-ной (дочери 23 года, имеет высшее образование). На протяжении многих лет она считала мать неизлечимо больной. Отмечает, что с недоверием отнеслась к новому методу лечения, категорически была против него, и это вызвало конфликт между ними. Мать она не видела в течение месяца, так как уезжала с семьей в отпуск. По возвращении нашла мать практически здоровой, веселой, помолодевшей, заботливой.

С 1 марта 1986 года П-на не принимает никакой лекарственной терапии. *Заключение:* В.К. П-на практически полностью здорова.

Данное заключение по результатам испытаний метода СОЭВУС подписано главным врачом ПНД № 17 И.Н. Зинченко.

Использование конкретных настроев при различных заболеваниях. Болезни нервной системы. При повышенной раздражительности, неустойчивости настроения следует усваивать настрой "На преодоление неврастении" (§ 2.5) и один из вариантов настроя "На устойчивость нервной системы" (§ 2.1; 2.2). Врачу нужно самому решить, какой вариант выбрать для данного больного. При различных заболеваниях нервной системы следует использовать соответствующий специальный настрой (§ 2.3; 2.4; 2.6–2.12). Очень полезно при заболевании нервной системы усваивать настрои "На долголетие" (§ 2.48; 2.49); "На оздоровление головы" (§ 2.8); "Здоровый дух" (§ 2.50) и другие.

Болезни сердечно-сосудистой системы. Врачу следует очень хорошо вчитаться в систему настроев (§ 2.23–2.32), направленных на оздоровление сердечно-сосудистой системы. Если электрокардиограмма (ЭКГ) показывает на низкую электрическую активность сердца (сглаженный или отсутствующий зубец *P*), нужно использовать настрой "На запасную силу сердца" (§ 2.26), а также следует усваивать настрой "На общее оздоровление сердца" (§ 2.23). Если же это послеинфарктный период, в первую очередь следует усваивать настрой "На омоложение сердца" (§ 2.24). При различных нарушениях ритма больному нужно усваивать настрой "Против аритмии сердца" (§ 2.32). При неустойчивости артериального давления следует усваивать настрой "На стабильность артериального давления крови (§ 2.31). При гипертонии следует сначала усваивать настрой "На снятие возбуждения сердца" (§ 2.27), а затем дополнить еще усвоением одного из вариантов настроя "На снижение артериального давления крови" (§ 2.29 или 2.30). При гипотонии нужно использовать настрой "На запасную силу сердца" (§ 2.26), "На долголетие" (§ 2.48, 2.49), а затем дополнить усвоением настроя "На оздоровление головы" (§ 2.8). При различных нарушениях кровообращения (коронарного, мозгового, в конечностях) следует использовать настрой "На блаженство сердца". (§ 2.28) и "На омоложение сердца" (§ 2.24). При неврозе сердца – "На устойчивость сердца" (§ 2.25) и "На оздоровление головы" (§ 2.8).

Болезни пищеварительной системы. В этой области метод СОЭВУС также очень широко используется. При язвенной болезни желудка и двенадцатиперстной кишки весьма полезен настрой "На оздоровление желудка при язвенной болезни" (§ 2.39). При колитах хорошо помогает настрой "На оздоровление желудка" (§ 2.38). При панкреатите облегчает состояние больного усвоение настроя "Против диабета" (§ 2.40). Одновременно с ним следует усваивать настрой "На оздоровление желудка" (§ 2.38). При болезнях печени полезно усваивать настрой "На оздоровление печени" (§ 2.41).

Использование метода СОЭВУС в различных областях медицины. В хирургии. Большое практическое значение имеет как психологическая подготовка к операции как больного, так и врача. В этих целях полезно использовать специальные настрои. Для благополучного течения послеоперационного периода целесообразно больному усваивать настрой "На оздоровление головы" (§ 2.8), "На долголетнюю (женскую или мужскую) красоту" (§ 2.15; 2.16; 2.18), "На устойчивость в жизни" (§ 2.6), "На долголетие" (§ 2.48; 2.49) и "На смелое поведение . . ." (§ 2.45). При необходимости можно использовать настрои "На устойчивость нервной системы" (§ 2.1; 2.2), "На общее оздоровление сердца" (§ 2.23) и другие по усмотрению лечащего врача-хирурга.

В гинекологии. Специальные настрои метода СОЭВУС полезно усваивать при воспалении придатков, болезненности и слишком обильных менструациях.

В акушерстве. Известно, что психическое состояние роженицы оказывает существенное влияние на родовую деятельность. Большую пользу роженице принесет усвоение настроя "На долголетнюю женскую красоту" (§ 2.15; 2.16), "На оздоровление головы" (§ 2.8), "На долголетие" (§ 2.48; 2.49). По назначению врача при необходимости нужно усваивать и настрои, направленные на оздоровление различных органов и на устойчивость нервной системы.

В психиатрии. При лечении пограничных состояний усвоение больными различных настроев значительно повышает эффективность проводимого курса лечения и ускоряет выздоровление. Врач всегда сам подбирает наиболее подходящие для каждого случая настрои, а при необходимости и составляет комплексный настрой из фрагментов разных настроев.

При лечении различных форм шизофрении следует использовать настрои "На оздоровление при шизофрении" (§ 2.11), "На оздоровление головы" (§ 2.8), "На новорожденную цельность головного-спинного мозга", "На бурное развитие умственных способностей", "На устойчивость нервной системы" (§ 2.1; 2.2), "На общее оздоровление сердца" (§ 2.23), "На стабильность артериального давления крови" (§ 2.31) и другие в зависимости от соматического состояния больного. О целесообразности использования метода СОЭВУС при лечении шизофрении говорит и тот факт, что в ходе клинических испытаний метода была вылечена многолетняя тяжелая шубообразная шизофрения (см. выше), а также другие формы шизофрении.

В сексопатологии. При лечении импотенции врачу оказывают большую помощь настрои "На мужскую силу" (§ 2.20), "От импотенции" (§ 2.19), "На долголетнюю мужскую красоту" (§ 2.18), а также настрои общеукрепляющие, такие как "На устойчивость нервной системы" (§ 2.1; 2.2), "На оздоровление головы" (§ 2.8), "На устойчивость нервной системы" (§ 2.1; 2.2), "На устойчивость в жизни" (§ 2.6), "На долголетие" (§ 2.48; 2.49). Самовнушенная импотенция, с которой трудно бороться медикаментозными средствами, часто быстро исчезает при усвоении настроя "На мужскую силу" (§ 2.20).

При лечении истинной импотенции необходимо усваивать все перечисленные здесь настрои, а также настрой "На смелое поведение" (§ 2.45). Если истинная импотенция связана с алкоголизмом, необходимо усваивать настрой "На здоровый образ жизни" (§ 2.7), – направленный на ликвидацию зависимости от алкоголизма.

При фригидности женщины необходимо усваивать настрой "На женскую нежность" (§ 2.17).

В наркологии. Общеизвестно, что для лечения алкоголизма совершенно необходимо, чтобы сам человек активно боролся с этой болезнью. Поэтому применение метода СОЭВУС в наркологии имеет очень большое значение. Главный нарколог Москвы Э.С. Дроздов относится к этому методу очень серьезно и привлекает психологов к работе с больными. Помимо настроя "На здоровый образ жизни" (§ 2.7) при лечении алкоголизма совершенно необходимо усваивать настрои "На общее оздоровление сердца" (§ 2.23) и "На оздоровление печени" (§ 2.41), поскольку эти органы сильно страдают от алкоголя. При этом важно оздоравливать нервную систему, с этой целью следует усваивать настрой "На устойчивость нервной системы" (§ 2.1; 2.2). В лечении алкоголизма часто нужны все общеукрепляющие настрои. Поэтому наркологические лечебные учреждения необходимо как можно скорее обеспечить всем необходимым для широкого использования метода.

В онкологии. В специализированных онкологических лечебных учреждениях обычно формируется напряженная угнетающая атмосфера, создается хроническая экстремальная ситуация, включающая острые экстремальные ситуации (хирургические операции). Использование метода СОЭВУС помогает смягчить напряженность как врачам, так и больным. Для этого целесообразно использовать такие настрои, как "На устойчивость в жизни" (§ 2.6), "На долголетнюю женскую красоту" (§ 2.15, 2.16), "На долголетнюю мужскую красоту" (§ 2.18), "На смелое поведение" (§ 2.45). Такие настрои полезно больным прослушивать самостоятельно или коллективно, т.е. всей палатой или всем отделением.

Для снижения нервно-психической напряженности у врачей им полезно прослушивать настрои коллективно после пятиминутки и индивидуально после обеденного перерыва. Полезно прослушивать настрой "На устойчивость в жизни" (§ 2.6) и дома по возвращении с работы, ибо врач часто долго не может отделаться от тяжелых впечатлений рабочего дня, а иногда плохо спит ночью из-за перенапряжения. В таких случаях полезно перед сном прослушивать настрой "На здоровый сон" (§ 2.3; 2.4). При проведении хирургических операций метод СОЭВУС следует использовать так же, как рекомендуется обычно в хирургии.

При лечении лучевой болезни. Следует иметь в виду, что у проживающих на территории, подвергшейся воздействию радиации, которая никакой опасности не представляет ни для здоровья, ни тем более для жизни людей, на почве мнительности возникают различные самовнушенные нарушения физиологических функций организма, которые расцениваются человеком как истинные заболевния, вызванные радиацией.

В связи с этим на всей территории, подвергшейся радиации, целесообразно организовать психологическую поддержку населения путем распространения настроев метода СОЭВУС (текстовых и в звукозаписи): публикации их в местных газетах, передачи по радио, проведения разъяснительных передач по телевидению.

Очень много неприятностей приносит людям самовнушенная импотенция, поэтому необходимо всем желающим усваивать следующие настрои: "На мужскую силу" (§ 2.20), "От импотенции" (§ 2.19), "На долголетнюю способность к деторождению", "На устойчивость нервной системы" (§ 2.1, 2.2), "На устойчивость в жизни" (§ 2.6), "На смелое поведение" (§ 2.45). Это необходимо сделать, чтобы не допустить распространения самовнушенных болезней, порожденных радиацией.

У людей, подвергшихся воздействию интенсивной радиации, опасной для здоровья и жизни, в организме происходит нарушение многих физиологических функций. В случаях возникновения истинной лучевой болезни особенно необходима организация самой интенсивной психологической поддержки заболевших людей. Неоценимую помощь в этом деле окажет усвоение только что упомянутых настроев. В этих случаях необходимо, что называется, использовать метод на полную мощность. Прежде всего следует организовать усвоение облученными больными тех фрагментов настроев, которые направлены на рождение новорожденных тканей и органов, на наполнение всего тела колоссальной энергией развития новорожденной жизни. Здесь нужно включать все резервы, все скрытые возможности организма. В лечении лучевой болезни чрезвычайно важно преодолеть состояние обреченности и породить у людей перспективу восстановления здоровья.

Метод СОЭВУС был применен при лечении людей, пострадавших в чернобыльской аварии, и дал положительные результаты.

В других областях медицины. Врачам-практикам следует внимательно ознакомиться с методом СОЭВУС и учиться творчески подходить к его использованию. Для этого нужно вдумываться в содержание настроев и со знанием дела назначать больным для усвоения как определенных настроев, так и их фрагментов. Для решения различных задач можно составлять настрои из тех фрагментов типовых настроев, которые находятся непосредственно в распоряжении врача.

Помещение, оборудование и технологические аспекты использования метода. Для работы с больными по усвоению настроев метода СОЭВУС необходимо иметь отдельную комнату, в которой ничто не должно мешать работе по прослушиванию настроев. Для этого можно выделять и отдельные кабины, отведенные под физиотерапевтические процедуры. Помещения должны быть оснащены радиоаппаратурой: проигрывателями с пластинками или магнитофонами с кассетами с записями текстов настроев.

Первоначально усвоение настроев представляет собой увлекательную, но непривычную работу, поэтому для более легкого усвоения их следует прослушивать в звукозаписи. Для более полноценного использования метода СОЭВУС в рабочем кабинете должен иметься комплект всех типовых настроев в звукозаписи.

Если усвоение настроев коллективное, магнитофоны должны быть расставлены так, чтобы больные не мешали друг другу. Лучше, если больные будут сидеть один за другим в ряд.

По желанию выбирается тот или иной вид работы с настроем: усвоение по тексту или в звукозаписи. Поэтому наряду со звукозаписью настроев в рабочем кабинете должны быть в наличии и их тексты.

Врачи должны быть обеспечены регистрирующими приборами для измерения разностного электрического потенциала и контрольного наблюдения за состоянием больного.

Возможные ошибки в использовании метода СОЭВУС. При назначении настроя для усвоения следует обязательно учитывать вид заболевания и возраст больного. Так, гипотоникам не следует присутствовать одновременно на занятии с гипертониками и прослушивать настрой "На снижение артериального давления". Это вызывает у гипотоников снижение общего тонуса и отрицательно сказывается на их состоянии. Если занятие на снижение артериального давления проводится правильно, обычно в течение 30 минут показатели давления снижаются на 30 единиц в сумме двух показателей.

При назначении настрой необходимо выбирать с учетом его доступности восприятия больным, соответственно его возрасту. Имели место случаи, когда предельно старому человеку с лечебной целью давали прослушивать настрой, ориентированный на юношеский возраст. Старик воспринимал это как насмешку и после этого уже не удавалось заинтересовать его прослушиванием настроев.

Противопоказания для применения метода. Образно говоря, метод СОЭВУС представляет собой концентрат полезных добрых слов. Могут ли существовать противопоказания для добрых слов?! Ну, а если человек слышать их не желает. Вот не желает, и все тут. Ну, и не надо! Навязывать не стоит. Пусть он сам "созреет": увидит результаты, услышит мнение других людей. Большинство таких упрямцев со временем меняет свое отношение к настроям. А не "созреет", – ничего не поделаешь: насильно усваивать настрои не следует. Однако такие люди встречаются крайне редко, так как большинство понимают и принимают предельную простоту, доступность и эффективность этого безмедикаментозного, безболезненного метода.

1.4. Приемы самоизменения

Теоретическое обоснование приемов самоизменения. В проблеме самоизменения решаются разнообразные задачи, например повышение уровня сознательности, усиление регулирующего влияния сознания, формирование новых навыков морально-волевого поведения, развитие способностей и др. Вместе с тем в процессе самоизменения изменяется и представление человека о себе, что вполне естественно и закономерно. Можно значительно увеличить эффективность самоизменения, если специально работать по ускорению процесса изменения системы жизненно важных отношений, направленности, формирования прочных навыков нравственно-волевого поведения и т.д. В этом случае формирующееся новое представление о себе будет ускорять изменение всей личности в целом в желательном направлении и тем самым повысит результативность самоизменения.

В процессе самоизменения человек должен усваивать представление о себе, как о человеке, обладающем теми желательными ему качествами, которые он у себя развивает. Иначе говоря, утвердить представление о себе, которое свойственно людям, обладающим этими качествами.

Представление человека о себе складывается в течение всей жизни и является результатом развития личности в условиях взаимодействия с внешней средой. Поэтому большую часть в содержании представления занимает весь комплекс сложнейших взаимоотношений с отдельными людьми, коллективом и природой, на основании которых он выделяет себя из внешней среды и воспринимает себя как личность, как член коллектива. "Так как мы имеем дело всегда с отношением, так как именно отношение составляет истинный объект нашей педагогической работы, – писал А.С. Макаренко, – то перед нами всегда стоит двойной объект – личность и общество. Выключить личность, изолировать ее, вынуть ее из отношений совершенно невозможно, технически невозможно, следовательно, невозможно себе представить и эволюцию отдельной личности, а можно представить себе только эволюцию отношения"[1].

Представление о себе основывается на прошлой жизни и занимаемом общественном положении в настоящем, на отношении коллектива, понимании

---

[1] А.С. Макаренко. Соч. Т. 7. М.: Изд. АПН РСФСР. 1952. С. 426.

уровня своего развития и образования, знании особенностей своего характера, телосложения, здоровья и т.д. Так как физические особенности человека (телосложение, здоровье и др.) в известной степени обусловлены наследственностью, поэтому эту часть содержания представления о себе обычно связывают с пониманием всего того, что имеет отношение к наследственности.

Качественные особенности личности накладывают отпечаток на отношения с людьми, поэтому самоизменение связано с изменением представления о всей личности в целом.

Если человек выдвигает как особенно ценное какое-либо одно качество, в таком случае происходит неизбежный отрыв этого качества от личности. Как показывает опыт работы, это приводит к снижению эффективности самоизменения, что в психологическом плане объясняется изоляцией личности от коллектива, ее общественных содержательных отношений, отрывом от личности одного из ее главных проявлений, а в физиологическом плане – нарушением цельности всей грандиозной системы временных нервных связей.

Обычное представление создается на базе прошлых раздражений. "Ощущение, – писал И.П. Павлов, – простейшее субъективное переживание, данное каким-то внешним агентом (раздражителем) органам чувств, а восприятие – есть то, что у меня получается в мозгу, когда это раздражение оказывается связанным с другими раздражениями и со следами прежних. На этом основании я представляю внешний предмет"[1].

Физиологическая основа обычного представления заключается в возбуждении следов прошлых раздражений. *Физиологическая основа представления о себе является сложным комплексом, состоящим из возбужденных следов прошлых раздражений, поступающих в данный момент в кору больших полушарий из внутренней среды организма.*

---

[1] Павловские среды. Т. II. С. 565.

Под представлением в психологии понимают психический процесс, заключающийся в отражении в мозгу человека предмета или явления в тот момент, когда они не действуют на органы чувств. Ясно, что представление человека о себе не укладывается в рамки этого определения, потому что в момент возникновения представления о себе из всего организма непрерывным потоком идут раздражения в кору больших полушарий, благодаря чему у человека и создается общее представление о состоянии своего организма. Именно поэтому *представление человека о себе является особым психическим процессом.*

Физиологической основой представления обычно является целая система временных нервных связей или ассоциаций. И.М. Сеченов писал, что "ассоциация есть непрерывный ряд касаний предыдущего рефлекса с началом последующего . . . *Малейший внешний намек на часть влечет за собой воспроизведение целой ассоциации . . . Я вижу* человека, потому что на моей сетчатой оболочке действительно рисуется его образ, и *вспоминаю потому,* что на мой глаз упал образ двери, около которой он стоял"[1].

Процессы раздражения и возбуждения следов этого раздражения, по существу, одинаковы, разница только в причине, вызывающей нервный процесс. На это обратил внимание И.М. Сеченов почти сто лет назад в своей знаменитой работе "Рефлексы головного мозга": ". . . *Между действительным впечатлением с его последствиями и воспоминанием об этом впечатлении со стороны процесса, в сущности нет ни малейшей разницы.* Это тот же самый психический рефлекс с одинаковым психическим содержанием, лишь с разностью в возбудителях"[2].

Поскольку действительное впечатление от определенного воздействия на рецепторы и представление

---

[1] И. М. Сеченов. Избранные философские и психологические произведения. М.: Госполитиздат, 1964. С. 143, 144, 146, 147. (Здесь и далее курсив автора. — *Ред.*).

[2] Там же. С. 146.

этого воздействия являются по физиологическому механизму одним и тем же процессом, представление воздействия вызывает те же самые явления, что и само действительное воздействие. И.М. Сеченов писал по этому поводу: "Известно, что чувство холода часто вызывает у людей так называемую гусиную кожу – сокращение особенных маленьких мышц в коже. Явление это есть, очевидно, рефлекс, отложенный сознательным ощущением холода, и в этом смысле оно совершенно невольно. А между тем я знаю господина, который способен вызывать у себя гусиную кожу даже в теплой комнате – для этого он должен только вообразить, что ему холодно. В этом замечательном случае воображение производит одинаковый эффект с реальным чувственным возбуждением"[1].

То же самое отмечал И.П. Павлов в своей статье "Физиологический механизм так называемых произвольных движений": "Давно было замечено и научно доказано, что раз вы думаете об определенном движении (т.е. имеете кинэстезическое представление), вы его невольно, этого не замечая, производите"[2].

Отсюда следует, что со стороны физиологического механизма идеомоторный акт при его естественном возникновении и волевой акт произвольного вызывания соответствующего представления различаются лишь тем, что первый возникает и протекает непроизвольно, второй – только произвольно.

Специально проведенные электрофизиологические исследования также это подтвердили. Произведя целый ряд опытов с представлениями, П.И. Шпильберг писала: "Производимый мной гармонический анализ электроэнцефалограммы здорового человека показал наличие в ней кроме α-волн с частотой 8 – 15 герц, так и β-волн в 20–30 герц, и γ-волн в 60–220 герц, и медленных колебаний в 1–5 герц. Характерный тип электроэнцефалограмма сохраняет у одного и того же челове-

[1] Там же. С. 145, 146.

[2] И. П. Павлов. Полн. собр. соч. Изд. 2. М.–Л., 1951. Т. 3. Кн. 2. С.316.

ка в течение многих месяцев, но вместе с тем она очень изменчива даже от опыта к опыту. Она меняется под влиянием движения или глубокого входа, при мысленном представлении какой-либо ситуации и при другой умственной деятельности.

При произвольной мышечной работе ритм мозга перестраивается   на ритм работающей мышцы, хотя может произойти адаптация коры, проявляющаяся в восстановлении регулярного ритма; при этом, как показали мои исследования путем одновременной регистрации электроэнцефалограммы, электромиограммы и механограммы движений, перестройка ритмов мозга на ритм мышцы начинается еще перед началом мышечной работы. Таким образом, только представление о мышечной деятельности может вызвать уже перестройку ритмов мозга на ритм мышцы"[1].

Исследования профессора К.Х. Кекчеева с сотрудниками также показали, что представление раздражения вызывает те же изменения, что и соответствующие реальные раздражители. Например, десятки экспериментов, проведенные А.А. Дубинской, показали, что представления о сладком, кислом, соленом или горьком вкусе и т.п. вызывают сдвиги чувствительности ахроматического зрения весьма значительной амплитуды и всегда в ту же сторону, что и реальный раздражитель. Экспериментально было установлено, что направление сдвига определяется интенсивностью раздражителя. Оказалось, что точно такой же эффект дают и соответствующие представления: например, представление слабокислого вкуса вызывает повышение чувствительности ахроматического зрения, а представление сильно кислого вкуса ведет к ее понижению.

Другой сотрудник проф. Кекчеева Л.А. Щварц предлагал своим испытуемым представить себе ощущение,

---

[1] **П. И. Шпильберг.** Электроэнцефалограмма человека при умственной работе /Бюллетень экспериментальной биологии и медицины. Т. 17. Вып. 6. 1944. С. 20.

сильно окрашенное положительным или отрицательным эмоциональным тоном. К.Х. Кекчеев писал об этих опытах, что "представления о раздражениях дали сдвиги чувствительности ахроматического и хроматического зрения. Эти сдвиги имели, во-первых, тот же знак, что и сдвиги, вызванные соответствующими реальными раздражителями, и, во-вторых, по своей величине были того же порядка, что и реальные сдвиги, и, в-третьих, могли суммироваться с этими последними. В высшей степени интересным представляется то обстоятельство, что эмоции центрального происхождения (так же как и представления неэмоционального характера) приводят в действие те же физиологические механизмы, что и эмоции периферического происхождения"[1].

И, наконец, исследования в этой области академика К.М. Быкова и его сотрудников подтвердили, что представление определенных раздражений и процессов деятельности вызывает те же изменения, что и действительные раздражители и деятельность.

Особенностью представления человека о себе и объясняется тот факт, что оно может вызывать различные формы движения материи, чего не может вызвать представление о внешнем мире.

Таким образом, современная наука располагает большим экспериментальным материалом, подтверждающим, что *представления о раздражителях вызывают в организме человека такого же характера изменения, как и сами реальные раздражители*. Этим и объясняется влияние на организм представления о себе.

Представление человека о себе обычно довольно точно соответствует действительности. Например, если человек высокого роста, он и представляет себя высоким, если он маленького роста, таковым себя и представляет, если он сильный, как, например, чемпион мира Ю. Власов, так он и представляет себя человеком сильным, а не слабым и т.д.

[1] К.Х. Кекчеев. Проблема физической и умственной работоспособности в свете современных представлений /Известия АПН РСФСР. Вып. 8. 1947. С. 131–132.

Однако представление человека о себе абсолютно точно не соответствует состоянию организма в данный момент. Почему? Во-первых, потому что формирование представления требует времени, которое необходимо на соответствующую перестройку системы временных нервный связей, являющихся его физиологической основой. Но через промежуток времени, необходимый на изменение системы временных связей, представление неизбежно придет в соответствие с этим состоянием организма. Организм же за это время изменится. Представление опять продолжает изменяться, и так происходит всегда. Таким образом, организм и представление человека о себе непрерывно изменяются и в этом процессе организм опережает представление, которое несколько отстает во времени от изменений организма. Например, так обстоит дело в случае возникновения условного патологического речевого рефлекса, т.е. человек продолжает представлять себя человеком со здоровой речью, пока этот рефлекс не даст о себе знать. То же самое происходит в случае возникновения и других болезней, т.е. человек продолжает представлять себя здоровым до тех пор, пока эта болезнь не разовьется настолько, что даст о себе знать. Во-вторых, известно, что человек иногда может переоценивать свои реальные возможности или поступать несоответственно им. Но в таких случаях это делается с целью возвысить себя в глазах людей или по каким-нибудь другим мотивам, а не потому, что представление человека о себе не соответствует действительности.

Благодаря регулирующему влиянию сознания человек может отвлекаться от непосредственных раздражителей и воспроизводить те раздражители, которые действовали на него раньше, может создавать новые представления на базе старых (представления воображения). "Человек, как известно, – писал Сеченов, – обладает способностью *думать образами, словами и другими ощущениями*, не имеющими никакой прямой связи с тем, что в это время действует на его органы чувств. В его сознании рисуются, следовательно, образы и звуки без участия соответствующих внешних действительных образов и звуков. Но поскольку все эти образы и звуки он прежде видел и слышал в действительности, постольку и способность думать ими, без соответствующих внешних субстратов, называется воспроизводящею ощущения способностью"[1]. Если человек может воспроизводить ощущения, он может, следовательно, воспроизводить и представления, так как представления возникают на основе ощущений.

Благодаря регулирующему влиянию сознания человек может создавать и новые представление о себе.

Как только человек начинает воспроизводить новое представление о себе, то сейчас же с этим представлением вступает в борьбу имеющееся представление о себе, а также впечатление о прошлой жизни, различные представления и понятия, одним словом, все то, что находится в противоречии с новым представлением о себе. Здесь нужно приложить значительные волевые усилия на то, чтобы хотя бы на миг удержать в сознании какую-нибудь часть нового представления о себе.

Эти новые усилия нужны на то, чтобы вызвать в сознании другую часть нового представления о себе. И так до тех пор, пока не будет вызвано в сознании все представление по частям. Затем человек попытается вызвать в сознании все новое представление о себе в целом. Если это у него не получится, тогда вновь продолжается та же работа.

Представление о себе очень сложно, многосторонне. Для того чтобы вызвать в сознании представление о себе, необходимо ослабить в нем все то, что противоречит этому представлению и разрушает его.

Физиологический механизм усвоения нового представления о себе очень сложен, и о нем пока можно говорить лишь в общих чертах. Как только человек

---

[1] И.М. Сеченов. Избранные философские и психологические произведения. М.: Госполитиздат, 1964. С. 135—136.

начинает воспроизводить в сознании новое представление о себе, сейчас же в коре больших полушарий мозга возникает борьба рефлексов, так как новые условные связи вступают в борьбу с образовавшимся динамическим стереотипом, который постоянно поддерживается реальными раздражителями и поэтому отличается сравнительно большой прочностью. Вследствие этого тормозится формирование и становление новых временных связей, являющихся физиологической основой нового представления о себе. Борьба имеющихся и вновь образующихся временных нервных связей вызывает ошибку процессов возбуждения и торможения, что приводит к их большому напряжению. Так как сложившийся динамический стереотип отличается большой прочностью, а новые связи поддерживаются мощным регулирующим влиянием второй сигнальной системы, которое является физиологической основой регулирующего влияния сознания, то и возникает большое напряжение.

Можно думать, что именно к самоизменению представления о себе относятся слова И.П. Павлова: "Человек есть... система единственная по высочайшему саморегулированию... Наша система в высочайшей степени саморегулирующаяся, сама себя поддерживающая, восстанавливающая, поправляющая и даже совершенствующая"[1].

При изменении представления о себе используются многочисленные самоизменения. Среди них наиболее действенным является самовнушение. Рассмотрим некоторые из приемов самоизменения.

Приемы самоизменения. Самовнушение. По содержанию самовнушение всегда противоречит действительности. Это его характернейшая особенность. Если нет такого противоречия, нет и самовнушения. За счет этого несоответствия человек может изменить себя.

---

[1]И.П. Павлов. Полн. собр. соч. Изд. 2. М.–Л.: 1951. Т. III. Кн. 2. С. 187–188.

Если самовнушение по содержанию относится только к самому человеку, который проводит самовнушение, в результате действия самовнушения на человека, он может измениться и прийти в соответствие с содержанием самовнушения. Если содержание самовнушения относится к внешним явлениям или другим людям, оно никогда не придет в соответствие с той материальной действительностью, к которой оно относится. В этом случае изменяется лишь представление человека об этих явлениях или людях, отношение человека к ним, а также его субъективные установки. В этом и состоит задача такого рода самовнушения.

Многократное систематическое прочтение или прослушивание формул самовнушения по внешней форме напоминает метод самовнушения Э. Куэ, широко распространенный за рубежом и в СССР в начале нашего века. В предисловии к русскому изданию книги Э. Куэ проф. Ермаков писал: "Автор предлагаемой книжки Эмиль Куэ – знаменитый психотерапевт – принадлежит уже не только своей Родине – Франции, его имя и метод сделались в настоящее время достоянием всего культурного мира"[1].

Общеизвестно, что на практике метод Куэ не дал положительных результатов и от него отказались еще быстрее его повсеместного распространения. То, что случилось с методом Куэ, на многие десятилетия оставило следы горького разочарования в использовании самовнушения.

В последние годы проф. А.Г. Ковалев рассмотрел применение педагогического внушения как метода воспитания. Огромная сила воздействия педагогического внушения давно использовалась на практике: широко применял в своей работе педагогическое внушение А.С. Макаренко. Несравнимо более мощное воздействие на личность по сравнению с педагогичес-

---

[1] Э. Куэ. Школа самообладания путем сознательного (преднамеренного) самовнушения. Н.-Новгород, 1928. С. 5.

46

ким внушением может оказать самовнушение. Это объясняется тем, что самовнушением человек может заниматься самостоятельно в течение неограниченно долгого времени, тогда как возможности педагогического внушения весьма ограничены. И вот теперь, вновь обращаясь к самовнушению как к приему самоизменения, полезно вскрыть причины неудачи метода Куэ.

О практическом применении своего метода Э. Куэ писал: "Каждое утро при пробуждении и каждый вечер, когда вы ложитесь спать, закрыв глаза и сосредотачивая внимание на том, что говоришь, произносить, шевеля губами и достаточно внятно, чтобы слышать слова, отсчитывая двадцать раз на бичевке с двадцатью узлами, следующую фразу: "С каждым днем во всех отношениях мне становится все лучше и лучше". Слова "во всех отношениях" относятся ко всему, а потому незачем делать отдельные – частные самовнушения. Произносить это самовнушение надо просто, чисто, по-детски, машинально и, следовательно, без малейшего усилия"[1]. При этом Э. Куэ исходил из собственного положения о том, что "каждый раз без исключения воображение одерживает верх над волей"[2]. Поэтому-то он считал, что волевые усилия могут только снизить эффект самовнушения. Такова в общих чертах основа теории и практического применения метода самовнушения Куэ.

Для достижения целей самоизменения необходимо изменить всю личность человека в целом. В физиологическом плане нужно существенно изменить всю огромную систему временных связей. Не проще обстоит дело и с устранением заболеваний, для борьбы с которыми Э. Куэ рекомендовал свой метод. Все это должно было быть достигнуто путем механического повторения фразы: "С каждым днем во всех отноше-

---

[1] Э. Куэ. Школа самообладания путем сознательного (преднамеренного) самовнушения. Н.-Новгород, 1928. С. 52–53.

[2] Там же. С. 29.

ниях мне становится все лучше и лучше". Эти несколько слов являются слишком слабыми раздражителями для того, чтобы вызвать изменения во всем динамическом стереотипе, чтобы изменить всю личность в целом. Можно предположить, что действие этих слов целиком преодолевалось сложившимся стереотипом, и эффект от такого самовнушения был равен нулю.

Кроме того, отказавшись от использования воли человека, Э. Куэ отказался от использования такой мощной силы, какой является регулирующее влияние сознания. В результате такое самовнушение, действие которого ничтожно по своему содержанию, ничем не было поддержано. Все это привело к тому, что рациональная идея использования в борьбе с недугом сил самого человека в практике самовнушения по методу Куэ принесла разочарование.

В настоящее время после научного обоснования Н.И. Павловым физиологического влияния слова трудно сомневаться в действенности самовнушения вообще. Йоги Индии с помощью самовнушения добиваются поразительных результатов. Первые попытки применения самовнушения на Западе по системе йогов сразу принесли положительные результаты. В настоящее время человечество накопило огромный положительный опыт использования самовнушения.

Самовнушение отличается от педагогического внушения тем, что при самовнушении человек самостоятельно прочитывает (про себя или вслух) или просто продумывает и проговаривает определенные слова или целые фразы с целью воздействия на себя.

Второсигнальное или первосигнальное воздействие на человека зависит не только от абсолютной физической силы раздражителя, но главным образом от значимости для человека того или другого сигнала, от отношения человека к сигнализируемому явлению. В случае, когда имеем одни и те же сигналы, например формулу самовнушения и одну и ту же активность отношения к этим сигналам, степень воздействия на человека этих сигналов зависит от их абсолютной физической силы и интенсивности волевых усилий, с которыми человек проводит самовнушение.

Самое слабое действие самовнушение оказывает, если человек продумывает или проговаривает слова про себя. В этом случае процесс возбуждения в определенной области больших полушарий головного мозга вызывается волевыми усилиями и кинестизическими раздражениями (идущими от речевых органов), которые в результате будут очень слабыми.

Более эффективно самовнушение, если человек достаточно громко прочитывает (а не проговаривает на память) текст самовнушения. Процесс возбуждения при этом в определенной области полушарий головного мозга вызывается одновременно волевыми усилиями и тремя видами сильных раздражений: зрительными, слуховыми и кинестезическими, идущими от речевых органов.

Применение самовнушения не вызывает никаких трудностей, но на практике в каждом конкретном случае разработка формул самовнушения требует огромного труда. Над разработкой отдельных формул автору этой книги приходилось работать годами, думать над одним вопросом постоянно, ежедневно, пройдя через тысячи неудачных или ошибочных формулировок. Правда, такие большие трудности обычно встречаются редко и связаны они с разработкой новых, научно нерешенных вопросов. Для решения обычных задач по оздоровлению организма формулы самовнушения может разработать каждый.

Долгое время считалось, что полезны только утвердительные формулы, но потом оказалось, что имеют место случаи, когда отрицательные формулировки очень сильны и незаменимы. Например, формулу для заикающихся: "При произношении согласных звуков не делаю ни единого лишнего движения, ни малейшего усилия" – трудно заменить формулой утвердительной, которая оказывала бы столь же сильное влияние. Однако случаи необходимости применения отрицательных формул сравнительно редки. Обычно всегда, где только можно, следует применять формулы самовнушения в утвердительной форме. Например, для укрепления представления о себе как о человеке с крепким устойчивым здоровьем, необходимо применять формулы типа: "Я совершенно здоров". Формулы противоположного типа: "Я не больной..." будут приносить вред, потому что слово "больно" по физиологическому влиянию сильней, чем частица "не". Такая формула может усилить представление человека о себе, как о больном, а также о своей болезни вместо того, чтобы укрепить представление о себе как о здоровом человеке и о своем здоровье.

Проводят самовнушение в обычных формах: чтение про себя или проговаривание вслух написанных формул самовнушения, проговаривание их по памяти или прослушивание с магнитофонной записи. Это не требует больших волевых усилий и не представляет особой сложности. Трудность здесь больше кажущаяся, чем действительная. Например, йоги Индии приучают своих детей к работе над собой с того возраста, когда ребенок только начинает говорить, т.е. примерно с годовалого. Едва ребенок произнесет первые фразы из двух-трех слов, как отец ему сейчас предлагает проговаривать какую-либо простейшую формулу самовнушения, например: "Я смелый". В шестилетнем возрасте дети йогов уже способны публично демонстрировать сложнейшие упражнения. В нашей стране самовнушению не учат ни в детских яслях, ни в детских садах, ни в школах, ни в вузах. Получив высшее педагогическое образование, многие будущие воспитатели даже не слышали о самовоспитании и самоуправлении. Так продолжается уже целые десятилетия. Вот почему проведение самовнушения большинству из нас кажется чем-то необычным, а потому и трудным. Именно из-за этого люди часто откладывают работу над собой до более удобного случая и упускают драгоценное время.

В обычных жизненных условиях к работе над собой полезно психологически подготовиться. Для этой цели рекомендуется следующая формула самовнушения: "Работа над собой для меня вполне посильное дело. Я легко справлюсь со всеми трудностями самоизменения. Самоизменение принесет мне огромную пользу и я с большим удовольствием буду заниматься самоизменением. Я никогда не буду откладывать проведение нужного самовнушения и буду использовать для этого всякое время, которое у меня обычно пропадало зря, без всякой пользы. Я буду упорнейшим образом заниматься самоизменением и добьюсь своей цели: я стану таким, каким хочу быть".

Для достижения большего успеха в самоуправлении следует учится правильному распределению усилий в работе над собой. Наиболее важные формулы самовнушения повторяйте чаще других и при прочтении одной формулы наиболее важные слова прочитывайте по два-три раза. Для самовоспитания используйте то время, которое обычно пропадает зря: по дороге на работу и домой, во время езды на городском транспорте и т.д. Кроме того, приучайте себя специально выделять время для самоуправления и проводите сеансы самовнушения, увеличивая их до 5—10 минут.

Начинать заниматься самовнушением следует с самых простых форм, с прочтения готовых формул самовнушения, или, что еще легче, с прослушивания звукозаписи с формулами самовнушения. Постепенно человек приучится проводить самовнушение и почувствует, что получает от него большую пользу. Последующие занятия самовнушением он будет проводить с большей охотой. Тогда можно переходить к самой сложной форме проведения самовнушения: к проработке формул самовнушения с представлениями, что уже требует большей активности и значительных волевых усилий.

Проработка формул самовнушения с представлениями заключается в том, что человек старается твердо, ярко представить себе конкретные жизненные ситуации и свои поступки, соответствующие содержанию формулы самовнушения. Эта форма самовнушения наиболее эффективна, так как в этом случае максимально используется сила регулирующего влияния второй сигнальной системы.

В процессе занятий самоуправлением одни представления, мысли и поступки надо подавить, а другие укрепить. К тому, что нужно подавить, надо вызвать ненависть. Ненависть подавляет любое состояние. Эта особенность ненависти чрезвычайно важна. Например, для подавления вспыльчивости рекомендуется использовать формулу: "Сильнейшей, лютой, злобной ненавистью ненавижу свою вспыльчивость". Для укрепления какого-либо состояния нужно усилить положительное отношение. Например, для укрепления самообладания рекомендуется применять формулу: "Мне очень нравится моя выдержка, я люблю проявлять свою выдержку и большое самообладание, это доставляет мне большое наслаждение. Сдерживать – значит поднимать себя". Для преодоления вспыльчивости и укрепления самообладания обе эти формулы следует проговаривать одновременно, одну за другой. В первые же дни применения такого самовнушения обучающемуся становится гораздо легче вести себя нормально и сохранять нужные отношения с окружающими его людьми (вспыльчивость непрерывно портит эти отношения). Подобные же формулы полезны для преодоления грубости и формирования вежливости, тактичности.

Но эта формула выражения самовнушаемой мысли не является единственной. Существует целая система выражения содержания самовнушаемой мысли. Для большей ясности рассмотрим эту систему на конкретном примере. Ученик хочет повысить активность запоминания нового учебного материала. Для этого он желает убедить себя в том, что ему достаточно один раз прочитать материал, чтобы ярко, твердо запомнить его на всю жизнь, в том, что у него очень сильная, твердая память. Вот *основные формы выражения самовнушаемой мысли:*

1. Я хочу . . .
2. Мое желание иметь . . .
3. Я вижу себя как человека с . . .
4. Я способен добиться своей цели . . .
5. Я все смею, все могу . . .

6. Я не допускаю ни малейших сомнений в том, что...

7. Я верю в то, что...

8. Я убежден в том, что...

9. Я твердо уверен в том, что...

10. Все люди видят меня как человека...

11. Все знающие меня люди относятся ко мне, как к человеку...

12. Мне нравится...

13. Я люблю...

14. Я глубоко осознал, я до конца осмыслил, я до конца понял, что...

15. Я использую все свои духовные силы для того, чтобы...

16. Я ярко, твердо чувствую себя человеком...

17. Прилагаю огромные, могучие волевые усилия, чтобы...

18. Я концентрирую все свои усилия в одном направлении, я создаю великую концентрацию огромных, могучих волевых усилий для...

19. Прилагаю великую концентрацию огромных, могучих, волевых усилий для...

20. Сильнейшей, лютой, злобной ненавистью ненавижу всякие сомнения в том, что...

21. Сильнейшей, лютой, злобной ненавистью ненавижу всякие неправильные, ложные представления людей о...

22. У меня...

23. Мои родители, бабушки, дедушки, все в нашем роду обладают...

24. Мне по наследству передалось...

25. Я способен смотреть миру в лицо, ничего не боясь...

26. Ярко, твердо помню...

27. С большой настойчивостью стараюсь...

28. Я отношусь совершенно безразлично к...

29. С беспредельной дерзновенностью...

К разработке формул самовнушения по указанной системе нужно подходить творчески и подбирать для себя наиболее понятные слова, создавать наиболее простые и точные формулировки.

Помимо всеобщего значения, некоторые слова иногда приобретают субъективное значение, и с этим необходимо считаться при разработке формул самовнушения. Например, для пациента, страдавшего врожденной экземой, были разработаны формулы самовнушения. Вводная формула говорила о том, что он человек сильный, титан и легко справится с трудностями работы над собой. Когда больной прослушал звукозапись, то сказал, что все очень хорошо, все ему нравится, а вот слово "титан" напоминает ему большой самовар, в котором в студенческом общежитии кипятили чай. "Я титан" из формулы пришлось снять. И подобных примеров много.

Необходимо также выбирать приемлемую конкретно для ребенка и взрослого человека степень силы выражения мысли. Например, мысль о том, что "У меня сильная память", можно выражать с разной степенью силы: "У меня сильная, твердая память; у меня самая хорошая память среди учеников нашего класса; у меня самая сильная память среди всех учеников нашей школы; у меня самая сильная память среди всех людей на свете; моя память самая сильная во всей Вселенной".

Нужно подобрать наиболее подходящую первоначальную степень силы выражения самовнушаемой мысли, а затем, в процессе самовоспитания, эту степень можно увеличивать, подбирая все более и более сильное выражение мысли.

Почти все формулы самовнушаемой мысли можно выразить с разной степенью волевого усилия, волевого напряжения. Чем больше степень усилия, тем больше она утомляет человека. Это следует иметь в виду и сразу не начинать работу над собой с большими усилиями. Например, формулу "Я вижу себя как человека с одного раза ярко, твердо запоминающего на всю жизнь весь прочитанный учебный материал" можно передать со все более сильным волевым напряжением: "Я стараюсь видеть себя как человека с одного раза ярко, твердо запоминающего на всю жизнь весь прочитанный учебный материал"; "Я настойчиво стараюсь видеть себя как человека с одного раза ярко, твердо запоминающего на всю жизнь весь прочитанный учебный материал"; "С непреклонной настойчивостью стараюсь видеть себя как человека с одного раза ярко, твердо запоминающего на всю жизнь весь прочитанный учебный материал"; "Изо всех сил стараюсь видеть себя как человека с одного раза ярко, твердо запоминающего на всю жизнь весь прочитанный учебный материал"; "Со стоической настойчивостью стараюсь видеть себя как человека с одного раза ярко, твердо запоминающего на всю жизнь весь прочитанный учебный материал", "Прилагаю огромные, могучие волевые усилия, чтобы видеть себя как человека с одного раза ярко, твердо запоминающего на всю жизнь весь прочитанный учебный материал"; "Прилагаю великую концентрацию огромных, могучих волевых усилий, чтобы видеть себя как человека с одного раза ярко, твердо запоминающего на всю жизнь весь прочитанный учебный материал"; "Мое старание видеть себя как человека с одного раза ярко, твердо запоминающего на всю жизнь весь прочитанный учебный материал сильней всего во всей Вселенной, оно неизбежно приведет к достижению цели, к улучшению памяти".

Общие формулы типа "У меня сильная память"; "У меня твердый характер"; "У меня сильная воля" и т.д. не очень эффективны. Более эффективны формулы самовнушения, содержащие определенный образ действий или определенный результат деятельности. Поэтому вместо общей формулы: "Я вижу себя как человека с сильной памятью" лучше использовать формулу: "Я вижу себя как человека с одного раза ярко, твердо запоминающего на всю жизнь весь прочитанный учебный материал".

После проведения самовнушения для улучшения запоминания следует действительно прочитать что-либо нужное и постараться укрепить представление о себе как о человеке с одного раза ярко, твердо запоминающем на всю жизнь прочитанный материал. При такой работе над собой память быстро развивается.

При надобности в формулах слова "учебный материал" можно заменить на "мелодию", или "чертеж", или "научный материал" и т.д.

Таким путем следует развивать всякую память: словесно-логическую, зрительную, слуховую, двигательную и т.д.

Теперь вернемся к *системе выражения самовнушаемой мысли*. Покажем, как по этой системе развить мысль о сильной памяти в первоначальной степени силы выражения и в начальной степени волевого напряжения. Для этого используют следующие основные формы выражения самовнушаемой мысли:

1. Я хочу иметь очень хорошую память, я хочу с одного раза ярко, твердо запоминать на всю жизнь весь прочитанный учебный материал.

2. Мое желание с одного раза ярко, твердо запоминать на всю жизнь прочитанный учебный материал сильней всех других желаний.

3. Я вижу себя, как человека с одного раза ярко, твердо запоминающего на всю жизнь весь прочитанный учебный материал.

4. Я способен добиться своей цели и с одного раза ярко, твердо запоминать на всю жизнь весь прочитанный учебный материал.

5. Я все смею, все могу, я могу с одного раза ярко, твердо запоминать на всю жизнь весь прочитанный учебный материал.

6. Я не допускаю ни малейших сомнений в том, что я могу с одного раза ярко, твердо запоминать на всю жизнь весь прочитанный учебный материал.

7. Я верю в то, что я могу с одного раза ярко, твердо запоминать на всю жизнь весь прочитанный учебный материал.

8. Я убежден в том, что я с одного раза ярко, твердо запоминаю на всю жизнь весь прочитанный учебный материал.

9. Я твердо уверен в том, что я с одного раза ярко, твердо запоминаю на всю жизнь весь прочитанный учебный материал.

10. Все люди видят меня как человека, с одного

раза ярко, твердо запоминающего весь прочитанный материал.

11. Все знающие меня учителя относятся ко мне как к ученику, с одного раза запоминающему на всю жизнь весь прочитанный учебный материал.

12. Мне нравится с одного раза ярко, твердо запоминать на всю жизнь весь прочитанный учебный материал.

13. Я люблю с одного раза ярко, твердо запоминать на всю жизнь весь прочитанный учебный материал.

14. Я глубоко осознал, я до конца осмыслил, я до конца понял, что я с одного раза ярко, твердо запоминаю на всю жизнь прочитанный учебный материал.

15. Я использую все свои духовные силы, чтобы всегда с одного раза ярко, твердо запоминать на всю жизнь весь прочитанный учебный материал.

16. Я ярко, твердо чувствую себя человеком, с одного раза ярко, твердо запоминающим на всю жизнь весь прочитанный учебный материал.

17. Прилагаю огромные, могучие волевые усилия, чтобы с одного раза ярко, твердо запоминать на всю жизнь весь прочитанный учебный материал.

18. Я концентрирую все свои усилия в одном направлении, я создаю великую концентрацию огромных, могучих волевых усилий для того, чтобы с одного раза ярко, твердо запоминать на всю жизнь весь прочитанный учебный материал.

19. Прилагаю великую концентрацию огромных, могучих волевых усилий для развития своей памяти.

20. Сильнейшей, лютой, злобной ненавистью ненавижу всякие сомнения в том, что у меня сильная память, что я с одного раза ярко, твердо запоминаю на всю жизнь весь прочитанный учебный материал.

21. Сильнейшей, лютой, злобной ненавистью ненавижу всякие неправильные, ложные представления людей о малых возможностях человеческой памяти.

22. У меня сильная твердая память.

23. Мои родители, бабушка, дедушка, все в нашем роду обладали хорошей памятью.

24. Мне по наследству передалась хорошая память.

25. Я способен смотреть миру в лицо, ничего не боясь, не боясь трудностей развития памяти.

26. Ярко, твердо помню, что у меня хорошая память.

27. Я всегда стараюсь с одного раза ярко, твердо запоминать на всю жизнь весь прочитанный материал.

Существуют сложные, комбинированные формулы самовнушения, включающие в себя две или более формы выражения мысли. Например, комбинированная формула типа "Прилагаю огромные могучие волевые усилия, чтобы всегда видеть себя человеком с сильной, твердой памятью". Эта формула включает в себя третью, семнадцатую и двадцать вторую формы.

Начинать проведение самовнушения следует с простых формул самовнушения, после того, как они будут усвоены, можно переходить к комбинированным.

В подавляющем большинстве случаев в процессе самовоспитания достаточно одной-двух формул выражения самовнушаемой мысли, только в крайне редких случаях при решении очень трудных задач следует выбирать наиболее многообразные формулы формы и использовать всю систему целиком.

Одним обучающимся нравятся одни формы выражения мысли, другим – другие. Кому что нравится, тот тем пусть и пользуется! Всегда больше пользы от тех формул, которые нравятся и от которых чувствуют пользу. Однако этот выбор формул не случаен. За ним кроются определенные закономерности. Так, в рассмотренном примере, чем сильней воля ученика, тем больше ему нравится более сильное выражение мысли и большое волевое напряжение. Наоборот, представители меланхолического темперамента со слабой нервной системой не любят таких формул. Кроме того, выбор формы выражения мысли зависит и от уровня развития, возраста человека, его активного словарного запаса. В тех случаях, когда у человека есть убеждение в том, что многое передается по наследству, и когда его родственники действительно обладали развитыми качествами, которые он у себя воспитывает, двадцать третья и двадцать четвертая формы выражения мысли о наследственности дают очень хороший результат.

При разработке формул самовнушения всегда полезно учитывать сложившиеся у данного человека представления и убеждения, чтобы в одних случаях на них опираться, в других – разрушать их, если они неправильные и вредные. Очень большое значение всегда имеют десятая, одиннадцатая и двадцать первая формы выражения самовнушаемой мысли. Всякое качество человека как-то сказывается на отношениях к нему других людей, на мнении о нем. Поэтому сложившееся мнение людей затрудняет решение задач самоуправления. Например, к сожалению, часто случается, что мастер указывает на рабочего, неоднократно нарушавшего дисциплину. Занимающемуся самовоспитанием нарушителю становится намного трудней воспитывать у себя самодисциплину. Некоторые даже на какое-то время срываются, а то и назло начинают нарушать дисциплину. Что же говорить про рабочего, если сам мастер допускает такие ошибки. Вот почему в решении многих задач самовоспитания и самоуправления очень остро стоит вопрос об отношениях между людьми, об их мнении. С помощью двадцать первой формы можно освободиться от тормозящего самоуправление влияния мнения других людей. С помощью десятой и одиннадцатой форм для повышения эффективности самовоспитания и самоуправления можно использовать мнение людей. Поэтому этими тремя формами никогда не следует пренебрегать. Особенно большое значение имеют они для мнительных людей.

Приведем несколько простых формул самовнушения.

Для улучшения внимательности: ”Я всегда очень внимательно работаю. Все знают меня как очень внимательного человека. Прилагаю большие волевые усилия, чтобы всегда работать очень внимательно. Твердо помню, что я очень внимателен. С большой настойчивостью стараюсь внимательно работать”.

Для самовоспитания вежливости и тактичности: "Я хочу стать вежливым, тактичным человеком, чтобы людям было приятно общение со мной. Я вижу себя как вежливого, тактичного ученика. Я способен во всякой обстановке быть вежливым, тактичным. Не допускаю ни малейших сомнений в том, что я всегда буду вежлив и тактичен. Все знают меня как вежливого, тактичного человека. Мне очень нравится быть вежливым, тактичным человеком. Если нужно, я приложу большие волевые усилия, чтобы быть вежливым. Сильнейшей, лютой, злобной ненавистью ненавижу проявления своей грубости и бестактности по отношению к другим людям. Ярко, твердо помню, что я человек вежливый. С большой настойчивостью стараюсь быть вежливым, тактичным человеком".

Для самовоспитания упорства в выполнении домашних заданий и решении задач для учащихся: "Я хочу самостоятельно решать все задачи по всем предметам. Я способен добиться своей цели. Я все могу. Не допускаю ни малейших сомнений в том, что я смогу сам решить все заданные задачи. Все учителя знают меня как ученика, способного самостоятельно выполнить все домашние задания и решить все задачи. Буду прилагать большие волевые усилия, чтобы самостоятельно выполнять все домашние задания. И отец и мать всегда сами выполняли домашние задания. И мне от них передалось это упорство. Я всегда с большой настойчивостью стараюсь выполнить все домашние задания и решить все задачи".

Для выполнения режима дня: "Выполнение режима дня развивает волю, закаляет меня физически и духовно, делает меня более сильным и здоровым. Я хочу для собственной же пользы точно выполнять режим дня. Я способен преодолеть все трудности точного выполнения режима дня. Я буду прилагать большие волевые усилия для точного выполнения режима дня. Я буду изо всех сил стараться точно выполнять режим дня, и я добьюсь своей цели. Я все смею, все могу".

Некоторые виды работы связаны с большим нервным напряжением, которое со временем накапливается и приводит к различным заболеваниям нервной, а также и сердечно-сосудистой системы. Для предупреждения этих заболеваний и повышения эффективности работы очень полезно специальным самовнушением постоянно снимать нервное напряжение. При этом очень заметно улучшается самочувствие, настроение и работать становится гораздо легче. Очень часто также и радость вызывает волнение, напряжение. Известны случаи, когда при радостном известии люди умирали от разрыва сердца, как и от сильного испуга. Поэтому для снятия напряжения надо вызывать не радость жизни, а состояние безмятежного счастья. Вот ориентировочные формулы самовнушения *для снятия волнения и нервного напряжения:*

"Мне легко, легко, свободно. Безмятежное счастье. Ярко, отчетливо чувствую безмятежное счастье. Я безмятежно счастлив. Безмятежное счастье, безмятежное счастье. Каждая клетка тела дышит безмятежным счастьем. Все тело дышит безмятежным счастьем. Все тело дышит безмятежным счастьем. Все тело дышит легко, легко, свободно. Безмятежное счастье".

Многие люди желают освободиться от курения. Если сразу прекратить курение, возникает фармакологический голод от недостатка никотина, что вызывает раздражение в легких, кашель, головокружение. Понятно, что переносить все это при напряженной работе очень трудно. Но можно очень легко освободиться от курения с помощью самовнушения и постепенного уменьшения числа папирос, выкуриваемых за один день. Вот примерные формулы самовнушения *от курения:*

"Я не могу переносить действия табачного дыма. От табачного дыма я кашляю и задыхаюсь. Табачный дым содержит яд никотин, от которого слабеет память, ухудшаются зрение и слух. Никотин отравляет мне легкие, головной мозг. От курения ухудшается мое здоровье и сокращается продолжительность жизни. Я люблю жизнь, я не хочу умирать. Сильнейшей, лютой, злобной ненавистью ненавижу курение. Я никогда не буду курить".

Для уменьшения напряжения в процессе работы полезно психологически готовить себя к работе с помощью следующей формулы самовнушения:

"На протяжении всего дня я сохраняю абсолютное самоуправление, абсолютное подчинение всех действий достижению наибольшего результата своей работы. Ни при каких обстоятельствах я не нервничаю и не раздражаюсь. Во всякой обстановке я сохраняю выдержку и самообладание. Я не ставлю себя на одну ногу со своими подчиненными и не позволю себе раздражаться из-за их грубости или нарушения дисциплины. Я выше этого. Я сдерживаю себя там, где не может сдержаться никто другой. И каждый при общении со мной чувствует эту силу. Я способен прилагать огромные усилия и сдерживать себя в самых волнующих обстоятельствах. Я все могу. И я всегда своим поведением буду показывать образец большой духовной силы и выдержки. Сильнейшей, лютой, злобной ненавистью я ненавижу вспыльчивость и раздражительность, они превращают меня в посмешище, они унижают меня и подрывают мой авторитет. Я чувствую себя способным предотвратить возникновение раздражения даже тогда, когда это сделать очень трудно. Я все могу. Я способен к огромным волевым усилиям. Я никогда не теряю бодрости духа и хорошего настроения. Я всегда прихожу на работу в бодром, жизнерадостном настроении. Я всегда сохраняю бодрость, уверенность в себе и жизнерадостное настроение. Я очень люблю свою работу, и она доставляет мне огромное наслаждение и наполняет мою жизнь радостью постоянных побед и большим смыслом. А моя выдержка и самообладание облегчают мне труд и делают его более результативным".

Длительное и сильное нервное напряжение, с которым связана иногда работа, отрицательно влияет на деятельность головного мозга и сердечно-сосудистой системы, ухудшает здоровье. Поэтому для сохранения работоспособности и здоровья полезно заниматься самовнушением, влияние которого противодействовало бы этому процессу. Вот примерная формула самовнушения *для укрепления устойчивости деятельности головного мозга:*

"У меня здоровый головной мозг молодого человека. Головной мозг работает очень устойчиво, плавно, однородно, одинаково. Головной мозг правильно регулирует деятельность всего тела, всех органов и наполняет их здоровьем и жизненной силой. Устойчивость деятельности головного мозга предохраняет все органы от вредных влияний внешней среды. Головной мозг не пропускает в организм вредных влияний внешней среды. Все внутренние органы, все тело живут под защитой головного мозга от вредных влияний внешней среды. И поэтому все тело живет и дышит свободно, безмятежно счастливо. Головной мозг работает с огромным запасом устойчивости. У меня молодой, здоровый головной мозг. Все органы чувств здоровы, как у юного, молодого человека. У меня острое зрение, тонкий слух. Все органы чувств еще долго будут улучшаться, развиваться. У меня сильная память, очень энергичное мышление. Головной мозг у меня молодой, юный, первозданного, несокрушимого здоровья. Головной мозг работает очень плавно, с огромным запасом устойчивости. И поэтому у меня очень устойчивое жизнерадостное настроение. У меня очень устойчивое состояние безмятежного счастья. Безмятежное счастье. Я вижу себя как человека с очень здоровым головным мозгом".

Примерная формула самовнушения *для укрепления устойчивости деятельности сердечно-сосудистой системы:*

"У меня здоровое, крепкое сердце. Сердце работает под надежной защитой головного мозга: головной мозг работает с огромным запасом устойчивости и не пропускает в сердце вредных влияний внешней среды. Сердце работает очень устойчиво. Сердце работает с огромным запасом устойчивости. У меня здоровое, крепкое сердце. Все кровеносные сосуды эластичные, гладкие, упругие. У меня вся сердечно сосудистая система здорового юного молодого человека. Тоны сердца ясные-чистые, нормальной высоты, нормальной громкости, пульс нормальный ритмичный, хорошего наполнения, 72 удара в минуту, кровяное давление очень постоянно, стабильно 120/80. У меня очень устойчивое хорошее самочувствие, я полон сил и энергии. Энергия бьет ключом. У меня сильное здоровое сердце. Сердце работает с большим запасом мощности. Я могу очень долго бежать без признаков утомления, легко-легко, сохраняя ровное усиленное дыхание. Я могу легко-легко быстро подниматься по лестнице на много этажей, и при этом сохранять ровное дыхание. Я легко могу по два-три часа париться в бане, где многие люди не выдерживают и десяти минут. Мое сердце имеет огромный запас силы и устойчивости. У меня здоровое неутомимое сердце. Все люди знают меня как человека с очень здоровым сердцем. Когда врачи проверяют деятельность моего сердца, они обычно говорят, что с таким сердцем можно жить сто лет, что по деятельности моего сердца можно проверять хронометры. Я вижу себя как человека с сильным-неутомимым здоровым сердцем. Я ярко, отчетливо чувствую себя человеком со здоровым-крепким сердцем".

Во всех приведенных образцах самовнушения каждый может внести желательные ему изменения. Самовнушение по результативности может значительно превосходить любое внушение. Оно также сильнее и внушения в гипнозе. Общеизвестный феномен индийских йогов, который достигается путем самовнушения, является убедительным тому доказательством. Ничего подобного еще никто не добился с помощью внушения в гипнозе, хотя оно оказывает, конечно, очень сильное влияние. Каждый может убедиться в своих великих возможностях и убедить в этом окружающих.

Самоконтроль является важным приемом самоуправления, и применять его следует постоянно. В простейшей форме самоконтроль начинается с детских лет с того, чтобы ребенок сам надел правильно ботиночки: левый на левую ногу, а правый – на правую; чтобы правильно держал ложку, чтобы кушал, не чавкая, чтобы на пол хлеб не ронял и т. п.

Самоконтролю также надо обучать и в школе. Будущему гражданину очень важно научиться держать свое поведение под постоянным контролем. Это избавит его от многих ошибок и неприятностей. Надо обращать внимание людей на контролирование своего поведения на работе, в семье, в общественных местах. Наблюдения показывают, что самоконтроль очень помогает в случаях рассеянности и невнимательности.

Самоанализ является более трудным приемом самоуправления по сравнению с самоконтролем. Самоконтроль осуществляется в процессе самой деятельности, а самоанализ – после выполнения деятельности.

С помощью самоанализа человек может научиться проверять выполнение режима дня, анализировать свою работу, свое поведение и свою работу над собой. Для этого следует хорошо уяснить, каким он хочет быть, и что и как он делает для достижения этой важной цели. Наблюдения показывают, что самоанализ дается не сразу, он требует некоторого опыта. Самоанализу надо учиться, учиться терпеливо и систематически. Для этого полезно проанализировать всю свою деятельность, все свое поведение, а затем записать этот анализ в своем дневнике. Постепенно человек научится анализировать свое поведение и свою деятельность с определенных позиций. А это важное умение. Оно поможет постоянно сохранять определенную линию поведения, подчинять всю свою деятельность единому принципу жизни.

Проработка себя является одним из самых сложных приемов самоуправления. Основывается этот прием на самоанализе. Проработка себя требует общего жизненного опыта и заключается в том, что человек анализирует свое поведение и свою деятельность с точки зрения того, какое он произвел впечатление на различных людей, и соответствует ли это впечатление интересам выполняемого дела.

Этот прием прежде всего необходим руководителям. Например, руководителю очень важно уметь выяснить, какое впечатление он хочет произвести на подчиненных и какое он произвел в действительности, в чем разница, чем она объясняется. Одной из причин педагогических неудач нередко является неумение педагога (руководителя) проработать себя с этих позиций. Следует отметить, что проработка себя чрезвычайно способствует повышению общей культуры поведения, что немаловажно для руководителя.

Способ переноса – нетрудный и весьма эффективный прием самоуправления, которым необходимо широко пользоваться. Люди часто случайно замечают полезное для них качество или определенную особенность деятельности у других людей или у литературных героев и т.д. Способ переноса заключается в мысленном перенесении нужного качества на себя: "И я такой же, и я действую точно так же". При этом нужно стараться как можно ярче представить себя человеком, обладающим нужными качествами, представить себя действующим в разных обстоятельствах. В некоторых случаях полезно специально наблюдать за человеком, качество которого переносится на себя. Подобные наблюдения необходимы для получения более глубокого, более многогранного впечатления об этом человеке. После этого легче мысленно переносить на себя нужное качество, так как его проявление хорошо запечатлелось в сознании.

Этот прием полезен при самовоспитании вежливости, выдержки, настойчивости и многого другого. Кроме того, он помогает в решении многих задач самооздоровления, например при укреплении сердца. Хорошие результаты он дает в самовоспитании здоровой речи при различных речевых расстройствах, в том числе при заикании, а также при развитии способностей.

Положительные результаты способ переноса дал в спортивной деятельности при разучивании новых сложных упражнений и при подготовке к соревнованиям.

Вхождение в образ. Этот прием заключается в полном, глубоком перевоплощении в другую личность с целью заимствования стиля поведения в целом, развития способностей, решения вопроса о том, как поступить в том или ином принципиально важном случае. Он необходим молодому неопытному руководителю для заимствования у опытного высококвалифицированного руководителя формы отношений к подчиненным и стиля поведения в рабочем коллективе.

Для эффективного применения этого приема нужно глубоко и всесторонне изучить личность, в образ которой надо войти. Это требует знания жизни, людей, жизненного опыта и значительного кругозора. Чтобы полностью войти в образ человека – крупной личности, надо самому быть не менее крупной личностью. Вот почему чаще всего мы встречаем частичное, а иногда лишь внешнее перевоплощение артиста при исполнении роли великого человека. И только немногим из них дано полное перевоплощение.

Вхождение в образ следует рекомендовать для развития различных способностей. Известны случаи, когда люди проявляют колоссальные способности при перевоплощении в образы великих художников и артистов под влиянием внушения в состоянии гипноза. При глубокой работе над собой может быть достигнуто не менее полное перевоплощение, чем при внушении в состоянии гипноза. Но это требует большого упорства. Прием этот трудный. Легче всего обучиться этому приему на занятиях в кружках художественной самодеятельности при исполнении различных ролей на сцене. Эта работа полезна, так как учит человека сосредоточению, развивает внимание и приучает к тщательному самоконтролю, который совершенно необходим на первых порах, пока не приобретен нужный опыт и не сформировались умения и навыки игры на сцене, что впоследствии пригодится и в жизни.

Вхождение в образ немыслимо без самовнушения. Для овладения этим приемом надо учиться проводить самовнушение.

Кроме того, этот прием требует ярких представлений и развитого воображения. Овладевающему этим приемом полезно специально заниматься развитием представлений и воображения. С бледными представлениями и слабым воображением овладеть вхождением в образ чрезвычайно трудно.

Опора на свои удачи и победы. Этот прием очень полезен для укрепления веры в себя, свои возможности, свои силы. Он заключается в сосредоточенности мысли на каком-либо успешном преодолении препятствий и твердом запоминании этого успеха. Полезно накапливать в памяти свои победы над трудностями и препятствиями на работе, в выполнении режима дня, в спорте и т.д. Это создает уверенность в себе, что очень важно для подготовки к преодолению серьезных препятствий в жизни. При встрече с ними человек будет чувствовать себя уверенней и тверже, так как будет думать о том, что "я то преодолел, и с тем справился, сумею сделать и это!". Использование этого приема всегда дает очень хорошие результаты и особенно полезно людям со слабым типом нервной системы, с меланхолическим темпераментом, которым не хватает веры в себя.

Полезно пользоваться этим приемом и молодым руководителям в целях воспитания у себя уверенности в успешном преодолении всех трудностей в руководстве.

Работа над прошлым – весьма своеобразный прием самоизменения. Она заключается в изменении представления о своем прошлом поведении, здоровье, взаимоотношении с людьми, о всей своей деятельности в прошлом. Применяется он в целях самоперевоспитания и самооздоровления.

Так, при решении наиболее трудных задач самоперевоспитания (например, когда нужно изменить линию поведения в отношении к другим людям, преодолеть, устранить сложившиеся навыки поведения, сложившиеся отношения к людям и т.п.) необходимо обратиться к данному приему.

Работа над прошлым при решении трудных задач заключается в том, что нужно в письменной форме описать свою жизнь, поведение, отношение людей, свою деятельность не такими, какими они были на самом деле, а такими, какими они должны были бы быть в интересах достижения поставленной цели. Эти письменные описания своей воображаемой прошлой жизни нужно делать все более и более детальными, подробными и не допускать ни малейших сомнений в том, что это так именно и было. Тогда это очень помогает в работе над собой. Иначе говоря, работу над прошлым полезно подкреплять самовнушением.

Например, для воспитания у себя вежливости человек должен описать себя как вежливого человека с того возраста, с которого он себя помнит. При этом надо обязательно описать отношение людей к себе, как к вежливому мальчику, вежливому ученику и т.д.

При самооздоровлении сердца нужно описать свою прошлую жизнь, как жизнь человека со здоровым сердцем; описать отношения людей, как к человеку со здоровым сердцем.

Иллюзорная переработка патогенной ситуации. Этот прием по существу является частным случаем приема работы над прошлым. Но он очень специфичен и потому имеет право на самостоятельное существование. Патогенная ситуация – значит, ситуация, породившая болезнь, т.е. болезнетворная. Вот пример такой ситуации. Дети вечером около дома играли в прятки. Стало смеркаться. Один мальчик пошел домой, вывернул отцовскую шубу наизнанку, надел ее и встал за сараем. Когда выглянул из-за угла сарая ребенок, который искал, спрятавшийся за сарай в шубе прыгнул на него и зарычал. Ребенок очень испугался, его стало трясти, как в лихорадке, и после этого он стал заикаться. Ситуация породила заикание. Иллюзорная переработка применяется при самолечении. Прием заключается в мысленной переработке патогенной ситуации, которая излагается обязательно в письменной форме для более отчетливого запечатления. Чаще всего полезно представить, что это случилось "не со мной, а с другими, а я только видел, как это произошло". Описать эту переработанную, измененную ситуацию нужно как можно более подробно. А затем приложить максимум усилий для того, чтобы не допускать ни малейших сомнений в том, что все было именно так, как описано, чтобы верить тому, что все было так, как описано, применив для этого самовнушение. Последнее очень важно, в нем залог успеха.

Наблюдалось много случаев, когда один этот прием совершенно устранял ночной энурез, крапивницу (зуд кожи), экзему и т.п., которые возникали на почве испуга или чрезмерного употребления яиц, клубники, дыни и т.п.

Иллюзорное преодоление препятствий. Этот прием имеет большое значение при подготовке к преодолению больших трудностей и препятствий, например при подготовке к выступлению на собрании, конференции, соревнованиях и т.п. Он заключается в том, что человек мысленно делает то, что потом придется ему делать в действительности. Это психологически готовит человека к преодолению трудностей. После такой подготовки он чувствует себя несравненно увереннее, а действует более решительно, смело и твердо. При этом элемент неожиданности сводится почти к нулю. Человек делает то, что нужно, как будто бы не в первый раз.

Выдающиеся люди часто пользуются этим приемом. Это также относится и к артистам, ораторам, политическим деятелям, дипломатам и спортсменам.

Действительное преодоление трудностей и препятствий. Этот прием служит завершающим в непрерывном процессе самовоспитания и самоуправления. Какие бы задачи ни решались в процессе самовоспитания, результаты их решения оцениваются практикой, действительным поведением, развитыми способностями преодолевать действительные трудности и препятствия. Работать по действительному преодолению трудностей и препятствий чаще всего приходится на производстве в рабочее время, при выполнении режима дня, занятиях спортом.

Данный прием требует выполнения определенных упражнений, которые очень важны, так как развивают волю, внимание, память, мышление, воображение, умственные способности, формируют определенные навыки. Рабочие овладевают новыми для них наиболее рациональными приемами работы. В результате непрерывно повышается эффективность и производительность его труда. В процессе психолого-педагогического руководства самоуправлением рабочих производственный мастер прежде всего должен нацеливать их на упражнения в преодолении трудностей работы.

Организация работы неразрывно связана с выполнением режима дня. В связи с этим нужно постоянно контролировать выполнение режима дня.

Упражнения по действительному преодолению трудностей и препятствий различны. Рассмотрим некоторые из них.

Упражнения *на мышечное расслабление* развивают процесс торможения и потому очень полезны при самовоспитании выдержки и самообладания, которых больше всего не хватает представителям безудержного типа нервной системы, холерического темперамента. Наиболее применимыми в обычных условиях являются упражнения на расслабление мышц рук: сначала одной, потом другой и, наконец, обеих одновременно. В процессе выполнения этих упражнений нужно проводить следующее самовнушение: "Мышцы обеих рук полностью расслаблены, все кости обеих рук и пальцев повисли, как на ниточках на скелете, руки повисли, как пустой рукав платья, пальцы повисли, как тряпки, полное расслабление мышц предплечий". Выполнение этих упражнений следует проводить сначала в течение 3–5 минут, затем 10–20 минут, а иногда и 30 минут. Эти упражнения очень полезны для снятия волнения, нервного напряжения.

В формировании навыков выполнения этих упражнений наблюдаются три этапа. На первом этапе нет внешнего эффекта, т.е. мышцы в действительности не расслабляются. Однако сама попытка расслабить мышцы снимает нервное напряжение, раздражение, волнение. На втором этапе появляется внешний эффект, т.е. мышцы действительно начинают расслабляться, в результате чего руки разгибаются в локтевых суставах и пальцы начинают разгибаться. На третьем этапе человек способен одним усилием сразу полностью расслабить мышцы обеих рук или любую другую группу мышц.

Полезно выполнять эти упражнения вечером при отходе ко сну. Таким образом снимается нервное напряжение, углубляется сон. Хорошо расслаблять все мышцы по очереди, лежа в постели, перед тем как заснуть. Сначала расслабить мышцы одной руки, потом другой, потом одной ноги, потом другой, потом мышцы поясницы, потом мышцы шеи. При этом полезно слегка поднять руку, расслабить мышцы, чтобы она свободно упала на постель. То же самое повторить с другой рукой, с ногами и головой. Затем следует попытаться добиться того, чтобы мышцы поясницы и спины полностью расслабились, поясница прогнулась и легла на постель, как лежат лопатки. После этого гораздо легче заснуть.

Следует заметить, что не следует с целью расслабления мышц внушать себе, что "рука становится теплой и тяжелой, как вата, пропитывающаяся теплой водой". Такое самовнушение расширяет кровеносные сосуды, что при частом повторении нарушает тонус сосудов.

Упражнения *на умственное расслабление* создают состояние свободы, легкости, безмятежного счастья. Нужно стараться запомнить это состояние, очень ярко запомнить. Только после этого можно переходить к выполнению упражнений на умственное расслабление. Эти упражнения заключаются в следующем. Не расслабляя мышц, сразу стараться вызвать состояние, которое возникает после выполнения упражнений на расслабление мышц. Для этого нужно стараться как можно ярче вспомнить этот состояние и внушать себе: "Яркое ощущение легкости, свободы, безмятежного счастья. На душе легко, легко, свободно. Безмятежное счастье, безмятежное счастье".

Этим приемом можно сразу погасить всякое волнение, раздражение, гнев. Сначала следует выполнять эти упражнения в обычном рабочем состоянии, а затем в состоянии раздражения, возмущения, гнева. Последнее довольно трудно и требует определенных психологических навыков.

Упражнение *на статическое напряжение* выполняется так: одна или обе руки поднимаются на уровень плеч вперед или в стороны в положении сидя или стоя и удерживаются в этом положении 3–5 минут, затем 10–15 минут, иногда 30 минут. В первый период возникает боль, особенно в плечах, до появления слез, руки болят два-три дня. Нужны значительные волевые усилия, чтобы заставить себя продолжать держать руки, не опуская.

Это упражнение чрезвычайно увеличивает выносливость нервно-мышечного аппарата, такие важные качества, как терпеливость, самообладание, способность переносить трудности. Оно легче выполняется флегматиками, но очень трудно холериками и сангвиниками. И последним особенно полезны. В отдельных видах спорта это упражнение незаменимо, например при пулевой стрельбе. Его рекомендуется выполнять людям нетерпеливым, трудно переносящим боль.

Упражнение *на медленное движение* является одним из видов физических упражнений, которые не применяются в современном спорте. Обычно оно выполняется при ходьбе, но можно выполнять и при движениях руками. Делается три шага сначала за 15 секунд, затем за полминуты, за минуту, за две минуты, за три минуты. Потом постепенно время можно увеличивать до 15 минут.

Выполнение этих упражнений делает человека духовно значительно сильней, создает ощущение власти над собой. Движение должно быть непрерывным, без остановки хотя бы на доли секунды. Выполнение этого упражнения намного труднее, чем упражнения на статическое напряжение. Особенно трудно оно дается сангвиникам, людям с подвижным типом нервной системы, но именно им оно особенно полезно. Однажды в психологическую лабораторию к автору прибежали три студента и с чувством радости большой победы сказали, что они все выполнили это упражнение, сделав три шага за пять минут. Я их поздравил.

Качества, которые формируются в процессе выполнения всех этих упражнений, трудно перечислить: тут и точность, плавность движений, столь необходимые в некоторых видах деятельности, и терпеливость, и психическая устойчивость в трудных обстоятельствах, и способность к волевым усилиям.

Этими упражнениями завершается рассмотрение основных приемов самоуправления. Однако в процессе самоуправления нередко приходится думать и о самооздоровлении, в котором очень нуждаются некоторые люди. Перечислим наиболее доступные.

Наиболее простые физические приемы самооздоровления. К ним относятся обычные физические и специальные лечебные упражнения, утренняя зарядка, производственная гимнастика, разные виды массажа, водные процедуры (обтирание, хвойные и другие ванны), ходьба на постепенно увеличивающиеся расстояния, прогулки в разную погоду, пропаривание в бане, солнечные ванны и купание в водоемах.

Большинство из них доступны широким массам и даже выполнимы в домашних условиях (например, хвойные и другие ванны, массаж). Однако улучшающиеся бытовые условия все еще недостаточно используются для самооздоровления. Руководителям следует обратить внимание на то, что борьба за повышение производительности труда нередко упирается в необходимость повышения общей работоспособности человека, в необходимость его оздоровления.

Укреплением здоровья и закалкой организма следует заниматься постоянно, систематически, особенно в случаях, когда люди физически ослаблены. В первую очередь заниматься этим следует под контролем врачей и специалистов-тренеров.

Поддержанием хорошего здоровья и самооздоровлением полезно заниматься всем, чтобы не работать на износ, чтобы поддерживать высокую работоспособность и предотвращать наступление преждевременной старости.

Глава 2
Исцеляющие
НАСТРОИ

Дух настроев животворит.
Настрои — суть дух и жизнь.
Настрои сильней всесильной судьбы.
Настрои сильней всех стихий естества!
Г.Н. Сытин

2.1. На устойчивость нервной системы
(первый вариант)

Когда я развиваю свои способности, то это развитие продолжается все быстрей и энергичней, непрерывно днем и ночью и будет продолжаться в течение долгих десятилетий до ста лет и больше, в течение всего того будущего времени моей жизни, которое я способен представить. Сейчас я буду усиливать нервную систему. Я буду повышать устойчивость всей нервной системы. Этот процесс усиления нервной системы, повышения устойчивости нервной системы будет продолжаться постоянно-непрерывно днем и ночью. С каждой секундой головной-спинной мозг будет накапливать все больше и больше молодой-юной энергии, будет с каждой секундой увеличивать свои энергетические ресурсы и с каждым мгновением будет повышаться устойчивость всей нервной системы. Этот процесс будет продолжаться постоянно-непрерывно. Сегодня к вечеру нервная система станет еще более устойчивой, чем она была сегодня утром, а завтра утром нервная система станет еще более устойчивой, чем она будет сегодня вечером. И так будет продолжаться постоянно-непрерывно. Головной-спинной мозг будет увеличивать свои энергетические ресурсы и устойчивость нервной системы будет повышаться непрерывно днем и ночью в течение долгих десятиле-

---

Все тексты настроев, приведенные в книге, даны без изменения в авторской редакции. (*Прим. ред.*)

тий до ста лет и больше, в течение всего того будущего времени, которое я способен представить.

Сейчас весь организм будет мобилизовывать все свои силы, все свои практически безграничные резервы для повышения устойчивости нервной системы. Сейчас все нервные клетки головного-спинного мозга все быстрей и быстрей увеличивают свои энергетические ресурсы. С каждой секундой, с каждым мгновением повышается устойчивость нервной системы, здоровеют – крепнут мои нервы. Головной-спинной мозг все более устойчиво-правильно управляет жизнью всего тела.

Я стараюсь как можно ярче представить, о чем идет речь. Головной-спинной мозг все более устойчиво-правильно управляет жизнью моего тела. Каждая нервная клетка головного-спинного мозга увеличивает свои энергетические запасы. Все нервные клетки головного-спинного мозга непрерывно увеличивают свои энергетические запасы, увеличивают свои энергетические ресурсы. Повышается с каждой секундой, с каждым мгновением, все быстрей и быстрей повышается устойчивость нервной системы, все быстрей здоровеют – крепнут мои нервы. Я становлюсь все более устойчивым человеком в жизни.

Здоровеют – крепнут мои нервы. Все нервы и мышцы во всем теле становятся все более и более прочно-спокойными. И при физическом напряжении все нервы и мышцы во всем теле устойчиво-здоровы, прочно-спокойны.

Я стараюсь как можно ярче представить, о чем идет речь. Непрерывно увеличивается запас прочности спокойствия всех нервов и мышц во всем теле. С каждой секундой, с каждым мгновением увеличивается запас прочности спокойствия всех нервов и мышц во всем теле. Даже при длительном физическом напряжении все нервы и мышцы прочно спокойны. Я весь насквозь абсолютно спокоен, как зеркальная гладь озера.

Я стараюсь как можно глубже понять, о чем идет речь. В течение длительного времени я могу держать растянутую резину и при этом остаюсь абсолютно спокойным, как зеркальная гладь озера, и во всем теле все нервы и мышцы прочно спокойны. А все нервные клетки головного-спинного мозга продолжают все быстрей и быстрей увеличивать свои энергетические запасы. Все нервные клетки головного-спинного мозга все быстрей и быстрей накапливают молодую-юную энергию. Каждая нервная клетка головного-спинного мозга накапливает молодую-юную энергию. Весь головной-спинной мозг все быстрей и быстрей накапливает молодую-юную энергию, увеличивает энергетические запасы.

Все кровеносные сосуды внутри головного-спинного мозга вечно-постоянно полностью открыты по всей своей длине. Внутри головного-спинного мозга вечно-постоянно свободное, абсолютно свободное кровообращение. И моя вечно молодеющая-юная-здоровая кровь постоянно-вечно начисто промывает головной-спинной мозг и несет в избытке полноценное питание всем нервным клеткам головного-спинного мозга. Кровь омолаживает, постоянно-непрерывно омолаживает головной-спинной мозг и увеличивает энергетические ресурсы всех нервных клеток головного-спинного мозга. Головной-спинной мозг все сильней и энергичней правильно управляет жизнью всего тела. Головной-спинной мозг все сильней и энергичней не пропускает в организм никаких вредных влияний внешней среды, никаких волнений. Все тело живет легко-свободно под вечной защитой головного мозга.

Непрерывно увеличиваются энергетические запасы головного-спинного мозга. Все сильней и энергичней управляет головной мозг жизнью тела. Я стараюсь как можно глубже понять, о чем идет речь. Моя вечно молодеющая юная-энергичная-здоровая кровь вечным-быстрым-свободным потоком течет по всем кровеносным сосудам внутри головного-спинного мозга и постоянно-вечно начисто промывает головной-спинной мозг и несет в избытке полноценное питание каждой нервной клетке головного-спинного мозга. Вечно молодеющая кровь непрерывно омолаживает головной-спинной мозг, восстанавливает первозданную-юную свежесть головного-спинного мозга и наполняет его все большей и большей молодой-юной энергией.

Непрерывно увеличиваются энергетические ресурсы головного-спинного мозга. Головной-спинной мозг работает все более и более устойчиво. С каждым днем все более устойчивым становится мое веселое жизнерадостное настроение и мое прекрасное самочувствие. С каждым днем все более устойчивым становится мое жизнерадостное настроение. Сквозь все трудности, сквозь любые неприятности я непоколебимо сохраняю веселое жизнерадостное настроение и прекрасное самочувствие. В жизни я становлюсь все более и более устойчивым человеком, и все противодействующие силы жизни против меня абсолютно бессильны.

Сквозь любую напряженную умственную и физическую работу я сохраняю прочное спокойствие и все нервы и мышцы во всем теле прочно спокойны. Я стараюсь как можно ярче представить, о чем идет речь. Сквозь длительную напряженную физическую работу я непоколебимо сохраняю прочное спокойствие. Сквозь длительное физическое напряжение я остаюсь непоколебимо спокойным. При длительном физическом напряжении все нервы и мышцы во всем теле устойчиво-здоровы, прочно спокойны. Молодые-юные нервы здоровы, прочно-спокойны. Все нервы во всем теле прочно-спокойны. В жизни я непоколебимо спокоен, в жизни я всегда непоколебимо спокоен. Крепнут мои духовные силы, здоровеют мои нервы. Нервы крепкие-стальные, сердце здоровое-богатырское У меня огромная физическая выносливость. Я могу в течение целых часов напролет выполнять тяжелейшую физическую работу и при этом непоколебимо сохраняю прочное спокойствие. При длительной тяжелейшей физической работе во всем теле все нервы и мышцы прочно-спокойны, и я сам весь насквозь абсолютно спокоен, как зеркальная гладь озера.

Я сейчас постараюсь начисто подавить абсолютно все свои сомнения в том, что сейчас с каждой секундой, с каждым мгновением увеличивается устойчивость нервной системы, и я становлюсь в жизни все более устойчивым человеком. Все нервные клетки головного-спинного мозга все быстрей и быстрей накапливают энергию, увеличивают свои энергетические запасы. Головной-спинной мозг все быстрей и быстрей увеличивает свои энергетические запасы. С каждым мгновением возрастает устойчивость нервной системы, здоровеют-крепнут нервы. Все более прочно спокойными становятся все нервы и мышцы во всем теле. И при держании растянутой резины все нервы и мышцы прочно спокойны. При держании растянутой резины я сам весь насквозь абсолютно-спокоен, как зеркальная гладь озера. И при длительном предельно-большом физическом напряжении я сохраняю прочное спокойствие. Я стараюсь как можно глубже осмыслить, о чем идет речь. При предельно большом длительном физическом напряжении все нервы и мышцы прочно спокойны. При длительном предельно большом физическом напряжении я прочно спокоен, абсолютно спокоен, как зеркальная гладь озера. Крепнут мои духовные силы, здоровеют мои нервы, все более прочно спокойными становятся все мои нервы и мышцы. При длительном предельно большом физическом напряжении все нервы и мышцы во всем теле прочно спокойны, при предельно большом длительном физическом напряжении я прочно спокоен, абсолютно спокоен, как зеркальная гладь озера. Молодые-юные нервы устойчиво здоровы, прочно спокойны. Во всем теле молодые-юные нервы и мышцы устойчиво-здоровы, прочно спокойны. Во всем теле молодые-юные нервы и мышцы устойчиво-здоровы, прочно спокойны. Самые здоровые, самые крепкие нервы в области головы, самые здоровые, самые крепкие нервы в области головы, самые здоровые, самые крепкие нервы в области головы. Глаза здоровые спокойные. Юные красивые глаза здоровые спокойные. Юные глаза волевые-умные. Юные глаза умные волевые, волевые умные юные глаза. Глаза лучистые, блестящие. Глаза здоровые спокойные. Юные глаза здоровые-спокойные. Все нервы в области головы устойчиво-здоровы, прочно спокойны. Юные нервы в области головы устойчиво-здоровы, прочно спокойны. Самые здоровые, самые крепкие нервы в области головы.

Все нервные клетки головного-спинного мозга продолжают увеличивать свои энергетические ресурсы. Продолжают здороветь и крепнуть все мои нервы. Продолжает повышаться устойчивость моей нервной системы. Каждая нервная клетка головного-спинного мозга продолжает все больше и больше накапливать юной энергии, увеличивать свои энергетические запасы. И при надобности нервная система может работать с огромной мощностью и начисто преодолевать все вредные влияния внешней среды и продолжать правильно управлять жизнью всего тела. При надобности я смогу выполнять напряженную умственную работу сутками напролет без признаков усталости.

Все нервные клетки головного-спинного мозга непрерывно, каждую секунду, каждое мгновение продолжают накапливать энергию, увеличивать энергетические запасы. Непрерывно днем и ночью возрастает устойчивость нервной системы, здоровеют – крепнут нервы. При самом большом, при предельно большом физическом напряжении я непоколебимо сохраняю прочное спокойствие. При длительном предельно большом физическом напряжении все нервы и мышцы во всем теле прочно спокойны, и я сам весь насквозь абсолютно спокоен, как зеркальная гладь озера.

Крепнут мои духовные силы, здоровеют мои нервы. Непрерывно увеличивается устойчивость нервной системы. Все более устойчивым человеком я становлюсь в жизни. Во всем мире нет таких сил, которые бы могли поколебать мою беспредельную уверенность в себе.

Моя уверенность в себе становится тверже любого материала во всем мире. Нет такой силы, которая могла бы поколебать мою уверенность в себе. Моя уверенность в себе сильней всего во всем мире. Нервы крепкие-стальные. Молодое-юное-здоровое-богатырское сердце легко, шутя, с молодецкой удалью справляется с работой и с огромной силой гонит кровь по всему телу, наполняя меня все большей и большей молодой энергией. Энергия бьет ключом, все время хочется что-нибудь делать, работать. Походка легкая-быстрая, хожу, как на крыльях летаю, не чувствуя тяжести тела. Я все ярче и отчетливей чувствую как я весь наполняюсь все большей и большей энергией и силой. Я с каждым днем становлюсь все более здоровым, все более устойчивым человеком и продолжаю здороветь и крепнуть. Крепнут мои духовные силы, здоровеют мои нервы. Нервы крепкие-стальные, сердце крепкое-богатырское.

У меня сильная воля и твердый характер. Все нервы и мышцы устойчиво здоровы, прочно спокойны. В области сердца все нервы устойчиво здоровы, прочно спокойны. В области сердца приятная легкость и спокойствие. В области сердца юные нервы здоровы, прочно спокойны. В области сердца молодые-юные нервы устойчиво-здоровы, прочно спокойны. Молодое-здоровое-богатырское сердце с молодецкой удалью справляется с работой. Юное-неутомимое-здоровое-богатырское сердце.

Все кровеносные сосуды внутри самого сердца полностью раскрыты по всей своей длине. Внутри сердца свободное, абсолютно свободное, абсолютно свободное кровообращение. На сердце всегда легко-легко. В области сердца приятная легкость и спокойствие. Все нервы в области сердца устойчиво здоровы, прочно спокойны. Молодое-богатырское-здоровое сердце, нервы крепкие-стальные. Во всем теле все нервы и мышцы устойчиво здоровы, прочно спокойны. При длительном предельно большом физическом труде, при длительном держании тугой резины я абсолютно спокоен, и все нервы и мышцы во всем теле прочно спокойны. Нервы крепкие-стальные, молодые-юные-сильные мышцы. С каждым днем я становлюсь физически все более сильным, все более выносливым человеком. С каждым днем увеличивается моя умственная и физическая работоспособность. Во время самой работы все нервные клетки головного-спинного мозга продолжают увеличивать свои энергетические ресурсы. Во время самой напряженной умственной и физической работы все нервные клетки головного-спинного мозга продолжают увеличивать свои энергетические запасы. И потому у меня практически безграничная работоспособность. Я могу работать сутками напролет, не зная усталости. Во время самой работы весь организм продолжает восстанавливать свои силы, как обычно у людей во время крепкого ночного сна.

Я стараюсь как можно глубже понять, о чем идет речь. Мой организм во время работы продолжает восстанавливать свои силы, как обычно у людей во время крепкого ночного сна. И поэтому у меня работоспособность практически безгранична. Я могу работать сутками напролет, не зная усталости, не чувствуя утомления. Все нервные клетки головного-спинного мозга во время работы продолжают увеличивать энергетические запасы. И сквозь рабочий день продолжает увеличиваться устойчивость нервной системы. К концу рабочего дня нервная система становится все более устойчивой. А все нервные клетки головного-спинного мозга еще больше накапливают энергии, увеличивают свои энергетические запасы. И потому в конце рабочего дня я чувствую себя таким же свежим, не уставшим, как утром при пробуждении, как будто бы я весь день отдыхал и накапливал силы.

2.2. На устойчивость нервной системы
(второй вариант)

Сейчас я полностью выключаюсь из внешнего мира, я сейчас целиком сосредотачиваюсь на жизни своего собственного тела и сразу все тело слышит меня. Я сейчас целиком сосредотачиваюсь на управлении своим организмом, всеми своими внутренними органами, всеми системами организма.

Сейчас весь организм слышит меня, все то, что я говорю совпадает со стремлением моего организма к жизни, к здоровью. Организм мобилизует все свои силы на полное, точное исполнение всего того, что я буду говорить о себе. И потому мои слова, которые я сейчас буду говорить, будут производить сильнейшее воздействие на весь организм, на все системы организма. Слова, которые я буду говорить, будут оказывать огромной силы воздействие, будут в сто раз сильней, в тысячу раз сильней воздействовать на деятельность моего организма по сравнению со всеми другими словами.

Сейчас вся моя молодая здоровая нервная система увеличивает энергетические запасы. Я стараюсь это как можно глубже понять, как можно глубже осмыслить. Сейчас вся моя молодая здоровая нервная система увеличивает энергетические запасы, увеличивает энергетические ресурсы, увеличивает огромный, первозданный заряд жизненной энергии. Сейчас вся моя молодая нервная система увеличивает энергетические запасы, все нервные клетки головного-спинного мозга увеличивают энергетические запасы, увеличивают первозданный, новорожденный запас молодой энергии. Я отчетливо чувствую, что уже в ближайшее же время моя молодая здоровая нервная система станет в десять раз сильней, в сто раз сильней, чем у самых здоровых молодых людей. Я стараюсь это как можно глубже осмыслить.

Вся моя молодая здоровая нервная система с каждым мгновением, непрерывно днем и ночью увеличивает энергетические ресурсы, становится все более сильной, все более крепкой. Во всем моем молодом теле здоровеют-крепнут мои молодые нервы. Уже в ближайшее же время моя молодая нервная система станет в десять раз сильней, в десять раз крепче, чем у самых здоровых молодых людей. С каждым мгновением все нервные клетки головного-спинного мозга увеличивают запасы энергии. Головной-спинной мозг становится все более сильным, все более энергичным. Все органы чувств наполняются огромной молодой энергией жизни. Молодое зрение сильное-острое. С каждым мгновением мое зрение становится все более сильным, все более энергичным. С каждым мгновением я слышу все более и более высокие звуки, с каждым мгновением обостряется слух, с каждым мгновением органы слуха наполняются все большей и большей молодой энергией. Все органы чувств наполняются все большей и большей молодой энергией. Вся моя молодая здоровая нервная система увеличивает энергетические запасы, становится все более сильной, все более крепкой.

Во всем моем молодом теле здоровеют-крепнут мои молодые нервы. Все органы чувств наполняются все большей и большей энергией. Все быстрей развиваются мои умственные способности. Память становится все более яркой, все более твердой. С каждым мгновением память становится все более яркой, все более твердой. С каждым днем я становлюсь способным запоминать все больший и больший по объему материал. С каждым мгновением возрастает, увеличивается объем памяти. С каждым днем я становлюсь способным запоминать все больший и больший по объему материал.

Мышление становится все более быстрым, все более активным становится мое мышление. Я становлюсь способным решать всякие сложные задачи, которые раньше мне казались непосильными. Внимание становится все более и более устойчивым. Я в жизни всегда постоянно контролирую каждое свое движение, каждый поступок, каждое слово, которое я собираюсь сказать. Все мои умственные способности продолжают все быстрей и энергичней развиваться. Все органы чувств наполняются все большей и большей молодой энергией, все органы чувств наполняются все большей и большей энергией жизни: усиливается зрение, обостряется слух, увеличивается общая чувствительность.

Все нервные клетки головного-спинного мозга постоянно-непрерывно, днем и ночью увеличивают энергетические запасы. Каждое мгновение головной-спинной мозг рождается молодым-неутомимым с безграничным запасом энергии. Все нервные клетки головного-спинного мозга во время самой работы восстанавливают свою работоспособность. Я стараюсь это как можно глубже осмыслить. Все мои молодые нервные клетки головного-спинного мозга восстанавливают свою работоспособность во время самой работы. Весь мой молодой энергичный организм во время самой работы восстанавливает работоспособность. Во время самой работы головной-спинной мозг увеличивает энергетические ресурсы, и потому даже во время самой напряженной работы вся моя молодая нервная система становится все более энергичной, все более сильной, все более крепкой.

Во время самой работы вся моя молодая здоровая нервная система увеличивает энергетические запасы, и потому в конце рабочего дня моя молодая здоровая нервная система становится еще более крепкой, еще более сильной. Я стараюсь это как можно глубже осмыслить, всем своим существом как можно глубже понять. Весь мой организм восстанавливает свои силы во время самой работы. Все нервные клетки головного-спинного мозга постоянно-непрерывно во время самой работы восстанавливают свою работоспособность и увеличивают энергетический запас. В конце рабочего дня я становлюсь человеком с еще более энергичной, еще более здоровой, еще более крепкой молодой нервной системой.

Во время ночного сна все нервные клетки головного-спинного мозга еще быстрей увеличивают энергетический запас, еще быстрей увеличивают первозданный молодой запас жизненной энергии. Во время ночного сна еще быстрей моя молодая здоровая нервная система становится еще более сильной, еще более крепкой. Утром я просыпаюсь человеком с еще более здоровой, с еще более крепкой, с еще более сильной молодой нервной системой.

К вечеру моя молодая здоровая нервная система становится еще более крепкой, еще более сильной. Постоянно-непрерывно, каждое мгновение, днем и ночью моя молодая нервная система увеличивает энергетические запасы, каждое мгновение моя молодая здоровая нервная система рождается все более крепкой-здоровой, все более сильной, все более энергичной. Каждое мгновение мой головной-спинной мозг рождается все более сильным, все более здоровым, все более энергичным. Постоянно-непрерывно днем и ночью, каждое мгновение моя молодая здоровая нервная система увеличивает энергетические запасы, становится все более сильной, все более крепкой. Каждое мгновение днем и ночью во всем моем молодом теле здоровеют-крепнут мои молодые нервы. Вся моя молодая нервная система наполняется первозданным несокрушимым здоровьем. Все мое молодое тело наливается первозданной несокрушимой крепостью. Головной-спинной мозг все более энергично усиливает все системы организма, все внутренние органы работают все более и более энергично, все внутренние органы работают энергично-радостно, с молодецкой удалью выполняют все свои функции в организме. Каждое мгновение во всех внутренних органах здоровеют-крепнут мои молодые нервы. Во всем моем молодом теле здоровеют-крепнут мои молодые нервы. Во всех мышцах тела – я стараюсь это сейчас как можно глубже осмыслить – во всех мышцах моего тела здоровеют-крепнут мои молодые нервы. Все мои молодые мышцы наливаются огромной-первозданной несокрушимой силой. Все мои молодые мышцы наливаются первозданной несокрушимой, молодой-огромной молодой силой. С каждым мгновением я становлюсь человеком физически все более сильным, все более крепким, все более выносливым. Увеличивается объем мышц, становится все более ярко выраженным красивый рельеф мышц во всем теле, рождается специфическая мужская мускулистая фигура: тонкая талия, резко впалый тощий молодой живот, тонкая молодая талия, красивый рельеф сильно развитых мышц на всем теле красивый рельеф сильно развитых мышц. Во всем моем молодом теле здоровеют-крепнут мои молодые нервы. Вся моя молодая-здоровая нервная система увеличивает энергетические запасы, каждое мгновение моя молодая здоровая нервная система рождается все более крепкой, все более сильной, все более крепкой. Во всем моем молодом теле здоровеют-крепнут мои молодые нервы, во всем моем молодом теле здоровеют-крепнут мои молодые нервы. Я стараюсь это как можно глубже осмыслить. Вся моя молодая здоровая нервная система каждое мгновение увеличивает энергетические ресурсы. Каждое мгновение моя молодая здоровая нервная система рождается еще более сильной, еще более энергичной-неутомимой. Во всем моем молодом теле здоровеют-крепнут мои молодые нервы. Все быстрей, энергичней развиваются мои умственные способности. Все органы чувств наполняются все большей и большей энергией жизни. Во мне рождается все более энергичная молодая жизнь. Каждое мгновение во мне рождается все более энергичная молодая жизнь.

Моя молодая здоровая нервная система все более энергично усиливает все системы организма, активизирует все внутренние органы. Все внутренние органы работают энергично-радостно, живут молодой полнокровной жизнью. Здоровеет-крепнет мое молодое сердце. Во всей области моего сердца здоровеют-крепнут молодые нервы. Внутри моего молодого сердца крепкие-стальные молодые нервы, внутри моего молодого здорового сердца крепкие-стальные молодые нервы. Во всей области сердца каждое мгновение, днем и ночью здоровеют-крепнут мои молодые нервы. Во всех внутренних органах грудной клетки — брюшной полости здоровеют-крепнут мои молодые нервы, активизируются все внутренние органы, все внутренние органы работают все более энергично-радостно, все внутренние органы живут полнокровной-радостной молодой жизнью. Я чувствую, как я наливаюсь первозданным-несокрушимым, крепким-несокрушимым здоровьем. Во всем моем молодом теле здоровеют-крепнут мои молодые нервы. Все нервные клетки головного-спинного мозга каждое мгновение увеличивают энергетические запасы. Во время самой работы все нервные клетки головного-спинного мозга не только восстанавливают, но и увеличивают свои энергетические запасы. В конце рабочего дня я чувствую себя еще более свежим, еще более энергичным, чем был утром при пробуждении.

Я стараюсь это как можно глубже осмыслить. В конце рабочего дня я становлюсь еще более энергичным, еще более свежим, еще более полным сил и энергии, чем был утром при пробуждении. Это происходит потому, что во время самой работы все нервные клетки головного-спинного мозга не только восстанавливают свою работоспособность, но и увеличивают энергетические запасы, увеличивают энергетические ресурсы. И потому в конце рабочего дня я становлюсь еще более энергичным, еще более бодрым, чем проснулся утром. В конце рабочего дня вся моя молодая нервная система становится еще более сильной, еще более энергичной.

Во время ночного сна нервная система не тратит энергию на внешнюю работу, и потому все силы идут на увеличение энергетических запасов, и потому процесс накапливания энергии во время ночного сна идет еще более интенсивно, еще быстрей, чем днем в бодром состоянии. И потому утром я просыпаюсь еще более сильным, еще более энергичным неутомимым человеком, чем заснул накануне вечером. А в конце рабочего дня нервная система опять становится еще более сильной, еще более крепкой. И так постоянно-непрерывно днем и ночью вся моя молодая нервная система каждое мгновение увеличивает энергетические запасы, рождается все более крепкой-здоровой, все более устойчивой, все более сильной.

Каждое мгновение, я стараюсь это как можно глубже осмыслить, моя молодая здоровая нервная система каждое мгновение увеличивает энергетические ресурсы. Сейчас вся моя молодая здоровая нервная система стала еще более энергичной, еще больше увеличилась работоспособность моей молодой здоровой нервной системы. Теперь моя молодая здоровая нервная система стала еще более сильной, еще более энергичной. Теперь моя молодая здоровая нервная система стала еще сильней, еще крепче, еще устойчивей. И вот так постоянно, с каждым мгновением моя молодая здоровая нервная система рождается все более сильной, все более энергичной, все более крепкой. Каждое мгновение во всем моем молодом теле здоровеют-крепнут мои молодые нервы.

Все мышцы моего молодого тела наливаются первозданной-огромной несокрушимой молодой силой, все мышцы тела становятся все более плотными, все более сильными. Во всех мышцах тела здоровеют-крепнут мои молодые нервы. Головной-спинной мозг с каждым мгновением все более энергично развивает все мышцы тела. Все более красивым становится рельеф мышц на всем теле. Рождается мускулистая мужская стройная фигура – резко впалый тощий-юный живот, тонкая молодая-юная талия, сильно развитые мышцы. Красивый рельеф сильно развитых мышц. Во всех мышцах тела здоровеют-крепнут мои молодые нервы. Я с каждым мгновением становлюсь человеком физически все более сильным, все более выносливым, все более неутомимым. Здоровеют-крепнут мои молодые нервы, во всех мышцах обеих рук здоровеют-крепнут мои молодые нервы, в моих молодых руках крепнут стальные молодые нервы. В моих молодых руках крепкие-стальные молодые нервы. При физическом напряжении все нервы и мышцы крепкие-стальные, я сам весь насквозь крепкий-стальной. При физическом напряжении, при держании растянутой резины все нервы и мышцы крепкие-стальные. Я сам весь насквозь крепкий-стальной. И потому, когда я держу растянутую резину руками, то создается такое впечатление, как будто резина находится не в руках человека, а в стальном станке. При держании растянутой резины я неподвижен как стальной монумент, как будто резина находится не в руках человека, а в стальном станке. При физическом напряжении все нервы и мышцы крепкие-стальные, при физическом напряжении все нервы и мышцы обеих рук крепкие-стальные.

Я стараюсь это как можно глубже осмыслить. При физическом напряжении все нервы и мышцы обеих рук крепкие-стальные. Руки абсолютно неподвижны. Я сам абсолютно неподвижен, как стальной монумент. При физическом напряжении я неподвижен, как стальной монумент, потому что при физическом напряжении все нервы прочно спокойны, все нервы прочно спокойны, все нервы и мышцы крепкие-стальные. При физическом напряжении я сам весь насквозь крепкий-стальной, при физическом напряжении я сам весь насквозь крепкий-стальной. Вся моя молодая здоровая нервная система с каждым мгновением увеличивает энергетические запасы, становится все более сильной, все более крепкой, все более сильной становится моя молодая здоровая нервная система. Каждое мгновение здоровеют-крепнут мои молодые нервы во всем моем молодом теле. Здоровеют-крепнут мои молодые нервы. Каждое мгновение я рождаюсь человеком все более крепко-устойчивым в жизни. Каждое мгновение я рождаюсь молодым, все более крепко-устойчивым человеком в жизни.

Все быстрей и энергичней развиваются все мои умственные способности. Мышление становится все более быстрым, все более активным становится мое мышление. Все более яркой и твердой становится моя память. С каждым мгновением увеличивается объем памяти, с каждым днем я могу запоминать все больший и больший по объему материал. Внимание становится все более устойчивым, все более крепким и устойчивым, все более прочным и устойчивым становится мое внимание. Я постоянно-непрерывно в жизни контролирую каждое свое движение, каждое свое сказанное слово. Все быстрей и энергичней развиваются все мои умственные способности, все органы чувств наполняются все большей и большей молодой энергией. Я весь наполняюсь все большей и большей энергией жизни.

Энергия бьет ключом, мне все время хочется выполнять какую-нибудь физическую работу, выполнять физические упражнения, совершать энергичные-быстрые, все более быстрые движения. Весь мой молодой, энергично развивающийся организм требует быстрых энергичных движений. Под влиянием физических упражнений еще быстрей здоровеет-крепнет мое молодое сердце. Каждое мгновение мое молодое сердце рождается все более крепким, здоровым, все более прочно-устойчивым. Пульс устойчиво-ритмичный – 72 удара в минуту, пульс устойчиво-ритмичный – 72 удара в минуту. Все промежутки времени между ударами пульса точно одинаковы, все удары пульса одинаковой нормальной силы молодого здорового сердца. Молодое кровяное давление устойчиво-нормальное – 120/80.

Я стараюсь это как можно глубже осмыслить. У меня здоровое прочное, устойчивое молодое сердце. Пульс устойчиво-ритмичный – 72 удара в минуту, артериальное давление устойчиво-стабильно-нормальное – 120/80. И поэтому я всегда сохраняю прекрасное самочувствие и веселое жизнерадостное настроение. Я чувствую, как я весь насквозь здоровею и крепну, и это наполняет все мое существо радостью жизни. Солнечная радостная улыбка жизни наполняет все мое существо без остатка. Я с каждым днем становлюсь человеком все более веселым – жизнерадостным.

Энергия бьет ключом, все время хочется что-либо делать, работать. Молодая походка сильная, быстрая. Молодая энергичная походка сильная, быстрая. Хожу, как на крыльях летаю, не чувствуя тяжести тела. Хожу, как на крыльях летаю, не чувствуя тяжести тела. Я весь наполнен огромной молодой энергией жизни. А моя молодая здоровая нервная система с каждым мгновением становится все более сильной, все более крепкой, увеличиваются ее энергетические запасы, увеличиваются ее энергетические ресурсы; становится все более крепкой, все более устройчивой становится молодая здоровая нервная система. С каждым мгновением я становлюсь все более прочно устойчивым человеком в жизни, с каждым мгновением я становлюсь все более прочно устойчивым человеком в жизни. Каждое мгновение здоровеют-крепнут мои молодые нервы во всех системах организма, во всем теле здоровеют-крепнут мои молодые нервы.

Во всех костях здоровеют-крепнут мои молодые нервы. В моем молодом костном мозгу здоровеют-крепнут мои молодые нервы, активизируют костный мозг во всех костях тела. Вся система кроветворения работает все более и более энергично. Я с каждым мгновением рождаюсь человеком все более полнокровным, розовым-румяным, все более энергичным, все более крепко-здоровым. Я стараюсь это как можно глубже осмыслить. С каждым мгновением здоровеет-крепнет моя молодая нервная система, с каждым мгновением я рождаюсь человеком все более сильным, все более крепко-здоровым, все более устойчивым человеком в жизни. И это наполняет все мое существо радостью жизни. В моей душе всегда цветет весна и солнечная радостная улыбка жизни наполняет все мое существо без остатка. Я всегда в прекрасном настроении, я всегда чувствую себя очень хорошо, я всегда в веселом-жизнерадостном настроении. Я чувствую всегда бодрость и силу, я чувствую себя неутомимым-крепким-здоровым человеком. Все мое тело наливается первозданной нетронутой крепостью, во мне с каждым мгновением рождается все более энергичная молодая жизнь, я весь наполняюсь все большей и большей энергией жизни. Энергия бьет ключом. С каждым днем я становлюсь все более здоровым, все более крепким человеком. С каждым днем я становлюсь человеком все более веселым, все более жизнерадостным.

Я молодой-крепкий-здоровый волевой человек. У меня сильная воля и твердый характер. С каждым мгновением моя молодая здоровая нервная система становится все более сильной, и все более сильным становится мое управление жизнью всего тела, и все более сильной становится моя воля. Я ярко-отчетливо чувствую себя человеком сильным и смелым. У меня сильная воля и твердый характер. Я все смею, все могу и ничего не боюсь. И среди всех житейских ураганов и бурь я непоколебимо стою как скала, о которую все сокрушается, и с каждым мгновением я весь насквозь здоровею и крепну, с каждым мгновением моя молодая здоровая нервная система рождается все более сильной, все более крепкой, все более прочно устойчивой. Этот процесс будет продолжаться постоянно-непрерывно днем и ночью в течение долгих десятилетий – до ста лет и больше, в течение долгих столетий, в течение всего того будущего времени, которое я вообще только способен представить, я буду продолжать здороветь и крепнуть и вся моя молодая здоровая нервная система с каждым мгновением постоянно-непрерывно днем и ночью будет увеличивать свои энергетические запасы, увеличивать свои энергетические ресурсы. И с каждым мгновением во всем моем молодом теле будут здороветь и крепнуть мои молодые нервы. Этот процесс будет продолжаться постоянно-непрерывно днем и ночью.

Я стараюсь это как можно глубже осмыслить. Этот процесс, о котором я говорю, будет продолжаться постоянно-непрерывно днем и ночью в течение долгих десятилетий до ста лет и больше, в течение долгих столетий, в течение всего того будущего времени, которое я вообще способен представить. Я буду продолжать здороветь и крепнуть и вся моя молодая-здоровая нервная система будет продолжать увеличивать свои энергетические ресурсы, будут продолжать развиваться мои умственные способности. Все органы чувств будут продолжать наполняться все большей и большей энергией жизни, и все мои молодые нервы во всем моем теле будут продолжать здороветь и крепнуть. И с каждым мгновением я буду рождаться человеком все более энергичным, все более здоровым и крепким.

2.3. На здоровый сон (первый вариант)

Через тридцать минут я лягу спать. И едва моя голова коснется подушки, я сразу же засну спокойным глубоким сном на всю ночь до самого утра. А сейчас весь мой организм готовится к ночному сну. Я весь наполняюсь прочным покоем.

Все мышцы на лице расслабились, все лицо разгладилось, я весь успокоился. Во всем теле все нервы и мышцы прочно спокойны. Во всем теле мышцы расслабляются. Успокаиваются все нервы. Я весь наполняюсь безмятежным покоем. Все мышцы на лице глубоко расслабились. Все лицо разгладилось. Я весь успокоился. Во всем теле все нервы и мышцы прочно спокойны. Во всем теле все мышцы расслабляются. Весь организм готовится к глубокому ночному сну в течение всей ночи до самого утра.

Я весь наполняюсь все более и более прочным покоем. Во всем теле все нервы и мышцы прочно спокойны. Я весь насквозь абсолютно спокоен, как зеркальная гладь озера. Я весь готовлюсь к глубокому ночному сну в течение всей ночи до самого утра.

Когда я лягу спать, едва моя голова коснется подушки, как я сразу же засну на всю ночь спокойным, глубоким сном. И в течение всей ночи до самого утра буду спать одинаково глубоко, одинаково крепким, здоровым сном.

Все нервные клетки головного мозга успокоились. Я весь успокоился. И внешний мир перестает для меня существовать. Я выключаюсь из внешнего мира. Я весь наполняюсь глубоким покоем и сном. Когда я лягу спать, едва моя голова коснется подушки, я сразу же засну как в детстве безмятежно-спокойным сном. Едва моя голова коснется подушки я сразу же засну безмятежно-спокойно, как в детстве, безмятежно-спокойным, глубоким, крепким, здоровым сном.

В течение всей ночи до самого утра я буду спать одинаково глубоким, одинаково крепким, безмятежным сном с полным расслаблением всех мышц тела. Во время ночного сна все мышцы глубоко расслаблены, в течение всей ночи до самого утра все мышцы глубоко расслаблены. Невозможно даже пошевелить пальцем.

Я засну лежа на спине. И проснусь утром в том же положении, лежа на спине. Я в течение всей ночи буду спать абсолютно неподвижно. Мне очень приятно спать на спине. Это самое удобное, самое приятное для меня положение тела. Когда я лежу на спине, тело своей тяжестью не давит на внутренние органы. И потому весь организм живет спокойной, абсолютно спокойной жизнью и все внутренние органы во время сна глубоко отдыхают. Восстанавливают свои силы. Во время ночного сна весь организм восстанавливает свои силы. Во время ночного сна весь организм восстанавливает свои силы. И утром я просыпаюсь веселым, жизнерадостным человеком, полным сил и энергии.

Утром легкое, быстрое пробуждение. Утром легкое, быстрое пробуждение. В веселом настроении и прекрасном самочувствии встречаю новый день своей жизни. В течение всей ночи я сплю одинаково глубоким, крепким безмятежным сном. Я сейчас весь наполняюсь безмятежным покоем, безмятежным, абсолютным покоем.

Все мышцы на лице глубоко расслабились. Я весь успокоился. Безмятежно спокойно, совсем спокойно, абсолютно спокойно я засыпаю глубоким, крепким сном. Сейчас весь мой организм все больше и больше успокаивается. Весь организм готовится к глубокому ночному сну.

Во всем теле расслабляются и засыпают мышцы. Все мышцы на лице глубоко расслабились. Я весь успокоился. Я весь насквозь абсолютно спокоен, как зеркальная гладь озера. Я весь насквозь абсолютно спокоен. Во всем теле все нервы и мышцы прочно спокойны, наполняется прочным покоем и засыпает все тело. Я весь погружаюсь в море глубокого, крепкого сна. Сон надвигается на меня со всех сторон. Сон надвигается на меня со всех сторон. Я все глубже погружаюсь в море глубокого, крепкого сна. Глубокий сон, глубокий сон, глубокий сон. Безмятежно спокойно, совсем спокойно, абсолютно спокойно я засыпаю глубоким сном.

Все тело успокоилось и погружается в глубокий сон. Мои глаза слипаются. Я чувствую тяжесть в веках. Мне становится уже трудно держать свои глаза открытыми. Глаза слипаются. Я засыпаю глубоким сном. Сон надвигается на меня со всех сторон. Я отключаюсь от внешнего мира. Весь внешний мир перестает для меня существовать. Я весь успокоился. Я весь наполнен прочным покоем и сном. Во время сна весь мой организм накапливает молодые жизненные силы. Во время сна весь мой организм накапливает молодую жизненную энергию. Весь организм отдыхает. Все тело отдыхает в глубоком, крепком сне. Я отдыхаю. Я засыпаю безмятежно спокойно, абсолютно спокойно, совсем спокойно, абсолютно спокойно.

Глубокий сон. Глубокий сон.

Когда я лягу спать, едва моя голова коснется подушки, я сразу же погружаюсь в спокойный, крепкий, глубокий сон на всю ночь до самого утра. И в течение всей ночи до самого утра я буду спать одинаково глубоким, одинаково крепким безмятежным, спокойным сном. В течение всей ночи до самого утра глубокий сон, глубокий сон.

Я сейчас погружаюсь все глубже и глубже в море глубокого, крепкого сна. Все тело успокоилось и заснуло. Все мое тело уже спит глубоким сном. Заснуло сердце. Глубоко расслабились и заснули все мышцы тела. Я все глубже и глубже погружаюсь в море глубокого сна. Я уже не в силах держать свои глаза открытыми. Глаза закрываются. Я засыпаю глубоким сном.

Сейчас я лягу спать. И едва моя голова коснется подушки, я сразу же засну спокойным, глубоким сном, с полным расслаблением всех мышц тела. В течение всей ночи все мышцы тела глубоко расслаблены. Я сплю абсолютно неподвижно. Все мышцы во сне глубоко расслаблены. Невозможно сделать ни малейшего движения. Невозможно сделать ни малейшего движения. Невозможно даже пошевелить пальцем.

Глубокий сон надвигается на меня со всех сторон. Мои глаза слипаются. Я полностью выключился из внешнего мира. Весь внешний мир уже перестал для меня существовать. Я засыпаю здоровым глубоким сном.

Глубокий сон. Глубокий сон. Глубокий сон.

Я ложусь спать. Я ложусь спать. Я уже не в силах

сопротивляться надвигающемуся сну. Я засыпаю глубоким сном, глубоким, крепким сном до самого утра.

Глубокий сон. Глубокий сон. Глубокий сон.

Мои глаза закрылись. Я кладу голову на подушку и засыпаю на всю ночь глубоким сном, как в детстве безмятежным, глубоким сном.

Глубокий сон. Глубокий сон. Безмятежно спокойно, совсем спокойно, абсолютно спокойно.

Глубокий сон. Глубокий сон. Глубокий крепкий сон.

2.4. На здоровый сон (второй вариант)

Сейчас весь мой организм готовится к глубокому ночному сну до самого утра. В течение всей ночи, до утра, я буду спать одинаково глубоким, одинаково крепким здоровым детским сном. Сон надвигается на меня со всех сторон. Сон обволакивает меня со всех сторон. Все мое тело наполняется покоем и сном. Все мое тело наполняется покоем и сном.

Как ребенок уставший-уставший, беспредельно уставший я засну на всю ночь здоровым непробудным детским сном. Как ребенок уставший, я буду спать всю ночь до утра абсолютно спокойно, совершенно спокойно, безмятежно спокойно буду спать до утра. Как в детстве, всю ночь глубокий сон – глубокий сон – глубокий сон.

Все мышцы расслабляются. Все мышцы наполняются глубоким сном. Все тело наполняется покоем и сном. Все мышцы лба расслабились, лоб разгладился, я весь наполняюсь блаженным покоем и сном. Все мышцы моего лица расслабились, все лицо разгладилось, я весь насквозь успокоился, я весь насквозь абсолютно спокойный, как зеркальная гладь озера, я весь насквозь абсолютно спокоен.

Я погружаюсь в море глубокого сна, я погружаюсь в море глубокого сна. Глубокий сон – глубокий сон – глубокий сон. Все внутренние органы успокоились, заснули. Мое сердце наполняется блаженным покоем и сном.

Все мышцы моего лица расслабились, все лицо разгладилось. Лицо блаженное: всем довольное. Я весь наполняюсь покоем и сном. Как ребенок уставший-уставший, я засыпаю глубоким сном абсолютно спокойно, совершенно спокойно, как в детстве я засыпаю здоровым непробудным глубочайшим сном.

Я все глубже погружаюсь в море глубокого сна. Очень хочется спать-спать до утра. Очень хочется спать: непреодолимое желание погрузиться в глубочайший сон. Очень хочется спать-спать-спать до утра непробудным детским здоровым сном.

Мне становится трудней сопротивляться надвигающемуся сну. Очень хочется спать. Мои глаза начинают закрываться. Мне становится все трудней держать свои глаза открытыми. Глаза неудержимо засыпают. Глаза неудержимо закрываются. Очень хочется спать-спать-спать до утра.

Успокоилось, заснуло мое сердце. Безмятежно спокойно, в полном довольстве беззаботно глубже засыпает молодое сердце. Все крепче засыпает сердце детским безмятежным сном. Все мое тело уже спит глубоким сном. Все внутренние органы заснули здоровым сном. Блаженным детским сном заснуло сердце. Я все глубже погружаюсь в море глубокого сна. Как ребенок уставший, беспредельно уставший, засыпаю глубочайшим сном. Безмятежно спокойно, совсем спокойно, абсолютно спокойно я засыпаю детским глубоким сном.

Очень хочется спать. Я уже не в силах сопротивляться надвигающемуся сну. Я весь наполняюсь глубоким сном. Глубокий сон – глубокий сон – глубокий сон. Непреодолимое желание на всю ночь заснуть непробудным глубочайшим сном. Непреодолимое желание всю ночь спать до утра глубоким крепким сном, всю ночь спать одинаково глубоким, одинаково крепким блаженным детским сном. Глубокий сон – глубокий сон – глубокий сон. Вся голова уже заснула, уже спит глубоким сном.

Я последним усилием воли заставлю себя слушать, мир уже перестал для меня существовать. Я уже полностью выключился из внешнего мира. Я ничего не чувствую. Я ничего не знаю кроме глубокого сна. Я уже не в силах сопротивляться надвигающемуся сну. Я все глубже погружаюсь в море глубокого сна.

Как ребенок уставший-уставший, очень сильно уставший, я засыпаю глубоким сном до утра. Глубокий сон – глубокий сон – глубокий сон.

Я весь насквозь успокоился. Как зеркальная гладь озера, я весь насквозь абсолютно-спокойный. Я весь наполнился абсолютным покоем и сном. Глубокий сон – глубокий сон – глубокий сон. Абсолютно спокойно, совершенно спокойно, безмятежно спокойно, как ребенок уставший, я засыпаю глубочайшим непробудным сном. Я с наслаждением засыпаю непробудным глубочайшим сном. Я с наслаждением засыпаю непробудным глубочайшим сном. Очень хочется спать-спать-спать, непробудно спать до утра. Блаженный детский сон. Глубокий сон – глубокий сон – глубокий сон. Мои глаза неудержимо закрываются. Я уже не в силах держать свои глаза открытыми. Я закрываю свои глаза. Я из последних сил продолжаю слушать приятные слова о крепком сне. Глубокий сон – глубокий сон. Как в детстве, блаженный детский глубокий сон.

Я весь наполнился глубоким сном. Я весь уже сплю, я погрузился в море глубокого сна, я погрузился в море глубокого сна. Я уже закрыл свои глаза. Я неудержимо засыпаю глубочайшим сном. Глубокий сон – глубокий сон – глубокий сон. Абсолютно спокойно я засыпаю на всю ночь непробудным глубочайшим сном. Глубокий сон – глубокий сон – глубокий сон.

Я уже не в силах даже слушать приятные слова о глубоком сне. Я уже заснул. Я засыпаю все крепче и глубже. Я засыпаю все крепче и глубже. Я уже ничего не чувствую. Я погружаюсь в непробудный глубочайший сон.

Последним усилием я выключаю магнитофон. Надо выключить магнитофон. Надо выключить магнитофон. Надо выключить магнитофон.

2.5. На преодоление неврастении

Вновь родившаяся новая-новая здоровая новорожденная жизнь вливается в головной-спинной мозг, во все мои нервы. Во всю мою молодую нервную систему вливается вновь родившаяся новая-новая здоровая новорожденная жизнь вливается в головной мозг, во все мои нервы. Во всю мою нервную систему вливается новая здоровая новорожденная жизнь.

Новорожденная сила наполняет всю мою нервную систему. Новорожденная-новорожденная сила, сила, сила новорожденная наполняет головной-спинной мозг, всю мою нервную систему. Всю мою нервную систему наполняет сила, новорожденная сила. Новорожденная сила наполняет головной-спинной мозг, все мои нервы. Всю мою нервную систему наполняет новорожденная сила. Сила, сила новорожденная, сила, могучая несокрушимая новорожденная сила, сила новорожденная наполняет всю мою молодую нервную систему.

С каждой секундой в моей нервной системе рождается новая здоровая сила. С каждой секундой в моей нервной системе рождается новая здоровая сила. С каждой секундой моя нервная система становится сильней. С каждой секундой головной-спинной мозг становится сильней, с каждой секундой головной-спинной мозг становится сильней.

Могучая несокрушимая новорожденная сила, сила, сила новорожденная наполняет головной-спинной мозг, все мои нервы.

С каждой секундой увеличивается-увеличивается запасная сила нервной системы, с каждой секундой увеличивается-увеличивается запасная сила нервной системы.

Нервная система продолжает идеально правильно управлять работой всех внутренних органов, продолжает идеально правильно управлять жизнью моего молодого здорового тела наперекор всем вредным влияниям внешней среды. С каждой секундой моя нервная система становится сильней. Каждую секунду в головном-спинном мозгу рождается новая здоровая сила. Головной-спинной мозг увеличивает свою запасную резервную силу. Головной-спинной мозг с каждой секундой становится сильней. С каждой секундой увеличивается запасная резервная сила головного-спинного мозга.

Сила головного-спинного мозга перекрывает все вредные влияния внешней среды. Сила головного-спинного мозга полностью подавляет все вредные влияния внешней среды. Головной-спинной мозг наперекор всем вредным влияниям внешней среды идеально правильно, с огромной-колоссальной устойчивостью идеально правильно управляет работой всех внутренних органов, идеально правильно управляет жизнью моего молодого здорового тела. Я стараюсь до конца понять, до конца осмыслить: с каждой секундой увеличивается запасная резервная сила головного-спинного мозга. Наперекор всем вредным влияниям внешней среды головной-спинной мозг продолжает идеально правильно, абсолютно правильно управлять жизнью сердца, управлять работой всех внутренних органов. Благодаря огромной-колоссальной устойчивости головного-спинного мозга все внутренние органы продолжают работать идеально правильно, абсолютно правильно. Сердце продолжает работать идеально правильно, абсолютно правильно наперекор всем вредным влияниям внешней среды. Наперекор всем вредным влияниям внешней среды я сохраняю прекрасное самочувствие, веселое-веселое-жизнерадостное настроение. Я стараюсь до конца понять, до конца осмыслить: вредные влияния внешней среды, незаслуженные обиды, оскорбления людей, все вредные влияния разговоров людей о болезнях всем другим людям портят настроение, ухудшают самочувствие; я же наперекор всем вредным влияниям внешней среды сохраняю прекрасное самочувствие, веселое-веселое-жизнерадостное настроение. Мое прекрасное самочувствие непоколебимо устойчиво в жизни. Мое веселое жизнерадостное настроение непоколебимо устойчиво в жизни. Сквозь все вредные влияния внешней среды, сквозь все вредные влияния людей, сквозь все вредные влияния плохой погоды, атмосферного давления, я непоколебимо сохраняю прекрасное самочувствие, веселое жизнерадостное настроение, все внутренние органы продолжают работать идеально правильно, абсолютно правильно. Мое сердце продолжает работать идеально правильно, абсолютно правильно сквозь все вредные влияния внешней среды.

Головной-спинной мозг с каждой секундой становится сильней. Огромная сила головного-спинного мозга перекрывает все вредные влияния внешней среды. Наперекор всем вредным влияниям внешней среды – прекрасное самочувствие, веселое-веселое-жизнерадостное настроение. Вся душа поет от счастья, от радости жизни.

Новорожденная сила, могучая несокрушимая новорожденная сила вливается в головной-спинной мозг, во все мои нервы. Несокрушимая новорожденная сила, сила, сила новорожденная наполняет головной-спинной мозг, все мои нервы. С каждой секундой моя нервная система становится сильней. С каждой секундой повышается устойчивость работы головного-спинного мозга. С каждой секундой все более устойчивым становится мое идеальное здоровье, мое несокрушимое здоровье, идеальное здоровье становится все более устойчивым сквозь все времена года. Я стараюсь это глубже понять: сквозь все времена года я сохраняю прекрасное самочувствие, веселое настроение. Сквозь все вредные изменения погоды я сохраняю прекрасное самочувствие, веселое настроение. Сквозь все вредные влияния людей, сквозь все обиды, оскорбления, сквозь все предательства людей я сохраняю прекрасное самочувствие, веселое настроение, здоровею-крепну. Я становлюсь сильней, в десять раз сильней, в сто раз сильней беспредельно беспощадных, беспредельно безжалостных подлостей и предательств даже самых близких, родных, любимых людей. Наперекор всем беспредельно беспощадным, беспредельно безжалостным подлостям и предательствам людей я здоровею-крепну, увеличиваю продолжительность своей энергичной здоровой счастливой молодости.

Я становлюсь человеком в жизни несокрушимо устойчивым, несокрушимо устойчивым. Могучая несокрушимая новорожденная сила, сила, сила новорожденная наполняет головной-спинной мозг. С каждой секундой в моей нервной системе рождается новая здоровая могучая сила. С каждой секундой нервная система становится сильней. С каждой секундой увеличивается запасная резервная сила моей нервной системы. С каждой секундой повышается устойчивость работы головного-спинного мозга. С каждой секундой повышается устойчивость идеально правильной работы головного-спинного мозга. С каждой секундой повышается устойчивость идеально правильной работы головного-спинного мозга. Сквозь вредные влияния внешней среды без всякого исключения головной-спинной мозг идеально правильно, абсолютно правильно управляет жизнью моего молодого здорового тела, управляет работой всех внутренних органов, управляет работой сердца. Наперекор всем без исключения вредным влияниям внешней среды, всем утратам, всем невзгодам жизни все внутренние органы работают идеально правильно, абсолютно правильно, все тело живет веселой-радостной здоровой жизнью.

Неугасимый веселый огонек всегда горит в моих глазах, солнечная радость жизни светится в моих глазах. Сквозь все трудности жизни веселый огонек всегда горит в моих глазах. Сквозь все трудности жизни торжествующая сила молодости светится в моих глазах. Наперекор всем невзгодам жизни торжествующая сила молодости светится в моих глазах. Наперекор всем невзгодам жизни торжествующая сила молодости светится в моих глазах.

2.6. На устойчивость в жизни

Я настраиваюсь на веселую энергичную молодую жизнь и сейчас, и через тридцать лет, и через сто лет. Я настраиваюсь на ежедневную энергичную интереснейшую работу и сейчас, и через тридцать лет, и через сто лет. Я настраиваюсь на постоянное непрерывное развитие всех своих способностей и сейчас, и через тридцать лет, и через сто лет. Вся долголетняя веселая энергичная молодая жизнь у меня впереди.

Человек, окрыленный идеей долголетия, превосходит своей мощью все стихии естества, всесильную судьбу и действительно может каждый день увеличивать продолжительность своей будущей жизни усвоением настроя на долголетнюю молодую жизнь и жить веселой энергичной молодой жизнью сквозь рождение многих поколений своих детей. Я настраиваюсь на воспитание многих поколений своих детей до взрослого возраста. И через тридцать лет, и через сто лет я буду молодой-веселый, несокрушимо здоровый.

Все изменения в моем теле, происшедшие после 17—20-летнего возраста, навсегда уходят из моего тела в пространство Вселенной. Я прихожу в полное соответствие с юным 17—20-летним возрастом, сохраняя свои знания и жизненный опыт. Все мое тело полностью обновляется, рождается юным 17—20-летним. Я рождаюсь энергично развивающимся несокрушимо здоровым прекрасным юношей. Свежесть юности рождается в моем лице, все лицо наполняется ровным розовым цветом, ярко красным цветом наполняются мои губы. Все лицо наполняется монолитной крепостью. Все лицо молодое гладкое-крепкое. Белки глаз быстро светлеют, белки глаз рождаются светлые-светлые, яркие-яркие, как снег на солнце. Я отчетливо чувствую как здоровею-крепну, в мою психику, во все мои нервы вливается здоровая стальная крепость, стальная крепость, стальная крепость вливается в психику, во все мои нервы. Каждый прожитый день увеличивает продолжительность моей будущей жизни. И в этом смысле я живу по закону: чем старше — тем моложе.

Я постоянно поддерживаю полную боевую готовность к преодолению всех вредных влияний, разрушающих настрой на веселую долголетнюю молодую жизнь. Я постоянно подавляю влияния разговоров

106

людей о кратковременности человеческой жизни, о болезнях и смерти, я знаю, что ко мне это не имеет никакого отношения, как к человеку, живущему по закону: чем старше – тем моложе. Я постоянно подавляю все влияния, противодействующие моему нравственному поведению и здоровому образу жизни. постоянно создаю себе мощную защиту от всех вредных влияний.

Я постоянно упорнейшим образом усваиваю настрой на долголетнюю веселую энергичную молодую жизнь, на смелое поведение и тем самым создаю себе постоянную мощную поддержку.

Я – человек смелый, твердо уверенный в себе, я все смею, все могу и ничего не боюсь. Я твердо знаю, что, если все трудности обрушатся на меня сразу неожиданно, им все равно не сокрушить моей могучей воли. И потому я смотрю миру в лицо, ничего не боясь, и среди всех житейских ураганов и бурь непоколебимо стою как скала, о которую все сокрушается.

Передо мной открылись все пути, все дороги в долголетнюю энергичную веселую молодую жизнь и это наполняет все мое существо радостью жизни. Я весь наполнен солнечной радостью жизни, во мне всегда цветет, цветет весна, неугасимый веселый огонек всегда горит в моих глазах, на моем лице всегда веселая весенняя светлая улыбка. Во всем теле огромная сила бьет ключом, все внутренние органы работают энергично-весело. Моя походка веселая-веселая-быстрая, иду – птицей на крыльях лечу, ярко чувствую свою удаль молодецкую.

Я с каждым днем становлюсь веселей-жизнерадостней. Все более прочным становится мое веселое-жизнерадостное настроение. Неодолимая стальная воля светится в моих глазах, и эту несгибаемую волю чувствуют во мне все люди, которые приходят со мной в соприкосновение.

Торжествующая сила молодости, восторг победы светятся в моих глазах, торжество несокрушимо крепкого здоровья светится в моих глазах. Сияющие юные глаза.

Я сейчас родился долголетним энергично развивающимся юношей. Я настраиваюсь на развитие всех своих способностей и сейчас, и через тридцать лет, и через сто лет. Мое мышление становится все более энергичным. Рождается энергичное-энергичное, быстрое, как молния, мышление, рождается яркая крепкая молодая память. Все мои способности энергично развиваются. Беззаботная безоблачная юность светится в моих глазах, неугасимый веселый огонек всегда горит в моих глазах.

2.7. На здоровый образ жизни

В мою психику, во все мои нервы вливается стальная крепость, стальная крепость, стальная крепость вливается в психику, во все мои нервы. В мою личность вливается крепкая стальная сила. В меня вливается несокрушимая духовная сила. Я – человек неодолимой стальной воли. Неодолимая стальная воля светится в моих глазах и ее чувствуют во мне все люди, которые приходят со мной в соприкосновение. Я – человек смелый, твердо уверенный в себе, я все смею, все могу и ничего не боюсь. Среди всех житейских ураганов и бурь я непоколебимо стою, как скала, о которую, все сокрушается. Я твердо знаю, что, если на меня неожиданно обрушатся все трудности сразу, им все равно не сокрушить моей могучей воли. И потому я смотрю миру в лицо, ничего не боясь, и среди всех противодействующих сил непоколебимо стою за здоровый образ жизни. Я ежедневно упорно усваиваю настрой на здоровый образ жизни, я постоянно преодолеваю все противодействующие силы, которые стараются нарушить мой здоровый образ жизни, я создаю мощную поддержку своему здоровому образу жизни, я создаю мощную защиту своему здоровому образу жизни.

Я ненавижу сильнейшей лютой злобной ненавистью все, что противодействует здоровому образу жизни. Я постоянно поддерживаю полную боевую готовность к преодолению всех вредных влияний, которые стараются столкнуть меня в бездну алкоголизма. Алкоголь есть мой опаснейший коварнейший враг, разрушающий мое здоровье, отнимающий у меня волю, отнимающий у меня человеческое достоинство, превращающий меня в презираемое людьми существо. Я твердо знаю, что я остаюсь человеком и сохраняю свою волю только до тех пор, пока в меня не попало ни единой капли алкоголя. И потому я не приму ни одной капли алкоголя и никакие уговоры пьяниц не собьют меня с трезвого здорового образа жизни.

Я твердо знаю, что человек, окрыленный идеей оздоровления, превосходит своей мощью все стихии естества, все противодействующие силы и наперекор всем противодействующим влияниям сохраняет здоровый образ жизни.

Я настраиваюсь на энергичную здоровую молодую жизнь и сейчас, и через десять лет, и через тридцать лет, и через пятьдесят лет. Я настраиваюсь на постоянное наращивание волевых усилий в борьбе за здоровый образ жизни и тем самым постоянно увеличиваю запас надежности, прочности трезвого образа жизни. Я становлюсь сильней всех противодействующих сил, которые разрушают мой настрой на трезвый образ жизни. Я постоянно укрепляю свой настрой на трезвый образ жизни и никакие вредные влияния не разрушат мой настрой на трезвый образ жизни.

Я чувствую как здоровею-крепну и это наполняет все мое существо радостью жизни. У меня впереди долголетняя радостная молодая жизнь и это наполняет меня торжествующей силой молодости. Неугасимый веселый огонек всегда горит в моих глазах, солнечная радость жизни светится в моих глазах. Во всем теле огромная энергия бьет ключом, все внутренние органы работают энергично-весело, с молодецкой удалью работают все внутренние органы. Моя походка веселая, веселая-быстрая, иду – птицей на крыльях лечу, ярко чувствую свою удаль молодецкую.

Наперекор всем трудностям я непоколебимо сохраняю прекрасное самочувствие и веселое жизнерадостное настроение. С каждым днем я становлюсь веселей, веселей-жизнерадостней. На моем лице всегда веселая улыбка, во мне всегда цветет, цветет весна и солнечная радость жизни наполняет и душу и тело. В моих глазах всегда горит неугасимый веселый огонек. Неодолимая стальная воля светится в моих глазах.

Я – человек смелый, твердо уверенный в себе, я все смею, все могу и ничего не боюсь. Я могу вести здоровый трезвый образ жизни наперекор всем противодействующим силам. Я чувствую себя неизмеримо сильней всех вредных влияний. Вся моя жизнь наполняется радостью постоянных побед над всеми препятствиями. Я с каждым днем становлюсь веселей-жизнерадостней.

2.8. На оздоровление головы

Вновь родившаяся: новая-новая здоровая новорожденная жизнь вливается в мою голову, во все мое тело. Новорожденная сила, сила, сила жизни новорожденной вливается в мою голову, во все мое тело. Во все мозговые механизмы вливается сила, сила жизни новорожденной вливается во все нервные механизмы головного мозга. Все нервные механизмы головного мозга рождаются исправные, новорожденно-исправные, идеально исправные. Новорожденная жизнь рождает новую: здоровую крепкую голову. Новорожденная жизнь рождает новую: здоровую крепкую голову. Быстрое-быстрое, новорожденное быстрое развитие вливается в мою голову. Быстрое-быстрое, новорожденное быстрое развитие вливается в мою голову. Быстро развиваются все мои способности: активизирует мое мышление, рождается энергичное, быстрое, как молния, мышление, я становлюсь все более быстро сообразительным человеком; рождается яркая-сильная-крепкая память, рождается яркая, сильная, крепкая память. Я быстро запоминаю все, что мне нужно. Я мгновенно-молниеносно вспоминаю то, что мне нужно в жизни. Рождается яркая-сильная-крепкая память. Рождается яркое-яркое-энергичное творческое воображение. Все мои умственные способности быстро-быстро энергично развиваются. Я настраиваюсь на быстрое-энергичное развитие своих способностей и сейчас, и через десять лет, и через тридцать лет, и в сто лет будут развиваться все мои способности.

Быстро-быстро развивающаяся новорожденная жизнь вливается в передние лобные доли головного мозга. Огромная-колоссальная сила жизни вливается в передние-передние лобные доли головного мозга. Лобные доли мозга с каждой секундой становятся сильней-энергичней, сильней-энергичней: в меня вливается могучая-несокрушимая духовная сила, в меня вливается могучая-несокрушимая духовная сила. Я становлюсь смелей-решительней-уверенней в себе. Усиливается воля, крепнет характер. Я становлюсь смелей-решительней-уверенней в себе.

Человек, окрыленный идеей оздоровления, своей мощью превосходит все болезни и действительно становится человеком несокрушимо крепкого здоровья.

Новорожденная жизнь рождает быстро развивающуюся сильную волю. Я с каждой секундой становлюсь духовно сильней. Огромная сила духа светится в моих глазах, и эту силу чувствуют все люди, которые приходят со мной в соприкосновение. Неодолимая стальная воля светится в моих глазах.

В головной-спинной мозг, во все мои нервы вливается быстро-быстро развивающаяся новорожденная жизнь. В головной-спинной мозг, во все мои нервы вливается новорожденная сила, сила, сила жизни новорожденной вливается в головной-спинной мозг во все мои нервы. Новорожденная жизнь рождает сильную здоровую нервную систему. Здоровеют-крепнут молодые нервы. Новорожденная жизнь рождает крепкие-здоровые-стальные нервы. Здоровеют-крепнут молодые нервы. Бурно-бурно развивающаяся новорожденная жизнь наполняет весь насквозь головной мозг. Весь головной мозг рождается новорожденно-свежий, новорожденно-исправный, идеально исправный-абсолютно исправный. Вся голова наполняется легкостью-легкостью-легкостью-светом. Вся голова рождается легкая-светлая, легкая-светлая. В глазах светло-светло, как в яркий солнечный прекрасный день в глазах моих светло.

Бурно-бурно развивающаяся новорожденная жизнь вливается в задние, в задние-затылочные доли головного мозга вливается бурно развивающаяся новорожденная жизнь. Огромная-колоссальная сила жизни, сила, сила жизни новорожденной вливается в задние-затылочные доли головного мозга. С каждой секундой задние-затылочные доли головного мозга становятся сильней-энергичней, сильней-энергичней. Новорожденная жизнь рождает взгляд такой силы, как луч солнца. Рождается острое-сильное зрение, идеально правильное острое-сильное зрение. В затылочные доли мозга вливается огромная-колоссальная сила жизни. С каждой секундой задние-затылочные доли мозга становятся сильней-энергичней, сильней-энергичней.

В нижнюю – в нижнюю часть головного мозга вливается новая: здоровая новорожденная жизнь. В нижнюю – в нижнюю часть головного мозга вливается вновь родившаяся: новая-новая здоровая новорожденная жизнь вливается в нижнюю часть головного мозга. Во все нервы, выходящие из нижней части головного мозга, вливается новорожденная жизнь. Все нервы головы, выходящие из нижней части головного мозга, рождаются новорожденно-свежие, новорожденно-свежие, новорожденно-здоровые. Во все нервы, выходящие из нижней части головного мозга, вливается вновь родившаяся: новая здоровая новорожденная жизнь. В области затылка здоровеют-крепнут молодые нервы. В области шеи, затылка здоровеют-крепнут молодые нервы. В слуховые нервы вливается новорожденная жизнь. Сила, сила жизни новорожденной вливается в слуховые нервы. Рождаются крепкие-здоровые слуховые нервы, крепкие-здоровые слуховые нервы. Новорожденная жизнь рождает острый, острый-энергичный-сильный слух. С каждой секундой я слышу все лучше и лучше. Обостряется, усиливается слух, расширяется диапазон слышимых мной звуков.

С каждой секундой я слышу все более-все более низкие звуки. С каждой секундой я слышу все более-все более высокие звуки. Обостряется-усиливается слух, здоровеют-крепнут молодые нервы.

Сюда-сюда: в область макушки вливается бурно-бурно развивающаяся новорожденная жизнь. В темени: в области макушки, в темени: в области макушки весь головной мозг насквозь рождается новорожденно свежий, новорожденно-исправный, энергичный-сильный, энергичный-сильный. Здесь: в области макушки здоровеют-крепнут нервы, здоровеют-крепнут нервы, оживает кожа, оживают волосы. В области макушки новорожденная жизнь рождает стеной стоящие, новорожденно-густые, предельно-густые крепкие волосы.

Новорожденная жизнь всю насквозь наполняет мою голову. Новорожденная жизнь рождает новую: здоровую крепкую голову. Бурно-бурно развивающаяся новорожденная жизнь вливается в кожу, в кожу волосистой части головы, вливается в волосы. Колоссальная сила жизни вливается в кожу волосистой части головы, вливается в волосы. Энергия развития, энергия развития вливается в кожу волосистой части головы, вливается в волосы. Быстрая черная, как смоль, черная, как смоль, новорожденная краска стремительным потоком наполняет мои волосы. Я стараюсь до конца понять, что происходит: черная как смоль новорожденная краска стремительным потоком наполняет на голове все мои волосы от корней до кончиков. Черная, как смоль, краска стремительным потоком наполняет волосы по всей длине: от корней до кончиков. Черная, как смоль, краска стремительным потоком наполняет волосы по всей длине: от корней до кончиков. На голове все волосы как один рождаются черные-черные. Колоссальная сила жизни вливается в кожу волосистой части головы, вливается в волосы. Оживает кожа, оживает кожа, оживают волосы, оживают волосы, здоровеют-крепнут молодые волосы.

Вся голова наполняется легкостью, светом. Вся

голова легкая-легкая, легкая-светлая. В глазах светло-светло. Как в яркий солнечный прекрасный день в глазах моих светло.

Бурно-бурно развивающаяся новорожденная жизнь наполняет всю мою голову. Новорожденная жизнь рождает голову новую: здоровую энергичную-сильную. Рождается голова новорожденно-юная, первозданно-красивая, первозданно-свежая.

Новорожденная жизнь вливается в мое лицо. Все лицо мое обновляется. Все лицо мое рождается новорожденное-юное, первозданно-свежее, первозданно-красивое. В задние: затылочные доли мозга, в глаза вливается бурно развивающаяся новорожденная жизнь. В зрительные нервы вливается стальная крепость, стальная крепость вливается в зрительные нервы. Бурно-бурно развивающаяся новорожденная жизнь вливается в мои глаза. Новорожденная жизнь рождает яркие-яркие, сияющие-сияющие, новорожденно-юные прекрасные глаза. Новорожденная жизнь рождает новорожденно-юные, новорожденно-юные прекрасные глаза. Волевые умные глаза. Лучистые-лучистые блестящие глаза, лучистые блестящие глаза. Новорожденная жизнь рождает сильные-сильные неутомимые сильные глаза. Я могу читать книжный текст целый день напролет — в области глаз легко-спокойно, легко-спокойно. Новорожденная жизнь рождает новорожденно-юные, новорожденно-юные, первозданно-красивые прекрасные глаза. Волевые умные глаза, лучистые-блестящие глаза.

Новорожденная жизнь вливается в мое лицо. Все лицо мое обновляется. Монолитная крепость юности вливается в мое лицо. Монолитная крепость юности вливается в мое лицо. Все лицо разгладилось, помолодело. Я улыбнулся жизни. Светлая весенняя улыбка на моем лице. Все лицо наполняется ровным розовым цветом. Под глазами мое лицо рождается новорожденно-полное, новорожденно-полное, белоснежно-светлое, как сметана, розовое-румяное прекрасное новорожденно-юное лицо под глазами. Все лицо наполнилось ровным розовым цветом. Здоровый-здоровый молодой румянец во все щеки разгорается все ярче. Ярко-красный, ярко-красный цвет вливается в мои губы. Быстро-быстро краснеют-краснеют мои губы. Ярко-красный цвет быстро-быстро наполняет мои губы. Мои губы рождаются ярко-красные, как маки. Как у ребенка мои губы ярко-красные, как маки. Здоровый молодой румянец во все щеки разгорается все ярче. А в тело горла, груди, в тело горла, груди вливается вновь родившаяся новая новорожденная жизнь. В области горла, груди новорожденная жизнь все тело рождает новорожденно-свежее, новорожденно-свежее, новорожденно-юное, крепкое, упругое, прекрасное тело. В области горла кожа с телом крепко спаяна. В области горла кожа с телом – сплошная монолитная крепость.

В мою голову, во все мое тело вливается бурно развивающаяся новорожденная жизнь. Новорожденная жизнь рождает во мне, внутри меня новую: здоровую долголетнюю наследственность. Новорожденная жизнь рождает во мне здоровую, энергичную, веселую молодость в столетнем возрасте. И в сто лет я буду молодой веселый несокрушимо-здоровый. Я с каждой секундой здоровею-крепну, становлюсь моложе. Конец моей будущей жизни все дальше, все дальше уходит в будущие годы. Моя жизнь, передвигаясь в будущее, непрерывно удлиняется-удлиняется. Каждый прожитый день на много-много дней увеличивает продолжительность моей будущей жизни. Я живу по закону: чем старше – тем моложе. И потому все разговоры людей о болезнях не имеют ко мне никакого отношения. Я с каждым днем здоровею-крепну, становлюсь моложе, увеличивается продолжительность моей будущей жизни. Человек, окрыленный идеей оздоровления, превосходит своей мощью все болезни и действительно становится человеком несокрушимо-крепкого здоровья.

Вновь родившаяся: новая, новая здоровая новорожденная жизнь вливается в мое сердце. Вновь родившаяся: новая, новая здоровая новорожденная жизнь вливается в мое сердце. Новорожденная жизнь рождает новорожденно-свежее, новорожденно-свежее нетронутое сердце. Новорожденная жизнь рождает идеально-исправное, идеально-исправное, абсолютно-исправное здоровое сердце. Новорожденная жизнь рождает полнокровную, полнокровную веселую жизнь сердца. Радость, веселье вливаются в сердце. Радость, веселье вливаются в сердце. Рождается веселое-веселое-радостное сердце, веселое-веселое счастливое сердце, веселое-веселое счастливое сердце. Новорожденная жизнь рождает веселое-веселое радостное сердце, веселое-веселое счастливое сердце. Радость, веселье вливаются в сердце. Здоровые силы рождаются в сердце. Здоровые силы рождаются в сердце. Новорожденная сила вливается в сердце. Сила, сила жизни новорожденной вливается в мое сердце. С каждой секундой увеличивается-увеличивается запасная сила сердца. Новорожденная жизнь рождает большую-огромную запасную силу сердца. Новорожденная жизнь рождает большую-огромную запасную силу сердца. При надобности сердце может работать с огромной-с колоссальной силой.

Во всю сердечно-сосудистую систему вливается новорожденная жизнь. Всю сердечно-сосудистую систему новорожденная жизнь рождает новорожденно-свежую, энергичную-сильную, энергичную-сильную. Во всю сердечно-сосудистую систему вливается новорожденная сила. Сила жизни новорожденной вливается во всю мою сердечно-сосудистую систему. Вся сердечно-сосудистая система рождается новорожденно-свежая, новорожденно-исправная, идеально исправная. Во всем теле рождается новорожденно-полное, полное, веселое, новорожденно-свободное кровообращение во всем теле. Во всей сердечно-сосудистой системе здоровеют-крепнут, здоровеют-крепнут молодые нервы. Здоровеет-крепнет молодое сердце. Вся область сердца рождается легкая-легкая, легкая-невесомая. Вся область сердца легкая-легкая, легкая-невесомая, невесомая. Как будто вся область сердца исчезла: вся область сердца легкая-легкая, легкая-невесомая. На сердце так легко-хорошо, как никогда раньше не было. Веселое-веселое радостное сердце.

116

Новорожденная жизнь рождает быстро развивающиеся сильные чувства. Я с каждой секундой становлюсь веселей-веселей, жизнерадостней. Торжествующая радость жизни светится в моих глазах. Я с каждой секундой становлюсь веселей-веселей, жизнерадостней. Неугасимый-неугасимый веселый огонек всегда горит в моих глазах, солнечная радость жизни светится в моих глазах, солнечная радость жизни светится в моих глазах. Неугасимый-неугасимый веселый огонек всегда горит в моих глазах. Вся душа поет от счастья, от радости жизни, вся душа поет от счастья, от радости жизни. Беззаботная безоблачная юность рождается в моей душе. Безмятежно-счастливая, беззаботная, новорожденная юность рождается в моей душе. Беззаботная безоблачная юность рождается в моей душе. Вся душа поет от счастья, от радости жизни. Все тело живет веселой радостной счастливой жизнью. Все внутренние органы работают веселей-энергичней, веселей-энергичней. Все тело живет веселой радостной здоровой жизнью. Рождается походка веселая, быстрая. Ноги легкие, как пушиночки, шаг легкий широкий. Шаг легкий широкий, ноги легкие, как пушиночки. Все мое молодое сильное тело легкое-легкое, легкое, как пушинка. Голова легкая, невесомая, легкая, светлая. Голова легкая-легкая, легкая, светлая. Иду – птицей на крыльях лечу, иду – птицей на крыльях лечу, ярко чувствую свою удаль молодецкую, ярко чувствую свою силу богатырскую. Ярко чувствую свою удаль молодецкую, ярко чувствую свою силу богатырскую. Во всем моем молодом здоровом теле рождается могучая богатырская сила. Богатырская молодость рождается в моих плечах, в моих руках. Богатырская сила рождается в моих плечах, в моих руках. Быстрое-быстрое, новорожденное быстрое развитие вливается в мои мышцы. Новорожденная жизнь рождает быстро-быстро развивающиеся мышцы. Рождается огромная потребность в физических упражнениях, в движениях. Так хочется бежать с предельной скоростью, бежать часами напролет. Рождается огромная потребность в физических упражнениях, в движении. Я с огромным наслаждением, с величайшим наслаждением выполняю физические упражнения. Весь организм требует бега, движения, физических упражнений. Под влиянием физических упражнений вся моя мускулатура быстро-быстро энергично развивается. Новорожденная жизнь рождает новорожденно-юные, быстро-быстро развивающиеся мышцы. На всем теле рождается красивый рельеф сильно развитых мышц. Рождается специфически-мужское молодое телосложение; богатырские могучие плечи, тонкая молодая талия, красивая стройная молодая-юная фигура. Широкие плечи, тонкая талия: рождается специфическое мужское телосложение. Я с каждой секундой здоровею-крепну, становлюсь моложе. И это наполняет все мое существо радостью жизни. Все внутренние органы работают веселей-энергичней, все тело живет веселой радостной здоровой жизнью.

И сейчас, и через десять лет, и в сто лет я буду молодой веселый, несокрушимо-здоровый. Подавляю все сомнения в том, что и в сто лет, и в сто лет я буду молодой, молодой веселый, молодой веселый несокрушимо-здоровый.

Бурно-бурно развивающаяся новорожденная жизнь вливается в мою голову. Весь насквозь головной мозг наполняет быстро-быстро, энергично развивающаяся новорожденная жизнь. В заднюю, в заднюю затылочную часть головного мозга вливается быстро-быстро развивающаяся новорожденная жизнь. В нижнюю, в нижнюю часть головного мозга, во все нервы, выходящие из нижней части головного мозга вливается бурно-бурно развивающаяся новорожденная жизнь. Нижняя часть головного мозга, все нервы, выходящие из нижней части головного мозга, рождаются новорожденно-здоровые, первозданно-здоровые. Новорожденная жизнь вливается во все нервы головы. Несокрушимая новорожденная крепость вливается во все нервы головы. Здоровеют-крепнут молодые нервы. В кожу, в кожу волосистой части головы вливается быстро-быстро развивающаяся новорожденная жизнь. Вся кожа волосистой части головы становится сильней-энергичней, сильней энергичней. Вся кожа волосистой части головы с каждой секундой становится сильней-энергичней, сильней-энергичней. В коже головы здоровеют-крепнут, здоровеют-крепнут нервы. Вся голова насквозь наполняется вновь родившейся новой здоровой жизнью. Новорожденная жизнь рождает новую здоровую крепкую голову. Новорожденная жизнь рождает новую-новую здоровую крепкую голову. Во все нервы головы вливается здоровая новорожденная крепость. Здоровеют-крепнут молодые нервы.

В боковые, в боковые: височные доли головного мозга вливается быстро-быстро развивающаяся новорожденная жизнь. В боковые, в боковые: височные доли головного мозга вливается быстро-быстро-бурно развивающаяся новорожденная жизнь.

Боковые височные доли головного мозга рождаются новорожденно-исправные, идеально-исправные, новорожденно-исправные, энергичные-сильные. На висках, по бокам головы здоровеют-крепнут, здоровеют-крепнут молодые нервы. Во всей области темени здоровеют-крепнут молодые нервы. По бокам головы здоровеют-крепнут молодые нервы. По бокам головы оживает кожа, оживает кожа, оживают волосы. В область макушки вливается бурно-бурно развивающаяся новорожденная жизнь. Головной мозг в области макушки, весь насквозь головной мозг в области макушки рождается новорожденно-свежий, энергичный-сильный. В области макушки здоровеют-крепнут нервы, оживает кожа, оживают волосы. Здесь: по бокам головы оживает кожа, оживают волосы. Черная, как смоль, новорожденная краска стремительным потоком вливается в волосы на висках, стремительным потоком вливается в волосы по бокам головы. На висках, по бокам головы оживает кожа, оживают волосы, оживает кожа, оживают волосы. Вновь родившаяся новая-новая здоровая новорожденная жизнь всю насквозь наполняет мою голову. Новорожденная сила, сила, сила жизни новорожденной вливается в мою голову. Во все механизмы головного мозга вливается сила – сила жизни новорожденной вливается во все механизмы головного мозга. Все механизмы головного мозга рождаются новорожденно-исправные, идеально-исправные, энергичные, сильные. Вся голова наполняется приятным легким светом. Вся голова сейчас рождается легкая-светлая, легкая-легкая, легкая-невесомая.

Вновь родившаяся новая-новая здоровая новорожденная жизнь всю насквозь наполняет мою голову, вся голова наполнилась приятным легким-легким светом. Вся голова насквозь легкая-легкая, светлая-светлая, вся голова насквозь легкая-легкая, легкая-светлая. В голову вливаются радость-веселье, радостные силы вливаются в голову. Веселая-веселая новорожденная юность рождается в моей душе, беззаботная безоблачная юность рождается в моей душе. В области головы здоровеют-крепнут, здоровеют-крепнут молодые нервы. Во всей области головы крепкие здоровые стальные молодые нервы. По бокам головы здоровеют-крепнут молодые нервы. В области темени здоровеют-крепнут, здоровеют-крепнут молодые нервы; в нервы, в нервы темени вливается стальная крепость, стальная крепость. В области макушки здоровеют-крепнут, здоровеют-крепнут молодые нервы. По бокам головы здоровеют-крепнут молодые нервы. Во все нервы головы вливается здоровая стальная крепость, стальная крепость вливается во все нервы головы. Вся голова наполнилась приятным светом, вся голова стала легкая-легкая, легкая-светлая, вся голова насквозь стала легкая-легкая, легкая-светлая. В глазах светло-светло, как в яркий солнечный прекрасный день в глазах моих светло. Голова легкая-легкая, легкая-светлая. В глазах светло-светло, как в яркий солнечный прекрасный день в глазах моих светло.

2.9. На снятие левостороннего лицевого тика

Вновь родившаяся новая-новая здоровая новорожденная жизнь вливается в мою голову. Новая, здоровая, вновь родившаяся – новая новорожденная жизнь, здоровая новорожденная жизнь всю насквозь, всю насквозь наполняет мою голову.

Новорожденная жизнь вливается в нижнюю-заднюю, в нижнюю-заднюю часть головного мозга. Новорожденная бурно-энергично, быстро-быстро развивающаяся новорожденная жизнь вливается в нижнюю-заднюю, в нижнюю-заднюю часть головного мозга. Новорожденная жизнь наполняет нижнюю-заднюю часть головного мозга, наполняет все нервы головы, выходящие из нижней-задней части головного мозга. Новорожденная жизнь всю нижнюю-заднюю часть головного мозга рождает новорожденно-свежую, новорожденно-свежую, энергичную, сильную. Вся нижняя-задняя часть головного мозга рождается – сейчас рождается, в один момент сейчас рождается новорожденно здоровая, первозданно здоровая.

Новорожденная жизнь сейчас-сейчас наполняет нижнюю часть головного мозга, наполняет все нервы головы, выходящие из нижней части головного мозга. Новорожденная жизнь все нервы головы наполняет по всей длине до кончиков. Новорожденная жизнь рождает все нервы головы сейчас, в одно мгновение рождает все нервы головы новорожденно-свежие, новорожденно-свежие, новорожденно-исправные, идеально-исправные.

Новорожденная жизнь сейчас-сейчас рождает все нервы головы новорожденно здоровые, первозданно здоровые, нетронутые жизнью.

Колоссальные силы жизни вливаются в нервы головы. Колоссальная энергия, энергия развития вливается в нервы головы.

Новорожденное развитие, новорожденное развитие сейчас-сейчас вливается в нервы головы.

Несокрушимая новорожденная крепость сейчас-сейчас вливается во все нервы головы. Все нервы головы быстро-весело здоровеют-крепнут, быстро-весело оживают-оживают, здоровеют-крепнут. Во все нервы головы вливается несокрушимая новорожденная крепость, во все нервы головы вливается, сейчас вливается несокрушимая новорожденная крепость.

Несокрушимая новорожденная крепость наполняет все нервы головы до самых кончиков. Все нервы головы быстро-весело, сейчас быстро-весело оживают, здоровеют-крепнут, здоровеют-крепнут. Все нервы головы сейчас-сейчас рождаются новорожденно-здоровые, новорожденно-здоровые, первозданно-здоровые, нетронутые жизнью.

Я стараюсь до конца понять, до конца осмыслить: все нервы головы сейчас-сейчас рождаются новорожденно-здоровые, новорожденно-исправные, нетронутые жизнью; все нервы головы сейчас-сейчас рождаются новорожденно-исправные, идеально-исправные, нетронутые жизнью.

Бурно-бурно развивающаяся новорожденная жизнь наполняет всю насквозь мою голову, наполняет весь насквозь головной мозг, наполняет все кости головы, наполняет все тело головы, наполняет все волосы на голове новорожденная жизнь.

Новорожденная жизнь всю мою голову насквозь полностью обновляет, всю мою голову новую рождает; новорожденно-юная рождается голова, сейчас-сейчас рождается первозданно здоровая, первозданно свежая, новорожденно-юная голова.

В мою психику, в нервы головы, в психику, в нервы головы вливается стальная крепость. В мою психику, в нервы головы вливается стальная крепость, стальная крепость вливается в нервы головы. Весело-радостно здоровеют-крепнут, здоровеют-крепнут все нервы головы, весело-радостно оживают-оживают, здоровеют-крепнут все нервы головы.

Все нервы головы сейчас-сейчас рождаются новорожденно свежие, новорожденно свежие, новорожденно исправные, идеально исправные рождаются все нервы головы.

В нервы, в нервы челюстей, в нервы челюстей вливается стальная крепость, стальная крепость вливается в нервы челюстей.

В нервы моих зубов, в нервы моих зубов вливается стальная крепость, стальная крепость вливается в нервы моих зубов.

В нервы губ, в нервы губ, в нервы губ вливается стальная крепость, стальная крепость. В области губ здоровеют-крепнут, здоровеют-крепнут нервы. В области губ рождаются крепкие-здоровые стальные нервы.

В зрительные нервы, в зрительные нервы вливается здоровая стальная крепость, стальная крепость, стальная крепость вливается в зрительные нервы.

Во всей области глаз здоровеют-крепнут, здоровеют-крепнут нервы. Во всей области глаз рождаются крепкие-здоровые-стальные нервы. В области глаз рождаются новорожденно-юные, новорожденно-юные, здоровые-здоровые нетронутые нервы.

Во все нервы моего лица вливается здоровая-стальная крепость, стальная крепость. Во всей области лица здоровеют-крепнут, здоровеют-крепнут нервы. Во всей области лица рождаются крепкие-крепкие-здоровые, крепкие-здоровые стальные нервы.

Во всей области лица рождаются прочно здоровые, прочно спокойные, новорожденно свежие, новорожденно исправные, нетронутые нервы.

Во всей области лица рождаются новорожденно исправные, новорожденно исправные нетронутые нервы, сильные-крепкие-здоровые нервы, крепкие-здоровые-стальные нервы.

В нервы носа, в нервы носа вливается стальная крепость, стальная крепость вливается в нервы носа. Во всей области носа здоровеют-крепнут нервы. Во всей области носа крепкие-здоровые стальные нервы. В области верхней губы крепкие-здоровые стальные нервы. В области верхней губы крепкие-здоровые стальные нервы.

Во всей области носа крепкие-здоровые стальные нервы.

В головной-спинной мозг, во все мои нервы вливается бурно-бурно развивающаяся новорожденная жизнь. В головной-спинной мозг, во все мои нервы вливается огромной-колоссальной силы новорожденная жизнь. Новорожденная жизнь рождает нервную систему несокрушимо здоровую, огромной-колоссальной силы рождается нервная система.

От темени до кончиков пальцев рук, до кончиков пальцев ног во всем теле рождаются крепкие-здоровые стальные нервы. Я рождаюсь человеком стальных нервов, я рождаюсь человеком стальных нервов.

В нервы, в нервы левой половины лица, в нервы левой половины лица вливается здоровая-несокрушимая новорожденная крепость. Новорожденная крепость вливается в нервы, в нервы левой половины лица вливается несокрушимая-здоровая новорожденная крепость. Во всей области левой половины моего лица рождаются несокрушимо здоровые, несокрушимо здоровые молодые нервы, энергичные-сильные, несокрушимо-сильные молодые нервы. В области левой половины лица весело оживают, здоровеют-крепнут мои нервы, здоровеют-крепнут мои нервы.

В области левой половины лица рождаются прочно спокойные-здоровые нервы, прочно спокойные-здоровые нервы, несокрушимо здоровые-крепкие нервы. С каждой секундой здоровеют-крепнут нервы. Во всей области левой половины лица рождаются несокрушимо крепкие, несокрушимо сильные, несокрушимо здоровые-молодые нервы. Все лицо оживает, все лицо оживает, все лицо рождается новорожденно-юное, новорожденно-юное, первозданно красивое прекрасное здоровое лицо.

Вновь родившаяся: новая новорожденная жизнь вливается в мое лицо. Все лицо мое наполняется бурно-бурно развивающейся новорожденной жизнью. Новорожденное развитие, новорожденное развитие вливается в мое лицо. Свежесть юности рождается в моем лице, прелесть юности рождается в моем лице, радостная свежесть юности рождается в моем лице. Все лицо разгладилось, окрепло. Я улыбнулся жизни. Все лицо разгладилось, помолодело. Новорожденная жизнь рождает новорожденно-юное, первозданно-красивое прекрасное здоровое лицо. Новорожденная жизнь вливается в мое лицо. Вновь родившаяся новая-новая здоровая новорожденная жизнь вливается в мое лицо. Новорожденная жизнь сейчас-сейчас рождает новорожденно-юное, новорожденно-юное, первозданно здоровое, новорожденно здоровое прекрасное лицо. Новорожденная жизнь сейчас-сейчас рождает новорожденно здоровое, первозданно здоровое, первозданно здоровое прекрасное лицо.

Вновь родившаяся: новая-новая новорожденная жизнь вливается в мои губы. Вновь родившаяся новая новорожденная жизнь вливается в мои губы. Новорожденная жизнь рождает новорожденно свежие, новорожденно здоровые нетронутые губы. Ярко-красный, ярко-красный цвет вливается в мои губы. Ярко-красный, ярко-красный цвет вливается в мои губы. Быстро-быстро краснеют-краснеют-краснеют мои губы. Мои губы рождаются ярко-красные, как маки. Как у ребенка мои губы ярко-красные, как маки. Все лицо наполняется ровным розовым цветом. Все лицо наполняется ровным-ровным розовым цветом. Здоровый-здоровый молодой румянец во все щеки разгорается все ярче. Во все щеки молодой румянец разгорается все ярче. Во все щеки молодой румянец разгорается все ярче. Все лицо наполнилось ровным розовым цветом. Новорожденная жизнь все лицо рождает новорожденно-юное, первозданно свежее, первозданно здоровое, новорожденно здоровое прекрасное лицо.

В слуховые нервы, в слуховые нервы вливается несокрушимая новорожденная крепость. Слуховые нервы весело-радостно оживают, здоровеют-крепнут, здоровеют-крепнут. В области органов слуха все нервы здоровеют-крепнут, здоровеют-крепнут. Во всей области органов слуха все нервы весело-радостно оживают-оживают, здоровеют-крепнут, здоровеют-крепнут. Во всей области органов слуха крепкие-здоровые-стальные нервы, прочно-спокойные здоровые нервы. Во всей области органов слуха прочно-спокойные здоровые нервы. Во всей области органов слуха прочно-спокойные здоровые нервы, прочно-спокойные здоровые нервы, несокрушимо-спокойные здоровые нервы. Во всей области органов слуха здоровеют-крепнут, здоровеют-крепнут молодые нервы, здоровеют-крепнут молодые нервы, здоровеют-крепнут молодые нервы.

Во всей области головы, лица, горла, шеи здоровеют-крепнут нервы. Во всей области головы, лица, горла, шеи здоровеют-крепнут нервы. Во всей области головы, лица, горла, шеи сейчас-сейчас рождаются крепкие-здоровые-стальные нервы, прочно спокойные-стальные нервы, прочно спокойные молодые нервы.

Во все нервы области лба, во все нервы области лба вливается несокрушимая новорожденная крепость. Во все нервы области лба вливается несокрушимая-несокрушимая новорожденная крепость. В области лба все нервы оживают-оживают, здоровеют-крепнут. В области лба все нервы рождаются несокрушимо-крепкие, несокрушимо-сильные, несокрушимо-крепкие здоровые нервы. В области лба, в области лба весело-радостно оживают, здоровеют-крепнут молодые нервы.

В области лба все нервы рождаются несокрушимо спокойные, прочно спокойные-здоровые нервы, несокрушимо здоровые молодые нервы, несокрушимо здоровые, крепкие-стальные нервы. Во всей области лба крепкие-здоровые-стальные нервы.

Во все нервы области органов слуха, в нервы нижних челюстей вливается стальная крепость. В нервы горла, в нервы горла вливается здоровая-стальная крепость. В нервы горла вливается здоровая-стальная крепость.

В нервы шеи, в нервы шеи вливается здоровая-стальная крепость. В области горла, шеи рождаются крепкие-здоровые-стальные нервы. В области горла, шеи рождаются крепкие-крепкие здоровые стальные нервы.

В слуховые нервы, в слуховые нервы, в слуховые нервы вливается здоровая стальная крепость, стальная крепость, стальная крепость вливается в слуховые нервы. Стальная крепость, стальная крепость, стальная крепость вливается в слуховые нервы.

В области ушей, в области ушей здоровеют-крепнут нервы. В области ушей рождаются крепкие-здоровые-стальные нервы, несокрушимо здоровые, новорожденно здоровые-стальные нервы. В области ушей здоровеют-крепнут нервы.

Во все нервы мышц моего лица, в нервы мышц лица вливается несокрушимое здоровое спокойствие.

В нервы, в нервы мышц лица вливается несокрушимое здоровое спокойствие. В мышцах губ, в мышцах губ сейчас рождаются прочно спокойные здоровые нервы. В нервы мышц, в нервы мышц моих губ вливается здоровое-прочное спокойствие. Здоровое прочное спокойствие наполняет мои губы. Все мышцы моего лица сейчас рождаются прочно-спокойные, прочно спокойные-здоровые мышцы. Во всей области лица рождаются прочно спокойные, прочно спокойные-здоровые мышцы. Во все нервы мышц лица вливается несокрушимое спокойствие. Во всех мышцах моего лица рождаются несокрушимо спокойные-здоровые нервы. Во всех мышцах моего лица рождаются несокрушимо спокойные-здоровые нервы. Во всех мышцах моего лица здоровеют-крепнут нервы. Во всех мышцах моего лица рождаются несокрушимо здоровые, несокрушимо спокойные-крепкие-стальные нервы. Во всех мышцах моего лица сейчас рождаются крепкие-здоровые-стальные нервы.

Все мышцы левой половины моего лица прочно спокойны, несокрушимо здоровы. Все мышцы левой половины моего лица несокрушимо спокойны, несокрушимо здоровы. В мышцах левой половины моего лица крепко здоровые-стальные нервы. Во всей области левой половины моего лица крепкие-здоровые-стальные нервы, крепкие-крепкие-здоровые-стальные нервы. Все лицо мое прочно спокойно, несокрушимо спокойно. Я сам весь насквозь прочно спокойный, несокрушимо спокойный. Как зеркальная гладь озера, я весь насквозь прочно спокойный, несокрушимо спокойный.

Во всем теле крепкие-здоровые-стальные нервы.

В головной-спинной мозг, в головной-спинной мозг, во все мои нервы вливается бурно-бурно развивающаяся новорожденная жизнь. Огромной колоссальной силы новорожденная жизнь вливается в головной-спинной мозг, во все мои нервы. Новорожденная жизнь всю мою нервную систему рождает несокрушимо здоровую, несокрушимо крепкую, несокрушимо здоровую, энергичную-сильную нервную систему.

Новорожденная жизнь рождает всю мою нервную систему огромной-колоссальной силы. Новорожденная жизнь рождает крепкие-здоровые-стальные нервы. Я сейчас рождаюсь человеком стальных нервов. Я человек стальных нервов. Я – человек стальных нервов.

Все мое лицо новорожденно-юное, первозданно свежее, первозданно прекрасное юное лицо. Свежесть юности рождается в моем лице, прелесть юности рождается в моем лице, радостная свежесть юности рождается в моем лице.

Я раз навсегда сейчас отключаюсь от своего прекрасного здорового лица. Я сейчас раз навсегда забываю про свое лицо. Мое лицо само хорошеет-хорошеет, рождается новорожденно-юное, первозданно-красивое. Я раз навсегда отключаюсь от своего лица. Я раз навсегда-навсегда забываю-забываю про свое лицо. Я раз навсегда отключаюсь-отключаюсь от своего лица. Я раз навсегда забыл-забыл, полностью, начисто забыл про свое лицо. Мое лицо без меня, без моего сознания, без моей воли, без всякого моего участия мое лицо оживает-оживает, здоровеет-крепнет, рождается новорожденно-юное, новорожденно-юное, первозданно-красивое.

Бурно-бурно развивающаяся новорожденная жизнь наполняет кожу головы, наполняет волосы. Новорожденная жизнь рождает, сейчас рождает новорожденно густые, предельно густые крепкие волосы. В кожу головы вливается огромная-колоссальная сила жизни. Оживает кожа, оживает кожа, оживает кожа, оживают волосы. Оживает кожа, оживают волосы. Вся голова рождается новорожденно-юная, первозданно свежая.

У меня от рождения несокрушимо-крепкое здоровье. Все мое лицо, все мое тело от рождения всегда было крепко здоровое. Крепко здоровое мое прекрасное тело. Я всегда был человеком с крепкими-стальными нервами. Все мои знакомые, знающие меня люди, всегда относились ко мне, как к человеку с крепкими-здоровыми-стальными нервами. Я знаю себя, как человека несокрушимо-крепкого здоровья.

Я всегда от рождения был человеком несокрушимо-крепкого здоровья. Все мое лицо от рождения всегда было здоровое-здоровое, несокрушимо-здоровое. От рождения все мои нервы головы, лица, горла, шеи были прочно здоровые, несокрушимо здоровые-крепкие-стальные нервы. Я знаю себя, как человека несокрушимо-крепкого здоровья.

Бурно-бурно развивающаяся новорожденная жизнь вливается в мои глаза. Новорожденная жизнь рождает энергичные-сильные неутомимые глаза. Новорожденная жизнь рождает идеально-правильное зрение. Новорожденная жизнь рождает энергичное сильное идеально-правильное зрение. Я без очков, без очков вижу и близко и далеко одинаково ярко, одинаково отчетливо. Я без очков, без очков и близко и далеко вижу одинаково ярко, одинаково-отчетливо.

Колосальная сила жизни вливается в задние-задние доли головного мозга. Бурно-бурно развивающаяся новорожденная жизнь вливается в задние-затылочные доли головного мозга. Задние затылочные доли головного мозга становятся сильней-энергичней, сильней-энергичней. Новорожденная жизнь рождает энергичное-энергичное-сильное, идеально правильное зрение. Новорожденная жизнь рождает энергичное-сильное, идеально-правильное зрение. Новорожденная жизнь рождает новорожденно-юные, яркие-яркие-сияющие, новорожденно-юные прекрасные глаза. Новорожденная жизнь рождает идеально-правильное зрение. И близко и далеко я без очков вижу одинаково ярко, одинаково отчетливо. И близко и далеко я своими глазами вижу все одинаково ярко, одинаково отчетливо. Новорожденная жизнь рождает идеально правильное зрение. Новорожденная жизнь рождает сильные-сильные, неутомимые-сильные глаза.

В мышцы левой половины, левой половины моего лица вливается вновь родившаяся новая-новая новорожденная жизнь. Новорожденная жизнь все мышцы, все нервы левой половины лица наполняет, все их новые рождает. Новорожденная жизнь рождает прочно спокойные, новорожденно спокойные нервы и мышцы. В области левой половины моего лица все мышцы рождаются новорожденно спокойные. Новорожденное абсолютное спокойствие вливается в мое лицо.

Во все нервы, во все нервы головы, лица, горла, шеи во все эти нервы вливается новорожденная жизнь. Новорожденная жизнь все нервы головы рождает новорожденно свежие, новорожденно здоровые, новорожденно спокойные. Здоровое спокойствие вливается в нервы головы. Прочное здоровое спокойствие вливается в нервы головы. Прочное спокойствие вливается в нервы головы. В мышцах головы, в мышцах лица, горла, шеи здоровеют-крепнут нервы. Во всех мышцах моего лица здоровеют-крепнут нервы. В мышцах, в мышцах моего лица здоровеют-крепнут нервы. В нервы, в мышцы моего лица вливается новорожденная жизнь. Вновь родившаяся новая здоровая новорожденная жизнь вливается в нервы, мышцы моего лица.

Новорожденное спокойствие наполняет все мое лицо. Новорожденное прочное спокойствие наполняет все мое лицо. В мышцы моего лица вливается новорожденное прочное спокойствие. В мышцах моего лица здоровеют-крепнут нервы. Новорожденная жизнь рождает новорожденно-спокойное лицо. Новорожденная жизнь сейчас-сейчас, в одно мгновение рождает прочно спокойные-здоровые мышцы. В области лица сейчас-сейчас рождаются прочно спокойные-здоровые мышцы, новорожденно спокойные, новорожденно здоровые мышцы. Во всей области лица новорожденно спокойные, новорожденно здоровые нервы, новорожденно спокойны, новорожденно здоровые нервы.

Вновь родившаяся новая-новая здоровая новорожденная жизнь наполняет всю мою голову, все мое тело. Все мое существо наполняется вновь родившейся новой новорожденной жизнью. Новорожденная жизнь внутри меня, во мне рождает новую здоровую долголетнюю наследственность. Новорожденная жизнь сейчас-сейчас рождает внутри меня веселую-здоровую-энергичную молодость в столетнем возрасте.

И через тридцать лет, и в сто лет я буду молодой-молодой-веселый-несокрушимо здоровый.

В головной-спинной мозг, во все мои нервы вливается вновь родившаяся, новая новорожденная жизнь вливается в головной-спинной мозг, во все мои нервы. Здоровеют-крепнут молодые нервы.

В нервы плеч-рук вливается несокрушимая новорожденная крепость. В нервы плеч-рук вливается стальная крепость. Стальная крепость, стальная крепость вливается во все мои нервы. Во все мои нервы вливается стальная крепость. В нервы, в нервы – стальная крепость, стальная крепость, в нервы, в нервы – стальная крепость, стальная крепость вливается во все мои нервы. От темени до кончиков пальцев рук, до кончиков пальцев ног здоровеют-крепнут, здоровеют-крепнут молодые нервы. Рождаются крепкие-здоровые-стальные нервы. Я рождаюсь человеком стальных нервов. Я рождаюсь человеком стальных нервов. Бурно-бурно развивающаяся новорожденная жизнь вливается в головной-спинной мозг, во все мои нервы. Огромной-колоссальной силы новорожденная жизнь вливается в головной-спинной мозг, во все мои нервы. Новорожденная жизнь рождает всю мою нервную систему огромной-колоссальной силы. Новорожденная жизнь рождает всю мою нервную систему огромной-колоссальной силы.

В меня вливается могучая несокрушимая духовная сила. Огромная сила духа светится в моих глазах, и эту силу чувствуют во мне все люди, которые приходят со мной в соприкосновение. Я рождаюсь человеком смелым, твердо уверенным в себе. Я все смею, все могу и ничего не боюсь. Я становлюсь смелей, решительней, уверенней в себе. Быстро-энергично усиливается воля, крепнет характер. Неодолимая стальная воля светится в моих глазах. Я становлюсь смелей, решительней, уверенней в себе.

Бурно-бурно развивающаяся новорожденная жизнь вливается во все мои внутренние органы. Колоссальная сила жизни вливается во все мои внутренние органы. Все внутренние органы рождаются новорожденно свежие энергичные-сильные. Все внутренние органы с молодецкой удалью выполняют в организме все свои функции. Все тело живет веселой-радостной здоровой жизнью.

Во все мои нервы, во все мои мышцы вливается бурно-бурно развивающаяся новорожденная жизнь. Новорожденная жизнь рождает быстро-энергично, бурно-бурно развивающиеся новорожденно-юные мышцы. Новорожденная жизнь рождает новорожденно-юные, быстро-бурно развивающиеся мышцы. Каждую секунду во мне рождается новая сила. Богатырская сила рождается во всем моем молодом здоровом теле. Быстро-энергично развиваются все мои мышцы. На всем теле рождается красивый рельеф сильно развитых мышц. На всем теле рождается красивый рельеф сильно развитых мышц.

Новорожденная жизнь рождает меня новорожденно-молодым, новорожденно-юным богатырем могучего телосложения. Рождается новорожденно-юное, специфическое мужское телосложение. Рождается новорожденно-молодая, новорожденно-юная красивая стройная фигура: впалый тощий несокрушимо сильный живот, тонкая красивая талия, красивая стройная мужская фигура, красивый рельеф сильно развитых мышц на всем теле, красивый рельеф сильно развитых мышц. Богатырская сила рождается в моих плечах, в моих руках. Богатырская молодость рождается в моих плечах, в моих руках. Быстро-энергично, бурно-бурно развиваются все мои мышцы. Каждую секунду во мне рождается новая-новая-здоровая сила. С каждой секундой я становлюсь физически сильней. Во всем моем теле рождается богатырская могучая сила.

Бурно-бурно развивающаяся новорожденная жизнь всю насквозь, всю насквозь наполняет мою голову.

В головной мозг вливается быстро-энергично развивающаяся новорожденная жизнь. Новорожденная жизнь весь насквозь наполняет головной мозг. Новорожденное развитие, быстрое-бурное новорожденное развитие наполняет весь насквозь головной мозг. Новорожденная жизнь рождает новорожденно-развивающийся, быстро-энергично развивающийся головной мозг. Новорожденная жизнь рождает бурно-бурно развивающиеся умственные способности. С каждой секундой активизируется мое мышление. Рождается быстрое-быстрое, как молния, энергичное мышление. Я становлюсь молниеносно сообразительным человеком. С каждой секундой усиливается память. Рождается яркая сильная крепкая память. Рождается устойчивое внимание. Я могу целый день напролет работать над одной проблемой. Рождается устойчивое внимание. Быстро-энергично развивается творческое воображение. Рождается яркое-яркое творческое воображение. Рождается цепкое глубинное мышление. Я сразу понимаю сущность явления, причину явления. Я сразу проникаю в сущность общественных процессов. Новорожденная жизнь рождает цепкое глубинное энергичное быстрое, как молния, мышление.

Все мои умственные способности бурно развиваются. И через тридцать лет, и в сто лет все мои способности будут продолжать быстро-энергично-бурно развиваться. И в сто лет я буду молодой-веселый-несокрушимо здоровый. Каждый прожитый день на много-много дней увеличивает продолжительность моей будущей жизни. Конец моей будущей жизни все дальше, все дальше уходит в будущие годы. Я живу по закону: чем старше — тем моложе, чем старше — тем моложе. Я смело-уверенно смотрю в свое будущее. Я вижу в будущем великую долголетнюю счастливую-радостную молодость, долголетнюю здоровую-энергичную молодость. Я отчетливо вижу себя в столетнем возрасте молодым-веселым-несокрушимо здоровым. Подавляю все сомнения в том, что и в сто лет я буду молодой-веселый, молодой-веселый-несокрушимо здоровый.

В головной мозг, в головной мозг, во все нервы головы вливается колоссальная в миллион раз замедленная сила. В головной мозг, во все нервы головы, выходящие из нижней-задней части головного мозга, вливается в миллион раз замедленная колоссальная сила. В мою голову вливается в миллион раз замедленная колоссальная сила. В нервы моего лица, во все нервы моего лица вливается в миллион раз замедленная колоссальная сила. В мою голову, в мои руки вливается в миллион раз замедленная колоссальная сила. В мою голову, в мои руки вливается в миллион раз замедленная колоссальная сила. Здоровеют-крепнут мои нервы в плечах- в руках. Здоровеют-крепнут мои нервы в плечах- в руках. В мою голову вливается в миллион раз замедленная колоссальная сила. Во все нервы головы, во все нервы моего лица вливается в миллион раз замедленная могучая здоровая сила. В моем лице здоровеют-крепнут молодые нервы. Мое лицо рождается первозданно-красивое, новорожденно-юное, первозданно-красивое лицо. Новорожденно-молодое, новорожденно-юное, первозданно-красивое лицо.

В нервы, в нервы лица — вливается в миллион раз замедленная колоссальная сила: здоровеют-крепнут нервы в моем лице. Здоровеют-крепнут все нервы в моем лице. Во все нервы, выходящие из нижней части головного мозга вливается в миллион раз замедленная здоровая могучая сила. Во все нервы моего лица вливается в миллион раз замедленная колоссальная сила. В моем лице все нервы здоровеют-крепнут, здоровеют крепнут. В моем лице рождаются крепкие-здоровые-стальные нервы. В моем лице рождаются крепкие-здоровые-стальные нервы.

Новорожденная жизнь вливается в мое лицо. Новорожденная жизнь рождает новорожденно-юное, новорожденно-юное здоровое лицо. Я изо всех сил стараюсь как можно более ярко, как можно более отчетливо своим внутренним зрением увидеть новорожденно-юное, новорожденно-юное здоровое прекрасное лицо. Новорожденная жизнь вливается в мое лицо. Новорожденная жизнь рождает новорожденно-юное, новорожденно-юное здоровое лицо. Новорожденная жизнь рождает новорожденно-юное, первозданно красивое, первозданно здоровое, первозданно здоровое прекрасное лицо. Я стараюсь как можно более ярко своим внутренним зрением увидеть свое новорожденно-юное первозданно красивое прекрасное лицо.

Новорожденная сила, новорожденная сила, здоровая, могучая, новорожденная сила вливается в мое лицо. Здоровая-здоровая, могучая, новорожденная сила вливается в мое лицо. Здоровая-здоровая могучая новорожденная сила вливается в мое лицо. Замедленная здоровая сила вливается в мое лицо. Огромная могучая здоровая новорожденная сила вливается в мое лицо. Новорожденная жизнь рождает первозданно здоровое, новорожденно здоровое прекрасное лицо. Новорожденная жизнь рождает новорожденно здоровое, первозданно здоровое прекрасное лицо.

Все лицо наполнилось ровным розовым цветом. Здоровый-здоровый радостный румянец во все щеки разгорается все ярче. Здоровый радостный румянец во все щеки разгорается все ярче. Все лицо наполнилось ровным розовым цветом. Свежесть юности рождается в моем лице, прелесть юности рождается в моем лице. Новорожденная жизнь рождает новорожденно-юное, первозданно здоровое, первозданно здоровое прекрасное лицо. Новорожденная жизнь рождает новорожденно-юное, новорожденно-юное, первозданно здоровое, первозданно здоровое прекрасное лицо.

Я раз навсегда полностью отключился от своего лица. Я начисто, начисто забыл про свое лицо. Я начисто забыл про свое лицо. Я начисто полностью, навсегда-навсегда забыл про свое лицо. Я навсегда забыл-забыл о своем лице. Я навсегда забыл о своем лице. Я навсегда начисто забыл о своем лице. Лицо само, без меня, без моего участия здоровеет-крепнет, рождается новорожденно-юное, первозданно красивое. Я раз навсегда начисто забыл о своем лице, раз навсегда полностью отключился от своего лица. Мое лицо без меня, без моего участия здоровеет-крепнет, рождается новорожденно-юное, первозданно красивое, первозданно красивое. Свежесть юности рождается в моем лице, прелесть юности рождается в моем лице. Здоровая-здоровая радостная свежесть юности рождается в моем лице. Пышущее здоровьем, пышущее здоровьем мое лицо новорожденная юность рождается в моем лице. Здоровый радостный румянец во все щеки разгорается все ярче.

Новорожденная жизнь меня рождает новорожденно-юным, бурно развивающимся новорожденно-юным несокрушимо здоровым человеком.

Новорожденная жизнь вливается в мою голову. Новорожденная жизнь рождает новую здоровую, крепкую голову. Новорожденная жизнь рождает новые здоровые веселые мысли. Новорожденная жизнь рождает идеально-правильную, идеально-правильную работу головного мозга.

Во время работы я целиком отключаюсь от своего лица. Во время работы я начисто-полностью, начисто забываю про свое лицо. Во время работы мое лицо абсолютно спокойно-абсолютно спокойно. Во время работы я полностью отключаюсь от своего лица, начисто забываю про свое лицо. Во время работы я целиком сосредоточен на предмете своей работы. Во время умственной деятельности в мое лицо вливается здоровая-здоровая новорожденная жизнь. Во время умственной работы в мое лицо вливается здоровая-здоровая новорожденная жизнь. Во время всякой умственной деятельности в нервы, в нервы моего лица вливается стальная крепость, стальная крепость. Во время всякой умственной деятельности все нервы моего лица здоровеют-крепнут, здоровеют-крепнут. Все нервы моего лица здоровеют-крепнут, здоровеют-крепнут. Во время всякой умственной работы мое лицо абсолютно-спокойно, прочно-спокойно, абсолютно-спокойно. Во время всякой научной работы мое лицо абсолютно спокойно, прочно спокойно. Во время любой умственной деятельности я полностью отключаюсь от своего лица, начисто забываю про свое лицо. Во время всякой умственной работы мое лицо абсолютно-спокойно, прочно спокойно, абсолютно-спокойно. Во время научной работы я полностю отключаюсь от своего лица, начисто забываю про свое лицо. Во время всякой умственной работы мое лицо живет самостоятельной автономной независимой здоровой жизнью. Во время умственной деятельности мое лицо живет здоровой самостоятельной, самостоятельной, независимой, самостоятельной здоровой жизнью. Во время любой работы все нервы и мышцы моего лица прочно-спокойны, абсолютно-спокойны, абсолютно-спокойны. Мое лицо живет независимой самостоятельной здоровой жизнью. Независимо от моей воли, от моего сознания мое лицо живет самостоятельной здоровой жизнью. Во время умственной работы мое лицо живет здоровой жизнью, независимо от моей воли, независимо от моего сознания. Во время умственной работы мое лицо живет свободной здоровой самостоятельной жизнью. Во время работы мое лицо живет самостоятельной независимой здоровой жизнью. Во время любой умственной работы я полностью отключаюсь от своего лица, начисто забываю про свое лицо. Во время любой умственной работы мое лицо живет независимой от меня, независимой от меня самостоятельной здоровой жизнью. Во время выполнения любой работы я полностью отключаюсь от своего лица, начисто забываю про свое лицо. Во время любой работы я полностью отключаюсь от своего лица, начисто забываю о своем лице. Во время любой работы я полностью отключаюсь от своего лица, начисто забываю про свое лицо. Во время любой работы лицо живет здоровой самостоятельной, независимой здоровой жизнью. Все нервы и мышцы лица прочно-спокойны.

Днем и ночью, постоянно, в мое лицо вливается вновь родившаяся новая-новая здоровая новорожденная жизнь. Новорожденная жизнь рождает новорожденно здоровое, первозданно здоровое нетронутое лицо.

2.10. На оздоровление после инсульта

Во всю мою левую половину тела вливается вновь родившаяся, новая-новая здоровая новорожденная жизнь вливается во всю мою левую половину тела. В левую ногу, в левую руку вливается бурно-бурно развивающаяся новорожденная жизнь. Вся левая половина тела быстро оживает-оживает, здоровеет-крепнет. В левую руку, в левую руку, в левое плечо вливается бурно-бурно развивающаяся новорожденная жизнь, вливается в левое плечо, в левую руку.

В нервы, в мышцы, в нервы, в мышцы левого плеча, левой руки вливается бурно-бурно развивающаяся новорожденная жизнь. Новорожденная жизнь быстро-весело оживляет-оживляет-оживляет все нервы, все мышцы левого плеча, левой руки оживляет. Все нервы, все мышцы оживают, левая рука сейчас рождается новорожденно-исправная, идеально-исправная, сейчас-сейчас рождается новорожденная полная подвижность, в левой руке рождается новорожденная полная подвижность.

В нервы, в нервы левого плеча, левой руки вливается вновь родившаяся новая новорожденная жизнь. Все нервы левого плеча, левой руки оживают, быстро-весело оживают, быстро-весело оживают, развивается чувствительность. В левой руке быстро-быстро развивается чувствительность. Я все отчетливей, все отчетливей чувствую свою левую руку. Я все отчетливей, все отчетливей чувствую пальцы левой руки. В нервы пальцев, в нервы пальцев вливается новорожденная жизнь. Во все нервы левой руки вливается новорожденная жизнь. В нервы, в нервы левого предплечья, в нервы левого предплечья вливается новорожденная жизнь. Все нервы, все мышцы левого предплечья, пальцы оживают, здоровеют-крепнут. Появляется отчетливая яркая чувствительность в пальцах левой руки. Сейчас-сейчас быстро-быстро рождается яркая-отчетливая чувствительность, яркая-отчетливая чувствительность, в левой руке, в пальцах левой руки рождается яркая-отчетливая чувствительность. Я все более отчетливо, все более ярко чувствую пальцы левой руки. Пальцы левой руки оживают-оживают. Вся левая рука оживает. Все нервы, все мышцы левой руки рождаются новорожденно-свежие, новорожденно-исправные, идеально исправные. Вся левая рука сейчас-сейчас рождается новорожденно-исправная, идеально исправная, новорожденно-исправная, идеально исправная.

Огромная сила вливается в левую руку, богатырская сила рождается в левой руке, рождается богатырская сила. Богатырская молодость рождается в моих плечах, в моих руках.

Левая рука работает так же, как правая. Левая рука идеально исправная, новорожденно-исправная. Я обе руки – и левую, и правую – чувствую ярко-отчетливо, одинаково ярко-отчетливо чувствую обе руки, одинаково ярко, одинаково отчетливо чувствую обе руки.

В левую ногу, в левую ногу вливается бурно развивающаяся новорожденная жизнь. В левую ногу, в левую ногу вливается бурно развивающаяся новорожденная жизнь. В поясницу, в поясницу, в левую ногу, в головной-спинной мозг, в левую ногу, в головной-спинной мозг, в левую ногу вливается бурно-бурно развивающаяся новорожденная жизнь.

В нервы, в нервы позвоночника-поясницы-левой ноги вливается бурно развивающаяся новорожденная жизнь. А голова, голова все более энергично, все более энергично развивает мышцы левой ноги. Голова все более интенсивно, все более интенсивно развивает мышцы левой ноги. В мышцы левой ноги вливается бурно-бурно развивающаяся новорожденная жизнь вливается во все мышцы левой ноги. Все мышцы левой ноги рождаются быстро-энергично развивающиеся. Все мышцы левой ноги рождаются быстро-быстро-энергично развивающиеся. Каждую секунду в левой ноге рождается новая здоровая сила. Каждую секунду в левой ноге рождается богатырская здоровая сила. С каждой секундой левая нога становится сильней. Новорожденная жизнь сейчас-сейчас рождает левую ногу идеально исправную, новорожденно-исправную. Рождается полная новорожденная подвижность левой ноги. Рождается новорожденная полная подвижность левой ноги. В ходьбе левая нога работает точно так же, как и правая. Обе ноги работают идеально правильно, идеально правильно. Левой ногой я делаю широкий шаг, как и правой. Рождается новорожденная полная подвижность левой ноги. В нервы поясницы –

левой ноги вливается новорожденная жизнь. Все нервы поясницы – левой ноги рождаются новорожденно-исправные, идеально исправные. Головной-спинной мозг идеально правильно управляет движениями левой ноги. Я стараюсь это до конца понять, до конца осмыслить. Головной-спинной мозг идеально правильно, новорожденно-правильно управляет всеми движениями левой ноги. Левая нога слушается меня полностью. Полностью левая нога слушается меня так же, как и правая. Рождается полная новорожденная подвижность левой ноги. Я левой ногой во время ходьбы работаю точно так же, как и правой. Новорожденная жизнь обе ноги сейчас рождает новорожденно-исправные, идеально исправные. Я левой ногой делаю шаг широкий-свободный. Левой ногой шагаю смело-уверенно. Левой ногой делаю шаг свободный-широкий. Новорожденная жизнь сейчас-сейчас раз навсегда рождает полную новорожденно-полную подвижность левой ноги. Левая нога меня слушается безоговорочно, бесприкословно.

Новорожденная жизнь всего меня обновляет. Новорожденная жизнь всего меня рождает новорожденно-молодым, первозданно-здоровым, первозданно-здоровым.

Вся моя нервно-мышечная система рождается новорожденно-исправная, идеально исправная. Головной мозг идеально правильно, идеально-правильно управляет движениями левой ноги. Я стараюсь это до конца понять, до конца осмыслить. Головной мозг идеально правильно, новорожденно-правильно управляет движениями левой ноги. Вся левая нога быстро-весело оживает, здоровеет-крепнет. Каждую секунду в левой ноге рождается новая-новая здоровая сила. В левой ноге рождается богатырская молодая сила. Вся левая половина тела родилась сейчас раз навсегда родилась новорожденно-исправная, новорожденно-здоровая, первозданно-здоровая.

Мои обе ноги новорожденно-исправные, идеально исправные. Моя походка легкая-легкая, легкая-быстрая. Иду – шаг легкий-свободный, ноги легкие, как пу-

шиночки. Шаг легкий-свободный. Иду смело-уверенно. Шагаю смело-уверенно. Походка твердая-уверенная. Походка твердая-уверенная. Я идеально правильно управляю движениями обеих ног. Обе ноги работают идеально-правильно, новорожденно-правильно. Походка легкая-свободная. Шаг твердый-уверенный. Иду
твердо-уверенно. Иду твердо-уверенно. Шаг легкий-
свободный. Шаг легкий-широкий. Ноги легкие, как пушиночки, шаг легкий-широкий. Левой ногой шагаю
твердо-уверенно. Левой ногой шагаю широким уверенным шагом. Левой ногой шагаю широко-уверенно, широко-уверенно. Шаг легкий-широкий, шаг легкий-свободный. Походка легкая-быстрая. Походка твердая-
уверенная. Походка твердая-уверенная, легкая-быстрая. Походка легкая-быстрая. Иду – птицей на крыльях лечу, ярко чувствую свою удаль молодецкую, ярко
чувствую свою силу богатырскую.

2.11. На оздоровление при шизофрении

Бурно-бурно-бурно развивающаяся животворящая
новорожденная жизнь вливается в мою голову. Новорожденная жизнь рождает новую-новую здоровую
крепкую голову. Вновь родившаяся: новая-новая
здоровая животворящая новорожденная жизнь наполняет, всю насквозь наполняет-наполняет мою голову.
Новорожденная жизнь рождает новую-новую здоровую
крепкую голову.

Бурно-бурно развивающаяся животворящая новорожденная жизнь наполняет весь насквозь головной
мозг. Весь насквозь головной мозг наполняет бурно-
бурно развивающаяся животворящая новорожденная
жизнь. Огромная-колоссальная сила жизни вливается
в мою голову. Огромная-колоссальная сила жизни
вливается в мою голову. Голова рождается энергичная-сильная. С каждой секундой голова становится
сильней-энергичней. С каждой секундой голова становится сильней-энергичней. С каждой секундой голова
становится сильней-энергичней.

В мою психику, во все мои нервы, в мою психику, во
все мои нервы вливается стальная крепость-стальная

крепость, стальная крепость вливается в психику, во все мои нервы. Стальная крепость-стальная крепость вливается в психику, во все мои нервы. Здоровеют-крепнут молодые нервы.

В меня вливается могучая несокрушимая духовная сила. С каждой секундой усиливается воля, крепнет характер. С каждой секундой усиливается воля, крепнет характер. С каждой секундой усиливается воля, крепнет характер. Неодолимая стальная воля светится в моих глазах.

В мою психику, во все мои нервы вливается стальная крепость-стальная крепость-стальная крепость вливается в психику, во все мои нервы. Здоровеют-крепнут, здоровеют-крепнут молодые нервы. Я рождаюсь человеком стальных нервов. Во всем теле рождаются крепкие здоровые стальные нервы. Во всем теле рождаются крепкие здоровые стальные нервы.

В нервы желудка, кишечника вливается стальная крепость-стальная крепость вливается в нервы желудка, кишечника. Стальная крепость-стальная крепость вливается в нервы желудка, кишечника.

Бурно-бурно развивающаяся новорожденная жизнь вливается в желудок, кишечник. Животворящая новорожденная жизнь рождает энергичный-сильный здоровый желудок, энергичный-сильный здоровый желудок, энергичный-сильный крепкий кишечник. Бурно-бурно развивающаяся животворящая новорожденная жизнь вливается в желудок, в кишечник. Весело-радостно оживает-оживает желудок, здоровеет крепнет молодой желудок. Бурно-бурно развивающаяся животворящая новорожденная жизнь вливается в желудок, кишечник. Колоссальная сила жизни вливается в желудок, кишечник. Желудок становится сильный-энергичный, сильный-энергичный. Бурно-бурно развивающаяся животворящая новорожденная жизнь вливается в желудок, кишечник. С каждой секундой желудок, кишечник работают веселей-энергичней, веселей-энергичней. С каждой секундой желудок, кишечник работают веселей-энергичней, веселей-энергичней. Рождается энергичный-сильный здоровый желудок, энергичный-сильный здоровый желудок, энергичный-сильный здоровый кишечник, энергичный-сильный здоровый кишечник.

Бурно-бурно развивающаяся животворящая новорожденная жизнь вливается во все мои внутренние органы. Бурно-бурно развивающаяся новорожденная жизнь вливается во все мои внутренние органы. Огромная-колоссальная сила жизни вливается во все мои внутренние органы. Все внутренние органы работают веселей-энергичней, веселей-энергичней. Все внутренние органы работают веселей-энергичней, веселей-энергичней.

Бурно-бурно развивающаяся животворящая новорожденная жизнь вливается в область горла. Бурно-бурно развивающаяся животворящая новорожденная жизнь вливается в область горла. Огромная колоссальная сила жизни вливается в область горла. Во все внутренние органы области горла, во все внутренние органы области горла вливается бурно-бурно развивающаяся животворящая новорожденная жизнь. Колоссальная сила жизни вливается во все внутренние органы области горла. Колоссальная сила жизни вливается во все внутренние органы области горла, во все внутренние органы области горла вливается бурно-бурно развивающаяся животворящая новорожденная жизнь. Колоссальная сила жизни, колоссальная сила жизни вливается во все внутренние органы области горла. Все внутренние органы области горла рождаются новорожденно-свежие, новорожденно-свежие, энергичные-сильные, молодые внутренние органы в области горла работают энергично-весело.

Бурно-бурно развивающаяся животворящая новорожденная жизнь вливается в головной-спинной мозг. Бурно-бурно развивающаяся животворящая новорожденная жизнь вливается в головной-спинной мозг. Огромная колоссальная сила жизни вливается в головной-спинной мозг. С каждой секундой головной-спинной мозг становится сильней-энергичней, сильней-энергичней. Колоссальная сила жизни вливается в головной-спинной мозг.

Во все нервы позвоночника, в нервы-в нервы позвоночника-стальная крепость-стальная крепость вливается в нервы позвоночника. По всему позвоночнику рождаются крепкие-крепкие здоровые стальные нервы.

В поясничные нервы, в поясничные нервы, в поясничные нервы вливается стальная крепость-стальная крепость-стальная крепость вливается в поясничные нервы. Рождаются крепкие здоровые стальные поясничные нервы. Рождается энергичная сильная неутомимая-сильная поясница. Рождается неутомимая-сильная, неутомимая-сильная поясница. В области поясницы легко-спокойно, легко-спокойно. В области поясницы легко-спокойно.

Бурно-бурно развивающаяся животворящая новорожденная жизнь вливается в мое сердце. Во всю-во всю мою сердечно-сосудистую систему вливается бурно-бурно развивающаяся животворящая новорожденная жизнь. Бурно-бурно развивающаяся животворящая новорожденная жизнь вливается во всю мою сердечно-сосудистую систему. Вся сердечно-сосудистая система рождается новорожденно-свежая, новорожденно-свежая, энергичная-сильная. Во всю сердечно-сосудистую систему вливается огромная-колоссальная сила жизни. Во всю сердечно-сосудистую систему вливается огромная-колоссальная сила жизни.

В нервы сердца-в нервы сердца-в нервы сердца вливается стальная крепость-стальная крепость-стальная крепость-стальная крепость вливается в нервы сердца. Животворящая новорожденная жизнь рождает несокрушимо крепкое-несокрушимо крепкое молодое сердце, несокрушимо крепкое-несокрушимо крепкое молодое сердце. Непоколебимо, с твердостью стали сохраняет сердце идеально правильную работу. Непоколебимо, с твердостью стали сохраняет сердце идеально-правильную-идеально-правильную работу. Животворящая новорожденная жизнь рождает здоровый правильный ритмичный пульс семьдесят два, пульс семьдесят два, пульс семьдесят два удара в минуту. Новорожденная жизнь рождает пульс полный, сильного наполнения, пульс полный, сильного наполнения. Во всем теле быстрое-веселое, полное-веселое кровообращение. Во всем теле быстрое-веселое, полное-веселое кровообращение. Внутри самого сердца кровь течет веселым-радостным, веселым-радостным стремительным потоком. Молодая кровь промывает-промывает молодое сердце, новорожденно-чистое, новорожденно-чистое молодое сердце. Бурно-бурно развивающаяся животворящая новорожденная жизнь вливается в мое сердце. Радость-веселье вливаются в сердце. Радость-веселье вливаются в сердце. Веселое-веселое-радостное сердце; рождается веселое счастливое сердце. Рождается веселое счастливое сердце. Полнокровной-полнокровной здоровой жизнью живет молодое сердце. Полнокровной-полнокровной здоровой жизнью живет молодое сердце.

Бурно-бурно развивающаяся животворящая новорожденная жизнь вливается в мою голову. Бурно-бурно развивающаяся животворящая новорожденная жизнь вливается в мою голову. Новорожденная жизнь рождает бурно-бурно развивающиеся сильные чувства. Новорожденная жизнь рождает бурно-бурно развивающиеся сильные чувства. Я с каждой секундой становлюсь веселей-веселей, веселей-жизнерадостней. Я с каждой секундой становлюсь веселей-веселей жизнерадостней. Радость-веселье вливаются в голову, вся душа поет от счастья, от радости жизни, вся душа поет от счастья, от радости жизни. Неугасимый-неугасимый веселый огонек всегда горит в моих глазах. Солнечная радость жизни светится в моих глазах. Вся душа поет от счастья, от радости жизни. Я с каждой секундой становлюсь веселей-веселей-жизнерадостней. Я с каждой секундой становлюсь веселей-веселей-жизнерадостней.

Бурно-бурно развивающаяся животворящая новорожденная жизнь вливается в мои глаза. Новорожденная жизнь рождает яркие-яркие, новорожденно-юные, новорожденно-юные прекрасные глаза. Яркие-яркие сияющие новорожденно-юные сияющие яркие глаза. Лучистые блестящие, лучистые блестящие глаза.

Вновь родившаяся: новая-новая бурно-бурно развивающаяся животворящая новорожденная жизнь вливается в мое лицо. Новорожденная жизнь рождает новорожденно-свежее, новорожденно-свежее, новорожденно-юное прекрасное лицо. Молодая кровь веселым радостным потоком промывает-промывает кожу моего лица, промывает-промывает кожу моего лица. Быстро-быстро светлеет мое лицо. Все лицо рождается белоснежно-светлое, белоснежно-чистое, как сметана, ярко розовое-румяное. Здоровый румянец наполняет все мое лицо. Здоровый румянец во все щеки разгорается все ярче. Все лицо наполняется ровным-ровным розовым цветом. Здоровый румянец во все щеки разгорается все ярче. Ярко красный-ярко красный цвет вливается в мои губы. Быстро-быстро краснеют мои губы. Быстро-быстро краснеют мои губы. Ярко красный-ярко красный цвет вливается в мои губы. Как у ребенка, мои губы ярко красные, как маки. Как у ребенка, мои губы ярко красные, как маки. Свежесть юности рождается в моем лице, прелесть юности рождается в моем лице. Радостная свежесть юности рождается в моем лице. Бурно-бурно развивающаяся животворящая новорожденная жизнь наполняет все лицо монолитной крепостью. Все лицо рождается монолитно крепкое, гладкое-полированное, белоснежно-светлое, белоснежно-чистое, яркое розовое румяное. Новорожденная жизнь рождает меня прекрасной новорожденно-юной белорозовой красавицей.

Бурно-бурно развивающаяся животворящая новорожденная жизнь вливается в мою голову, во все мое тело. Новорожденная жизнь рождает во мне наследственность новую-новую здоровую. Животворящая новорожденная жизнь рождает внутри меня долголетнюю-долголетнюю-долголетнюю наследственность. Новорожденная жизнь рождает во мне здоровую-здоровую веселую молодую жизнь, энергичную веселую молодую жизнь и в пятьдесят лет и в сто лет. И в сто лет я буду энергичная-веселая здоровая красавица. И в сто лет я буду энергичная-веселая здоровая красавица. Бурно-бурно развивающаяся животворящая новорожденная жизнь животворит-животворит: рождает во мне долголетнюю-долголетнюю-долголетнюю молодость. Бурно-бурно развивающаяся новорожденная жизнь рождает во мне долголетнюю-долголетнюю-долголетнюю молодость. И в сто лет я буду молодая-юная прекрасная красавица. И в сто лет я буду молодая-юная здоровая красавица.

Новорожденная жизнь рождает несокрушимо-крепкое, несокрушимо-крепкое здоровье. Новорожденная жизнь рождает долголетнюю веселую счастливую молодость. Я отчетливо чувствую, что я с каждой секундой здоровею-крепну, здоровею-крепну. С каждым днем увеличивается продолжительность моей будущей жизни, и это наполняет меня радостью-весельем. Вся душа поет от счастья, от радости жизни. Вся душа поет от счастья, от радости жизни. Я с каждой секундой становлюсь веселей-веселей-жизнерадостней. Я с каждой секундой становлюсь веселей, с каждой секундой становлюсь веселей-веселей-жизнерадостней. Я с каждой секундой становлюсь веселей-веселей-жизнерадостней. Я с каждой секундой становлюсь веселей-веселей-жизнерадостней.

Бурно-бурно развивающаяся животворящая новорожденная жизнь вливается во всю мою грудную клетку. Бурно-бурно развивающаяся новорожденная жизнь наполняет всю мою грудную клетку. Новорожденная жизнь животворит-животворит-животворит: рождает несокрушимо сильную, несокрушимо сильную молодую грудь. Дыхание легкое-свободное. Дышится легко-свободно.

В легочную ткань вливается бурно-бурно развивающаяся животворящая новорожденная жизнь вливается во всю мою легочную ткань. В каждую клетку легочной ткани вливается вновь родившаяся: новая бурно-бурно развивающаяся новорожденная жизнь. В каждую клетку моей легочной ткани вливается огромная-колоссальная сила жизни. Весело-радостно оживают-оживают, здоровеют-крепнут молодые легкие. Оживают-оживают, здоровеют-крепнут, здоровеют-крепнут молодые легкие.

147

Бурно-бурно развивающаяся животворящая новорожденная жизнь вливается в желудок, в поджелудочную железу. Бурно-бурно развивающаяся новорожденная жизнь вливается в желудок, в поджелудочную
железу. Колоссальная сила жизни вливается в желудок, в поджелудочную железу. Желудок-поджелудочная железа работают веселей-энергичней, веселей-
энергичней. Желудок-поджелудочная железа работают веселей-энергичней, веселей-энергичней.

Бурно-бурно развивающаяся животворящая новорожденная жизнь вливается в мою печень. Бурно-бурно
развивающаяся животворящая новорожденная жизнь
вливается в мою печень. Огромная-колоссальная сила
жизни вливается в мою печень. Сильное могучее молодое сердце с огромной силой гонит кровь-гонит
кровь-гонит кровь сквозь печень. Молодая кровь веселым-радостным стремительным потоком промывает-промывает-промывает молодую печень. Новорожденно-чистая, новорожденно-чистая рождается печень, энергичная-сильная, энергичная-сильная рождается печень.

Все внутренние органы работают веселей-энергичней, веселей-энергичней. Огромная-колоссальная
сила жизни вливается во все мое молодое тело. Все
тело живет веселей-радостней, веселей-радостней.
Моя походка рождается легкая-быстрая. Рождается
легкая-веселая-быстрая походка. Иду – птицей на
крыльях лечу. Шаг легкий-свободный. Ноги легкие,
как пушиночки. Шаг легкий-широкий, ноги легкие,
как пушиночки. Шаг легкий-широкий, – иду – птицей
на крыльях лечу: ярко чувствую свою большую молодую силу, ярко чувствую свою молодую силу.

В головной-спинной мозг, во все мои нервы, во все
мои мышцы вливается бурно-бурно развивающаяся
животворящая новорожденная жизнь. Новорожденная
жизнь животворит-животворит-животворит: сейчас
рождает бурно развивающуюся нервно-мышечную систему. Новорожденная жизнь рождает бурно-бурно развивающиеся сильные мышцы. Новорожденная жизнь
рождает бурно-бурно развивающиеся сильные мыш-

цы. Я с каждой секундой становлюсь физически сильней. Во мне рождается богатырская могучая здоровая сила.

Бурно-бурно развивающаяся животворящая новорожденная жизнь вливается в мою голову. Новорожденная жизнь животворит: рождает бурно-бурно развивающиеся умственные способности. С каждой секундой активизируется мое мышление. Рождается быстрое энергичное-энергичное-быстрое, как молния, мышление. Рождается энергичное быстрое-быстрое-энергичное-быстрое, как молния, мышление. Рождается яркая сильная крепкая память, яркая сильная крепкая память. С каждой секундой усиливается воля, крепнет характер. С каждой секундой усиливается воля, крепнет характер.

Вся душа поет от счастья, от радости жизни. Я отчетливо чувствую, как я вся насквозь полностью обновляюсь, здоровею-крепну. Я рождаюсь несокрушимо здоровой, энергичной-веселой счастливой красавицей. Я рождаюсь прекрасной новорожденно-юной белорозовой красавицей.

Огромная-колоссальная сила жизни вливается в мою голову, во все мое тело. Я с каждой секундой становлюсь все более полнокровным, все более полнокровным, все более энергичным, все более энергичным человеком. В мою голову, во все мое тело вливается огромная-колоссальная энергия. Огромная неиссякаемая энергия наполняет мою голову, все мое тело, все внутренние органы. Я с каждой секундой становлюсь веселей-энергичней, веселей-энергичней. Я работаю целый день напролет со свежими силами, с огромной энергией, я работаю целый день напролет со свежими силами, с огромной энергией. А после целого дня работы я – человек бодрый свежий энергичный. После целого дня работы я – человек бодрый свежий энергичный. В течение всего дня: от пробуждения утром до отхода ко сну вечером я нахожусь в прекрасном самочувствии, веселом-веселом-жизнерадостном настроении. А когда я на ночь ложусь спать, едва моя голова коснется подушки я сразу-сразу засыпаю на всю ночь до самого утра. Засыпаю непробудным-непробудным глубочайшим здоровым сном. Всю ночь сплю одинаково крепко-одинаково глубоко непробудным здоровым-здоровым глубочайшим сном. А утром легкое быстрое веселое пробуждение. Утром легкое быстрое веселое пробуждение. Веселым-веселым-жизнерадостным счастливым человеком я вступаю в новый день своей жизни, который еще больше продлит мою будущую жизнь. Каждый прожитый день увеличивает продолжительность моей будущей жизни. Моя жизнь, передвигаясь в будущее, непрерывно удлиняется. Я здоровею-крепну, здоровею-крепну, и это наполняет все мое существо торжествующей радостью жизни. Вся душа поет от счастья, от радости жизни. Я с каждой секундой становлюсь веселей-веселей-жизнерадостней. И в пятьдесят лет и в сто лет я буду молодой-юной несокрушимо здоровой прекрасной белорозовой счастливой красавицей.

Бурно-бурно развивающаяся животворящая новорожденная жизнь вливается в мою голову. Бурно-бурно развивающаяся новорожденная жизнь вливается в мою голову. В меня вливается могучая-несокрушимая духовная сила. Царственная гордость рождается в моих глазах. Царственное величие рождается в моих глазах. Царственная гордость рождается в моих глазах. Рождается царственная величественная осанка. Рождается царственная-царственная лебединая посадка головы. Рождается грациозная царственная осанка. Царственная гордость светится в моих глазах. Царственное величие светится в моих глазах. Я с каждой секундой становлюсь смелей-смелей-уверенней в себе. Я отношусь к себе с величайшим уважением. Я отношусь к себе с величайшим уважением, как к человеку огромного калибра. Я отношусь к себе с величайшим уважением, как к человеку огромного калибра, как к человеку высочайшей духовной культуры.

Я с каждой секундой становлюсь смелей-смелей-уверенней в себе. Я с каждой секундой становлюсь смелей-смелей-уверенней в себе. В меня вливается могучая несокрушимая духовная сила. Неодолимая стальная воля светится в моих глазах. И эту волю чувствуют во мне все люди, которые приходят со мной в соприкосновение. Мою стальную волю чувствуют во мне все люди, которые приходят со мной в соприкосновение. Я с каждой секундой становлюсь смелей-смелей-уверенней в себе. Неприступный замок женского превосходства светится в моих глазах. Неприступный замок женского превосходства светится в моих глазах. Царственная гордость светится в моих глазах. Царственное величие светится в моих глазах. Неодолимая стальная воля светится в моих глазах. И эту волю чувствуют во мне все люди, которые приходят со мной в соприкосновение. Я рождаюсь человеком смелым-твердо уверенным в себе. Я рождаюсь человеком смелым-твердо уверенным в себе. Я все смею, все могу и ничего не боюсь.

Я отношусь к себе с величайшим уважением, как к человеку огромного калибра, как к человеку неодолимой стальной воли, как к человеку высочайшей духовной культуры. Царственная гордость светится в моих глазах. Царственное величие светится в моих глазах. Неприступный замок женского превосходства светится в моих глазах. Неприступный замок женского превосходства светится в моих глазах. Я рождаюсь человеком смелым – твердо уверенным в себе. Я все смею, все могу и ничего не боюсь. Я все смею, все могу и ничего не боюсь. Среди всех житейских ураганов и бурь, среди всех трудностей и невзгод я непоколебимо стою, как скала, о которую все сокрушается. Я с каждой секундой становлюсь смелей-смелей-смелей-уверенней в себе. Я с каждой секундой становлюсь смелей-смелей-уверенней в. себе. Царственная гордость светится в моих глазах. Царственное величие светится в моих глазах. Неприступный замок женского превосходства светится в моих глазах. С каждой секундой усиливается воля, крепнет характер. Рождается неодолимая стальная воля, которую чувствуют во мне все люди, которые приходят со мной в соприкосновение. Я чувствую себя человеком смелым, твердо уверенным в себе. Я чувствую себя человеком большого-огромного калибра и отношусь к себе с величайшим уважением, как к человеку сильной воли, как к человеку большого-огромного калибра, как к человеку высочайшей духовной культуры.

Я с каждой секундой становлюсь смелей-смелей-уверенней в себе. Я с каждой секундой становлюсь смелей-уверенней в себе. Во мне рождается могучая несокрушимая духовная сила.

Я отчетливо чувствую себя сильней всех противодействующих сил жизни. Я постоянно сохраняю полную боевую готовность к преодолению всех вредных влияний внешней среды. Я постоянно поддерживаю полную боевую готовность к поддержанию-к поддержанию прекрасного самочувствия, веселого-веселого-жизнерадостного настроения. Наперекор всем вредным влияниям и трудностям жизни я становлюсь веселей-веселей-жизнерадостней. Наперекор всем вредным влияниям я сохраняю, непоколебимо сохраняю прекрасное самочувствие, веселое-веселое-жизнерадостное настроение.

Я здоровею-крепну, здоровею-крепну. С каждым прожитым днем увеличиваю продолжительность своей будущей жизни. И через пятьдесят лет и в сто лет я буду молодая-юная здоровая красавица. И это наполняет все мое существо торжествующей радостью жизни. Я с каждой секундой становлюсь смелей-смелей-уверенней в себе. С каждой секундой становлюсь веселей-веселей-жизнерадостней.

Вновь родившаяся: новая-новая здоровая животворящая новорожденная жизнь вливается в мою голову, во все мое тело. Вновь родившаяся: новая-новая животворящая новорожденная жизнь вливается в мою голову, во все мое тело. Вновь родившаяся: новая-новая животворящая новорожденная жизнь вливается в мою голову, во все мое тело. Новорожденная жизнь всю меня обновляет, всю меня новую рождает: новорожденно-юную, новорожденно-юную здоровую, новорожденно-юную, первозданно красивую здоровую красавицу. Вновь родившаяся: новая животворящая новорожденная жизнь вливается в мою голову. Новорожденная жизнь рождает новую-новую новорожденно-юную, новорожденно-юную, первозданно красивую прекрасную голову.

Новорожденная жизнь вливается в мое лицо. Вновь родившаяся: новая-новая животворящая новорожденная жизнь вливается в мое лицо. Новорожденная жизнь рождает новорожденно-юное, новорожденно-юное прекрасное лицо. Свежесть юности рождается в моем лице, прелесть юности рождается в моем лице. Девичья радостная свежесть рождается в моем лице. Все лицо мое наполнилось ровным розовым цветом. Под глазами мое юное лицо новорожденно-полное, новорожденно-полное, ярко розовое-румяное. Под глазами мое юное лицо новорожденно-полное, ярко розовое-румяное. Все лицо наполнилось ровным розовым цветом. Все лицо, все тело наполняется ровным розовым цветом. Я с каждой секундой становлюсь все более полнокровным, все более полнокровным, все более энергичным человеком. Здоровый румянец во все щеки разгорается все ярче. Здоровый-здоровый румянец во все щеки разгорается все ярче. Ярко красный-ярко красный цвет вливается в мои губы. Ярко красный-ярко красный цвет вливается в мои губы. Мои губы рождаются ярко красные-ярко красные, как маки. Мои губы ярко красные, как маки. Как у ребенка, мои губы ярко красные, как маки. Свежесть юности рождается в моем лице, прелесть юности рождается в моем лице. Монолитная крепость юности вливается в мое лицо, монолитная крепость юности вливается в мое лицо, монолитная крепость юности вливается в мое лицо. Все лицо рождается монолитно крепкое, гладкое-полированное, новорожденно-свежее, первозданно красивое. Быстро-быстро светлеют белки глаз. Белки глаз рождаются ярко светлые-ярко светлые, как снег под яркими лучами солнца. Вновь родившаяся: новая-новая животворящая новорожденная жизнь вливается в мои глаза. Вновь родившаяся: новая-новая животворящая новорожденная жизнь вливается в мои глаза. Новорожденная жизнь рождает новорожденно-юные, новорожденно-юные, первозданно красивые прекрасные глаза. Новорожденная жизнь рождает новорожденно-юные, новорожденно-юные, первозданно красивые прекрасные глаза. Быстро-быстро светлеют белки глаз. Новорожденная жизнь рождает яркие-яркие, сияющие, новорожденно-юные чарующие прекрасные глаза. Быстро-быстро светлеют-светлеют белки глаз. Белки глаз рождаются ярко светлые-ярко светлые, как снег под яркими лучами солнца. Колоссальная сила жизни вливается в мои глаза. Рождаются сильные-неутомимые, сильные-неутомимые-сильные глаза. Рождается взгляд огромной силы, как луч солнца. С каждой секундой усиливается взгляд, усиливается взгляд, усиливается взгляд. Рождается взгляд огромной силы, как луч солнца. Рождаются яркие-яркие сияющие юные глаза, лучистые-блестящие, лучистые-блестящие глаза, волевые-умные-волевые-умные глаза.

Вновь родившаяся: новая-новая-новая здоровая животворящая новорожденная жизнь вливается в мое сердце. Новорожденная жизнь наполняет сердце. Новорожденная жизнь животворит: сейчас рождает новое-новое здоровое новорожденно-счастливое сердце. Новорожденная жизнь рождает новое-новое-новое здоровое новорожденно-счастливое сердце. Радость-веселье вливаются в сердце. Новорожденно-свежее, новорожденно-свежее рождается сердце. Новорожденно-свежее рождается сердце. Беззаботная-беззаботная счастливая новорожденная юность рождается в сердце. Беззаботная счастливая новорожденная юность наполняет сердце. Беззаботная счастливая новорожденная юность наполняет сердце. На сердце так легко-хорошо, как никогда раньше не было. На сердце так легко-хорошо, так легко-хорошо, как никогда раньше не было. На сердце так легко-хорошо, так легко-хорошо, как никогда раньше не было. Беззаботное веселое счастливое-счастливое сердце. Беззаботное веселое счастливое сердце.

Новорожденная жизнь наполняет мою голову. Новая: здоровая вновь родившаяся-новая здоровая новорожденная жизнь наполняет мою голову. Беззаботная

154

счастливая новорожденная юность рождается в моей душе. Веселая-веселая новорожденная юность рождается в моей душе. Я с каждой секундой становлюсь веселей-веселей-веселей-жизнерадостней. Вся душа поет от счастья, от радости жизни. Неугасимый-неугасимый веселый огонек всегда горит в моих глазах, солнечная радость жизни светится в моих глазах.

В мою голову, во все мои нервы вливается здоровая-здоровая молодая крепость. Здоровая-здоровая молодая крепость вливается в мою психику, во все мои нервы. Весело-радостно здоровеют-крепнут, здоровеют-крепнут молодые нервы. Весело-радостно, весело-радостно здоровеет-крепнет, здоровеет-крепнет мое юное сердце. Здоровеет-крепнет, здоровеет-крепнет мое юное сердце.

Бурно-бурно развиваются все мои способности. С каждой секундой усиливается воля, крепнет характер. Я становлюсь смелей-смелей-уверенней, смелей-уверенней в себе. Усиливается воля, крепнет характер.

Вновь родившаяся: новая-новая животворящая новорожденная жизнь наполняет мою голову, все мое тело. Новорожденная жизнь рождает во мне, во мне рождает здоровую-здоровую долголетнюю молодость , здоровую веселую молодую жизнь и через пятьдесят лет, и через сто лет. И через сто лет я буду молодая-юная прекрасная красавица. И через сто лет я буду молодая-юная прекрасная белорозовая-белорозовая счастливая веселая красавица.

Животворящая новорожденная жизнь вливается в мою голову. Новорожденная жизнь животворит: рождает бурно-бурно развивающиеся умственные способности. С каждым мгновением усиливается мышление. С каждой секундой активизируется мышление. Рождается энергичное-энергичное быстрое-быстрое-быстрое, как молния, мышление. Я становлюсь все более быстро сообразительным человеком. Активизируется мое мышление, с каждой секундой активизируется мышление. Я становлюсь все более быстро сообразительным человеком. Все мои способности бурно-бурно

155

развиваются. С каждой секундой усиливается память, с каждой секундой усиливается память, рождается яркая сильная крепкая память. С каждой секундой усиливается воображение. Рождается яркое-яркое творческое воображение. Все мои способности в области музыки бурно развиваются. Все мои творческие способности бурно-бурно развиваются. Я настраиваюсь на энергичное-бурное развитие всех своих способностей и сейчас и через тридцать лет, и через пятьдесят лет. Я настраиваюсь на постоянное-непрерывное энергичное бурное-бурное развитие всех своих способностей и сейчас, и через тридцать лет, и через пятьдесят лет. Все мои способности бурно-бурно развиваются. С каждым днем увеличивается моя умственная работоспособность. Я работаю целый день напролет со свежими силами, с огромной энергией, а после целого дня работы я — человек бодрый-бодрый, свежий, энергичный. После целого дня работы я — человек бодрый, свежий, энергичный.

Бурно-бурно развивающаяся животворящая новорожденная жизнь наполняет мою голову. Новорожденная жизнь рождает бурно-бурно развивающиеся умственные способности. Бурно-бурно развиваются все мои способности. С каждой секундой усиливается-активизируется мышление, рождается энергичное быстрое, как молния, мышление. Я становлюсь мгновенно сообразительным человеком. С каждой секундой усиливается память. Рождается яркая сильная крепкая память. Быстро-бурно развивается творческое воображение. Рождается яркое энергичное творческое воображение.

Бурно развивается способность к работе над собой. Я могу работать над собой целый день напролет. Бурно-бурно развивается способность к самооздоровлению. Бурно-бурно развивается способность к самооздоровлению. Я могу усваивать настрой на оздоровление целый день напролет — целый день напролет. И после целого дня упорнейшей работы над собой я — человек бодрый-бодрый, свежий, энергичный. Все мои умственные способности продолжают бурно-бурно развиваться. И будут развиваться и через пять лет и через десять лет, и через тридцать лет, и через пятьдесят лет. И через пятьдесят лет все мои способности будут продолжать энергично-быстро-бурно-развиваться.

Новорожденная жизнь наполняет мою голову, все мое тело. Животворящая новорожденная жизнь животворит: сейчас рождает меня бурно развивающейся-бурно развивающейся новорожденно-юной прекрасной красавицей, несокрушимо здоровой-несокрушимо здоровой прекрасной красавицей.

В лобные-в лобные доли головного мозга вливается бурно-бурно развивающаяся животворящая новорожденная жизнь. Колоссальная сила жизни вливается в лобные доли головного мозга. Колоссальная сила жизни вливается в передние: лобные доли головного мозга. Лобные доли мозга становятся сильней-энергичней, сильней-энергичней. В меня вливаются радость-веселье. Радость-веселье наполняют голову. Я с каждой секундой становлюсь веселей-веселей-жизнерадостней. Веселое-веселое-жизнерадостное настроение является для меня теперь постоянным-устойчивым, закономерным настроением. Я всегда теперь нахожусь в прекрасном самочувствии, веселом-веселом-жизнерадостном настроении. Я всегда теперь нахожусь в веселом-веселом-жизнерадостном настроении.

Бурно-бурно развивающаяся животворящая новорожденная жизнь вливается в передние: лобные, в передние: лобные доли головного мозга. Колоссальная сила жизни вливается в передние: лобные доли головного мозга. В меня вливается могучая несокрушимая духовная сила. Бурно развивается способность к управлению всем своим поведением, всеми своими способностями. С каждой секундой усиливается воля. Бурно-бурно развивается способность управлять всеми своими чувствами, всем своим поведением, управлять всеми своими способностями. Я с каждым днем все лучше-все лучше управляю потребностью в еде. Сколько нужно организму для энергичной жизни — столько я и кушаю. Я безгранично теперь управляю своей потребностью в еде и никогда не буду кушать лишнего. Никогда не буду кушать того, чего не надо, того, чего я сама считаю лишним. Я абсолютно управляю своей потребностью в еде, абсолютно управляю своим аппетитом и кушаю всегда столько, сколько нужно моему организму для энергичной молодой жизни. Я безгранично управляю своей потребностью в еде и никогда не кушаю лишнего. Я абсолютно управляю своей потребностью в еде, я абсолютно управляю своим аппетитом.

Все внутренние органы работают энергично-правильно, устойчиво правильно. Все внутренние органы брюшной полости работают устойчиво правильно. В нервы желудка-кишечника вливается стальная крепость. Стальная крепость вливается в нервы желудка-кишечника. Стальная крепость-стальная крепость вливается в нервы желудка-кишечника. Рождается энергичный-сильный здоровый желудок, энергичный-крепкий здоровый кишечник. Пообедаю – в области желудка легко-спокойно. Пообедаю – в области сердца легко-спокойно. Молодое здоровое могучее сердце. Энергичный-сильный здоровый желудок. Молодое здоровое могучее сердце. Энергичный-сильный здоровый желудок. Пообедаю – в области желудка легко-спокойно, легко-спокойно. Пообедаю – в области сердца легко-свободно, легко-свободно, совсем свободно в области сердца. Все внутренние органы брюшной полости работают энергично-правильно, энергично-правильно. Все внутренние органы в области горла работают идеально правильно, энергично правильно. Все тело живет веселой-радостной, веселой-радостной здоровой жизнью. Все тело живет веселой-радостной, веселой-радостной здоровой жизнью.

Бурно-бурно развивающаяся животворящая новорожденная жизнь вливается в мою голову. Бурно-бурно развивающаяся животворящая новорожденная жизнь вливается в мою голову. Бурно-бурно развивающаяся животворящая новорожденная жизнь вливается в мою голову. Новорожденная жизнь животворит: сейчас рождает энергичную-сильную здоровую голову. Новорожденная жизнь рождает бурно-бурно развивающуюся способность к управлению всем своим поведением, всеми своими потребностями. В меня вливается могучая несокрушимая духовная сила. Я становлюсь смелей, я становлюсь смелей-смелей-уверенней в себе. Я становлюсь смелей-уверенней в себе. С каждой секундой усиливается моя воля, крепнет характер.

Я становлюсь веселей-веселей-веселей-жизнерадостней. Теперь веселое-жизнерадостное настроение становится постоянным, закономерным настроением. Прекрасное самочувствие, веселое-жизнерадостное настроение теперь закономерны, постоянны. Я всегда теперь нахожусь в прекрасном самочувствии, веселом-веселом-жизнерадостном настроении. Новорожденная жизнь всю меня рождает новую-новую здоровую жизнерадостную-веселую. Прекрасное самочувствие, веселое-веселое-жизнерадостное настроение, — это постоянное, присущее мне состояние, это моя природа. Веселое-веселое-жизнерадостное настроение, прекрасное самочувствие — это постоянное, мое природное состояние. Во всем теле бодрость, комфортность. Голова легкая-светлая. Я непоколебимо сохраняю веселое-веселое жизнерадостное настроение, прекрасное самочувствие. Веселое-веселое-жизнерадостное настроение, прекрасное самочувствие — это присущее мне постоянное-постоянное, мое природное состояние. Это свойственное мне-свойственное моей природе состояние: веселое-веселое-жизнерадостное настроение, прекрасное самочувствие. Я становлюсь веселей-веселей жизнерадостней. Я вся насквозь обновляюсь, я вся насквозь здоровею-здоровею-крепну, я рождаюсь здоровая, несокрушимо-здоровая, долголетняя-долголетняя красавица. И через тридцать лет и через пятьдесят лет, и через сто лет я буду новорожденно-юная, молодая-юная, несокрушимо здоровая веселая прекрасная красавица.

Бурно-бурно развивающаяся животворящая новорожденная жизнь вливается в мою голову. Вновь родившаяся: новая-новая животворящая новорожденная жизнь вливается в мою голову. Колоссальная энергия развития-энергия развития вливается в мою голову. Вновь родившейся: новой-новой животворящей новорожденной жизни развитие-развитие вливается в мою голову. Новорожденная жизнь животворит: сейчас рождает голову новорожденно-развивающуюся, новорожденно-бурно-быстро развивающуюся. В голове рождаются новые здоровые силы. В голове рождается новая большая энергия. Голова становится сильней-энергичней. Бурно-бурно развивающаяся новорожденная жизнь животворит: сейчас рождает бурно развивающуюся, новорожденно-развивающуюся, быстро развивающуюся голову. Все мои умственные способности бурно-быстро-быстро развиваются.

Усиливается память. Усиливается память.

Усиливается воля. Усиливается воля. Во мне рождаются все новые, все новые духовные силы. Во мне рождаются все новые, все новые духовные силы. И все люди, которые приходят со мной в соприкосновение, чувствуют во мне большую-огромную духовную силу. Все люди, которые приходят со мной в соприкосновение, чувствуют во мне большую-огромную духовную силу. Животворящая новорожденная жизнь животворит: рождает бурно-развивающуюся волю. С каждой секундой усиливается моя воля. С каждой секундой во мне рождаются все новые-все новые духовные силы. С каждой секундой крепнет характер. Я рождаюсь человеком независимым-самостоятельным. Крепнет характер, усиливается воля. Я рождаюсь человеком самостоятельным-независимым. Я рождаюсь человеком самостоятельным-независимым.

Я легко вступаю в контакт с людьми, но в отношениях с людьми я всегда остаюсь человеком самостоятельным-независимым. Неодолимая воля светится в моих глазах и эту волю чувствуют во мне все люди, которые приходят со мной в соприкосновение. В моих глазах чувствуется большая огромная духовная сила, и эту духовную силу чувствуют во мне все люди, которые приходят со мной в соприкосновение. Бурно-бурно развивающаяся животворящая новорожденная жизнь рождает усиливающийся взгляд. Усиливается взгляд. Рождается взгляд большой-огромной силы. Рождается взгляд большой-огромной силы, как луч солнца.

Я здоровею-крепну, становлюсь духовно сильней. Я с каждой секундой становлюсь духовно сильней. Во мне рождаются все новые-все новые духовные силы. Во мне рождаются все новые-все новые духовные силы. Я становлюсь смелей-решительней в жизни. Я становлюсь в жизни смелей-решительней. Я становлюсь в жизни смелей-решительней, я все трудные вопросы решаю смело-решительно. Я становлюсь смелей-уверенней в себе, смелей-уверенней в себе. Во мне рождаются все новые-все новые духовные силы. Я полностью управляю своим поведением. Я полностью управляю своими желаниями и чувствами. Я полностью управляю своими желаниями и чувствами. Быстро-быстро развивается во мне способность управлять своими чувствами, своими желаниями. Быстро-быстро развивается во мне способность управлять своим поведением, своими желаниями, своими чувствами. Я становлюсь в жизни сильней. Я в жизни становлюсь сильней, самостоятельней. В отношениях с людьми я веду себя самостоятельно-независимо, самостоятельно-независимо.

Бурно-бурно развивающаяся животворящая новорожденная жизнь наполняет всю мою голову. Новорожденная жизнь рождает бурно-бурно развивающуюся, новорожденную-развивающуюся голову. В меня вливается энергия развития. Огромная энергия развития новорожденной жизни, энергия развития вливается в мою голову. Энергия развития вливается в мою голову. Вся голова наполняется легкостью-светом. Голова становится легкая-легкая, легкая-светлая. В голове свободно-свободно-свободно-светло. Голова легкая-легкая, легкая-невесомая. Голова легкая-светлая, легкая-светлая, легкая-невесомая. В голове светло-светло. Вся голова насквозь легкая-легкая, легкая-светлая. Бурно-бурно развивающаяся животворящая новорожденная жизнь вливается в мою голову. Бурное развитие-бурное развитие вливается в мою голову. Все мои умственные способности бурно-бурно развиваются. Активизируется мое мышление: оно становится все более быстрым, становится все более быстрым мое мышление. Я становлюсь все более быстро сообразительным человеком. С каждой секундой усиливается память. Усиливается память. Рождается яркая-яркая сильная крепкая память. Рождается яркая сильная крепкая память. Усиливаются творческие способности. Бурно развиваются творческие способности. Рождается яркое-яркое энергичное творческое воображение.

Настрой, который я сейчас буду усваивать, будет оказывать на меня сильнейшее влияние благодаря тому, что организм будет в десять раз усиливать, в сто раз усиливать его влияние и мобилизовывать все свои резервы для быстрого и полного исполнения того, что сказано в настрое. Я настраиваю себя на глубокое прочное усвоение содержания нужного полезного мне настроя. Я буду изо всех сил стараться как можно глубже и прочней его усвоить. Я стараюсь до конца понять, до конца осмыслить: настрой, который я сейчас буду усваивать, будет оказывать на меня сильнейшее влияние благодаря тому, что организм будет в десять раз усиливать, в сто раз усиливать его влияние. Организм будет мобилизовывать все свои безграничные резервы для быстрого и полного исполнения всего того, что сказано в настрое. Я настраиваю себя на глубокое прочное усвоение содержания нужного, полезного мне настроя. Я буду стараться как можно глубже и прочней его усвоить. Я буду изо всех сил стараться привести себя в полное соответствие с содержанием нужного мне настроя, и действительно стать долголетней несокрушимо здоровой прекрасной красавицей.

Вновь родившаяся: новая-новая животворящая новорожденная жизнь вливается в головной-спинной мозг, во все мои нервы. Животворящая новорожденная жизнь животворит-животворит: сейчас рождает всю мою нервную систему новую-новую сильную здоровую. Во все мои нервы вливается здоровая молодая крепость. Во все мои нервы вливается здоровая **стальная крепость**. В мою психику-в нервы, в психику-в нервы вливается здоровая крепость. В мою психику-в нервы вливается здоровая стальная крепость. Стальная крепость вливается в психику-во все мои нервы. Здоровеют-крепнут, весело-радостно здоровеют-крепнут молодые нервы. Новорожденная жизнь животворит: рождает крепкие здоровые стальные нервы. Я рождаюсь человеком **стальных нервов**. Я рождаюсь человеком стальных нервов.

В головной-спинной мозг, во все мои нервы вливается вновь родившаяся: новая-новая бурно-бурно развивающаяся животворящая новорожденная жизнь вливается в головной-спинной мозг — во все мои нервы. Огромная-колоссальная сила вливается во всю мою нервную систему. Повышается-повышается электрическая активность головного-спинного мозга. С каждой секундой повышается-повышается электрическая активность головного-спинного мозга. С каждой секундой увеличивается-увеличивается электрическая активность головного-спинного мозга. Усиливается-усиливается электромагнитное поле головного-спинного мозга. Повышается-повышается электрическая активность головного-спинного мозга. Колоссальная сила вливается в головной-спинной мозг, во все мои нервы. Новорожденная жизнь животворит: сейчас рождает нервную систему огромной-колоссальной силы. Новорожденная жизнь рождает нервную систему огромной-колоссальной силы. Новорожденная жизнь рождает идеально исправную, абсолютно исправную нервную систему. Все нервные механизмы головного-спинного мозга рождаются новорожденно-исправные, новорожденно-исправные, идеально исправные. Все нервные механизмы головного-спинного мозга рождаются новорожденно-исправные, идеально исправные. Колоссальная сила вливается в мою голову. Новорожденная жизнь рождает крепкую-крепкую здоровую голову. Вся голова наполняется приятным легким светом. В глазах светло-светло. Как в яркий солнечный прекрасный день в глазах моих светло. А голова легкая-легкая, легкая-светлая. Голова легкая-легкая, легкая-невесомая. Огромная-колоссальная сила вливается в мою голову. Животворящая новорожденная жизнь животворит: навсегда рождает новую идеально исправную, новорожденно-исправную, энергичную-сильную здоровую голову.

Сильное могучее молодое сердце стремительным потоком гонит кровь сквозь головной мозг: по всем кровеносным сосудам головного мозга кровь течет стремительным радостным потоком. Кровь несет головному мозгу в избытке прекрасное полноценное питание. С каждой секундой головной мозг становится сильней-энергичней, сильней-энергичней. Повышается-повышается электрическая активность головного мозга.

Бурно-бурно развиваются все мои способности. Бурно-бурно развиваются все мои способности. С каждой секундой активизируется мышление. Рождается энергичное-энергичное, быстрое-быстрое, как молния, мышление. Я становлюсь все более сообразительным человеком. Я становлюсь все более сообразительным человеком. Рождается яркая сильная крепкая память. Рождается яркая сильная крепкая память. Рождается яркое энергичное творческое воображение. Все мои творческие способности бурно-бурно развиваются. А голова наполняется приятным-приятным легким светом. Голова легкая-легкая, легкая-светлая. Голова легкая-легкая, легкая-светлая. Голова легкая-легкая, легкая-невесомая.

Бурно-бурно развивающаяся животворящая новорожденная жизнь вливается в мое лицо. Новорожденная жизнь рождает белоснежно-светлое, белоснежно-чистое, белоснежно-светлое, белоснежно-чистое ярко-розовое-румяное прекрасное лицо. Сильное-могучее, сильное-могучее молодое сердце стремительным потоком гонит кровь-гонит кровь сквозь кожу моего лица. Сильное-могучее молодое сердце стремительным потоком гонит-гонит кровь сквозь кожу моего лица. Сильное-могучее молодое сердце стремительным потоком гонит кровь сквозь всю толщу кожи моего лица. Молодая кровь стремительным потоком промывает-промывает всю толщу кожи моего лица, промывает-промывает, вымывает из кожи всю грязь, все пигменты. Быстро-быстро светлеет-светлеет мое лицо. Все лицо рождается белоснежно-светлое, белоснежно-чистое, яркорозовое-румяное. Животворящая новорожденная жизнь животворит: навсегда рождает меня прекрасной белорозовой красавицей. Новорожденная жизнь рождает белоснежно-светлое, белоснежно-чистое лицо. Молодая кровь стремительным потоком промывает-промывает всю толщу кожи моего лица. По всей толщине кожу промывает-промывает, вымывает из кожи всю грязь, все пигменты. По всей толщине кожа моего лица рождается новорожденно-чистая, новорожденно-чистая, белоснежно-светлая, белоснежно-чистая, яркорозовая-румяная. Вокруг глаз мое лицо рождается белоснежно-светлое, белоснежно-чистое. Под глазами мое новорожденно-юное лицо белоснежно-светлое, белоснежно-чистое. Все лицо рождается белоснежно-светлое, белоснежно-чистое, яркорозовое-румяное.

Бурно-бурно развивающаяся животворящая новорожденная жизнь вливается в мои руки. Вновь родившаяся: новая-новая новорожденная жизнь вливается в мои руки. Новорожденная жизнь рождает новорожденно-юные, новорожденно-юные красивые руки. В вены рук вливается огромная-колоссальная энергия новорожденной жизни. Колоссальная сила вливается в вены моих рук. Вены рук рождаются тонкие-сильные-энергичные, тонкие-сильные вены рук стремительным потоком гонят кровь-гонят кровь кверху: к сердцу гонят вены кровь стремительным потоком. Новорожденная жизнь вливается в кожу моих рук. Вновь родившаяся: новая-новая животворящая новорожденная жизнь вливается в кожу моих рук. На руках вся кожа рождается новая: белоснежно-свежая-свежая, эластичная-упругая, эластичная-упругая, толстая здоровая гладкая кожа. Толстая здоровая гладкая кожа закрывает вены. Новорожденно-юное, крепкое упругое тело закрывает вены. Толстая здоровая гладкая белоснежно-светлая, белоснежно-чистая, розовая-румяная кожа закрывает вены. На руках вены становятся невидимы. На руках вены становятся невидимы. Крепкое-упругое новорожденно-юное тело закрывает вены. Толстая здоровая белоснежно-светлая, розовая-румяная кожа закрывает вены. Кожа рук рождается новорожденно-чистая, новорожденно-свежая, новорожденно-свежая, толстая здоровая гладкая кожа. На руках новорожденно-здоровая, новорожденно-свежая эластичная-упругая толстая здоровая гладкая кожа. На руках вся кожа белоснежно-светлая, белоснежно-чистая, розовая румяная прекрасная кожа.

Бурно-бурно развивающаяся животворящая новорожденная жизнь вливается в кожу головы-вливается в волосы. Энергия развития вновь родившейся новой-новой новорожденной жизни колоссальная энергия развития вливается в кожу головы-вливается в волосы. Колоссальная энергия развития-энергия развития вливается в кожу головы-вливается в волосы. Оживает кожа – оживает кожа – оживают волосы. Новорожденная жизнь навсегда рождает новорожденно-густые, новорожденно-густые, предельно густые крепкие волосы. В темя: в область макушки вливается бурно-бурно развивающаяся новорожденная жизнь. В темя – в темя: в область макушки вливается бурно-бурно развивающаяся новорожденная жизнь. Колоссальная энергия развития – колоссальная энергия развития вливается в область макушки. В области макушки оживает кожа-оживает кожа – оживают волосы. На макушке быстро-быстро рождаются новорожденно-густые, стеной стоящие крепкие волосы. Оживает-оживает-оживает кожа – оживают волосы. Оживает кожа – оживают волосы. На всей большой первозданной площади волосистой части головы животворящая новорожденная жизнь навсегда-навсегда рождает новорожденно-густые, новорожденно-густые, предельно густые крепкие волосы.

Быстро-быстро развивается способность к волевым усилиям. Я становлюсь смелей-решительней-уверенней в себе. Я смело-уверенно смотрю людям прямо в глаза. В моих глазах светится огромная сила духа, которую чувствуют во мне все люди, которые приходят со мной в соприкосновение. Я с каждой секундой становлюсь веселей-веселей-жизнерадостней. Торжествующая радость жизни светится в моих глазах. Радость победы – радость победы светится в моих глазах. Я вся наполняюсь торжествующей радостью победы над всеми болезнями. Я отчетливо чувствую себя неизмеримо сильней всех болезней. Человек, окрыленный идеей оздоровления, превосходит своей мощью все болезни. Я с каждой секундой здоровею-крепну и это наполняет меня радостью жизни, радостью победы над болезнью. Торжествующая радость победы над болезнью наполняет все мое сознание. Я с каждой секундой становлюсь веселей-веселей-жизнерадостней. Вся душа поет от счастья, от радости жизни. Веселое-веселое-счастливое сердце, веселое-веселое-хохочущее сердце. Все тело живет веселой-радостной здоровой жизнью. Во всем теле колоссальная сила жизни бьет ключом.

Я здоровею-крепну, увеличивается продолжительность моей будущей жизни, рождаются веселые-веселые-счастливые глаза, вся душа поет от счастья, от радости жизни. По закону материализации усвоенного настроя я прихожу в полное соответствие с усвоенным настроем и потому я здоровею-крепну, становлюсь веселей-здоровей-долголетней, и через 30 лет и в сто лет я буду молодой-здоровой счастливой красавицей.

2.12. На оздоровление при навязчивой ипохондрии

В головной-спинной мозг, во все мои нервы: в нервы головы, в нервы грудной клетки, в нервы живота, во все нервы позвоночника, во все нервы спины, поясницы, во все нервы рук, ног вливается вновь родившаяся: новая-новая здоровая огромной-колоссальной силы новорожденная жизнь. Новая-новая здоровая новорожденная жизнь вливается во все—во все мои нервы. В головной-спинной мозг, во все мои нервы-во всю мою нервную систему вливается огромной-колоссальной силы животворящая новорожденная сила. Рождается новая: здоровая сильная молодая нервная система, рождаются крепкие здоровые молодые нервы. Я рождаюсь человеком с крепкими-стальными нервами. Новорожденная жизнь рождает новую здоровую-крепкую-энергичную-сильную-неутомимую голову, – рождаются новые здоровые счастливые молодые мысли, молодые чувства. В мою психику вливается животворящая сила.

Во всей области горла здоровеют-крепнут мои нервы, во все нервы горла вливается стальная крепость-стальная крепость-стальная крепость вливается во все нервы горла, во всей области горла рождаются крепкие здоровые молодые нервы. Во всех внутренних органах области горла здоровеют-крепнут молодые нервы. Во все внутренние органы области горла вливается огромная-колоссальная новорожденная животворящая сила; все внутренние органы области горла рождаются новорожденно-свежие, новорожденно-исправные, новорожденно-энергичные; все внутренние органы области горла работают энергично-весело, энергично-весело, идеально правильно выполняют в организме все свои функции. Во все внутренние органы области горла вливается новорожденная животворящая сила-животворящая сила-животворящая сила вливается во все внутренние органы области горла. В области горла все внутренние органы рождаются энергичные-сильные, энергичные-сильные, энергичные-сильные.

Во всей грудной клетке здоровеют-крепнут, здоровеют-крепнут молодые нервы. Во всей грудной клетке рождаются крепкие-здоровые-крепкие-крепкие здоровые молодые нервы. Во всей грудной клетке с каждой секундой здоровеют-крепнут, здоровеют-крепнут молодые нервы. Во все нервы грудной клетки вливается стальная крепость-стальная крепость-стальная крепость вливается во все нервы грудной клетки. Во всех внутренних органах грудной клетки здоровеют-крепнут, здоровеют-крепнут молодые нервы. Во все внутренние органы грудной клетки вливается вновь родившаяся: новая-новая здоровая огромной-колоссальной силы новорожденная жизнь. Во все внутренние органы вливается огромная-колоссальная новорожденная сила-новорожденная сила, сила жизни новорожденной, огромная-колоссальная новорожденная животворящая сила-животворящая сила-животворящая сила вливается во все внутренние органы грудной клетки. Все внутренние органы грудной клетки рождаются новорожденно-свежие, новорожденно-энергичные, новорожденно-энергичные. Все внутренние органы живут веселей-энергичней, веселей-энергичней, все внутренние органы грудной клетки становятся здоровей-сильней-энергичней, во все внутренние органы грудной клетки вливается колоссальная животворящая сила.

В нервы позвоночника – в нервы позвоночника вливается стальная крепость-стальная крепость-стальная крепость вливается в нервы позвоночника, во все нервы туловища вливается стальная крепость-стальная крепость-стальная крепость вливается во все нервы туловища.

В нервы живота вливается стальная крепость-стальная крепость-стальная крепость вливается в нервы живота, в нервы нижней части живота вливается стальная крепость-стальная крепость-стальная крепость вливается в нервы нижней части живота; в нижней части живота здоровеют-крепнут, здоровеют-крепнут нервы в нижней части живота. В нервы желудка-кишечника вливается стальная крепость-стальная крепость-стальная крепость вливается в нервы желудка-кишечника. В области желудка легко-спокойно, во всей области брюшной полости легко-спокойно, в области нижней части живота легко-легко-легко-спокойно. Во всех внутренних органах брюшной полости здоровеют-крепнут, здоровеют-крепнут-здоровеют-крепнут молодые нервы.

Во все внутренние органы брюшной полости вливается вновь родившаяся : новая-новая здоровая огромной-колоссальной силы новорожденная жизнь вливается во все внутренние органы брюшной полости. Во все внутренние органы вливается-вливается огромная-колоссальная новорожденная сила-новорожденная сила, сила жизни новорожденной: огромная-колоссальная новорожденная животворящая сила-животворящая сила-животворящая сила-животворящая сила вливается во все внутренние органы брюшной полости. Все внутренние органы брюшной полости живут веселей-энергичней, веселей-энергичней, веселей-энергичней. Все внутренние органы брюшной полости с каждой секундой становятся сильней-энергичней, сильней-энергичней, сильней-энергичней становятся все внутренние органы брюшной полости. Полнокровной-полнокровной здоровой жизнью живут все внутренние органы брюшной полости.

В нервы горла-в нервы горла вливается стальная крепость-стальная крепость. Во всей области горла здоровеют-крепнут, здоровеют-крепнут мои нервы.

В области грудной клетки здоровеют-крепнут, здоровеют-крепнут мои нервы. Во всей грудной клетке здоровеют-крепнут, здоровеют-крепнут нервы во всей грудной клетке. Рождается молодая-сильная-несокрушимо сильная-огромной-колоссальной силы молодая грудь. Рождается легкое-свободное-свободное неслышное беззвучное дыхание. Легко-свободно дышит молодая грудь, легко-свободно дышит молодая грудь, дышится легко-свободно, легко-свободно. Рождается легкое-легкое, легкое-свободное неслышное-неслышное свободное дыхание.

В нервы живота-ног, в нервы живота-ног вливается стальная крепость-стальная крепость-стальная крепость, в нервы-в нервы живота-ног стальная крепость-стальная крепость-стальная крепость вливается в нервы живота-ног. Во всей брюшной полости крепкие здоровые молодые нервы.

Во все нервы спины-в нервы спины вливается стальная крепость-стальная крепость-стальная крепость вливается во все нервы спины; в нервы-в нервы спины стальная крепость-стальная крепость вливается в нервы моей спины. Несокрушимая новорожденная крепость-новорожденная крепость вливается в нервы моей спины. Во всей спине здоровеют-крепнут, здоровеют-крепнут, здоровеют-крепнут молодые нервы. Во всей спине здоровеют-крепнут, здоровеют-крепнут, здоровеют-крепнут молодые нервы. Во всей спине рождаются крепкие-здоровые-стальные молодые нервы.

В нервы поясницы-в нервы поясницы-в нервы поясницы вливается несокрушимая новорожденная крепость-новорожденная крепость-новорожденная крепость вливается в нервы поясницы. В поясничные нервы-в поясничные нервы-в поясничные нервы-стальная крепость, стальная крепость-стальная крепость вливается в поясничные нервы. Во всей обширной поясничной области здоровеют-крепнут, здоровеют-крепнут, здоровеют-крепнут молодые нервы.

Во всем моем молодом здоровом теле здоровеют-крепнут, здоровеют-крепнут молодые нервы.

В плечах-руках, в плечах-руках здоровеют-крепнут, здоровеют-крепнут молодые нервы. В плечах-руках рождаются крепкие-крепкие здоровые молодые нервы.

В нервы поясницы-ног, в нервы поясницы-ног вливается стальная крепость-стальная крепость, стальная крепость вливается в нервы поясницы-ног. В поясницу-ноги, в поясницу-ноги вливается крепкая стальная сила-крепкая стальная сила вливается в поясницу-ноги. В поясницу-в ноги вливается крепкая стальная сила. Рождается быстрая веселая легкая походка. Рождается легкая-легкая веселая походка. Иду — птицей на крыльях лечу. Рождаются сильные-неутомимые молодые ноги; в ногах рождается огромная молодая сила.

Огромная-молодая сила рождается во всем моем молодом здоровом теле, во всем теле здоровеют-крепнут нервы.

Новорожденная жизнь всю мою нервную систему обновляет, всю мою нервную систему новую рождает, рождает молодую-здоровую-сильную нервную систему.

Во все нервы головы вливается стальная крепость-стальная крепость. Во всей области головы здоровеют-крепнут, здоровеют-крепнут нервы.

Новорожденная жизнь вливается в мою голову, вновь родившаяся: новая-новая здоровая огромной-колоссальной силы новорожденная жизнь вливается в мою голову, огромная-колоссальная новорожденная животворящая сила вливается в мою голову, животво-

171

рящая сила всю насквозь наполняет мою голову, новорожденная жизнь рождает новые-новые здоровые веселые мысли, новорожденная жизнь рождает новые счастливые молодые мысли, новые сильные молодые чувства. Я с каждой секундой становлюсь веселей-веселей-жизнерадостней.

Я отчетливо чувствую, как я с каждой секундой здоровею-крепну, здоровею-крепну, новорожденная жизнь всю меня обновляет, всю меня новую рождает: молодую-веселую, молодую здоровую. Новорожденная жизнь рождает новые веселые молодые мысли, новорожденная жизнь рождает новые здоровые-здоровые молодые мысли. Я с каждой секундой здоровею-крепну, здоровею-крепну, становлюсь веселей-веселей-жизнерадостней, во всем теле здоровеют крепнут нервы, во всем теле огромная-колоссальная сила молодости бьет ключом, во всех внутренних органах здоровеют-крепнут, здоровеют-крепнут молодые нервы, все внутренние органы работают веселей-энергичней, веселей-энергичней. Все тело живет веселой-радостной здоровой жизнью.

Я смело-уверенно смотрю в свое будущее, я вижу в будущем долголетнюю здоровую веселую молодость, я отчетливо чувствую, как с каждой секундой здоровею-крепну и это наполняет меня торжествующей радостью жизни. Я отчетливо вижу в будущем веселую здоровую энергичную молодость, я отчетливо вижу в будущем веселую-счастливую энергичную молодость. Я с каждой секундой становлюсь веселей-веселей-жизнерадостней. Я отчетливо чувствую, что я здоровею, крепну, я отчетливо чувствую, что я буду и через год и через десять лет я буду молодой-здоровой, и через тридцать лет я буду молодой-веселой несокрушимо здоровой, и через пятьдесят лет и в сто лет я буду молодой-веселой-счастливой красавицей. Я с каждой секундой здоровею-крепну, здоровею-крепну, с каждым днем становлюсь веселей-веселей-жизнерадостней. Новорожденная жизнь рождает новую веселую-здоровую голову, вся душа поет от счастья, от радости жизни, я становлюсь веселей-веселей-жизнерадостней.

Новорожденная жизнь рождает меня веселой-здоровой-счастливой красавицей. Новорожденная жизнь рождает новые: веселые-счастливые молодые мысли.

Все внутренние органы работают энергично-весело, идеально правильно. Все внутренние органы работают автономно: независимо от меня, полностью самостоятельно-автоматически работают все внутренние органы. Чтобы своими мыслями о болезнях не мешать работе внутренних органов, чтобы не портить свое здоровье, я начисто-полностью навсегда забываю про все свои внутренние органы, я навсегда полностью отключаюсь от внутренних органов. Я думаю только о крепком-несокрушимом здоровье, о долголетней молодости, о том, что я и через тридцать лет и через пятьдесят лет, и в сто лет буду новорожденно-молодой, новорожденно-юной здоровой прекрасной красавицей. Я навсегда-навсегда начисто забываю про внутренние органы, я навсегда полностью отключаюсь-отключаюсь от внутренних органов. Все внутренние органы работают независимо от меня, полностью автоматически. У меня сильная воля, я все могу, я все могу, я могу навсегда полностью отключиться от внутренних органов. Все внутренние органы работают независимо от меня, полностью автоматически-самостоятельно, идеально правильно. Все мое тело живет веселой-радостной здоровой жизнью.

Все внутренние органы работают идеально правильно, абсолютно правильно. Все внутренние органы работают независимо от меня, независимо от моего сознания, независимо от моей воли; все внутренние органы работают полностью автоматически: самостоятельно, абсолютно самостоятельно, независимо от меня. Я навсегда начисто забыла про все свои внутренние органы.

Я думаю о своей долголетней веселой-радостной счастливой жизни, я смело-уверенно смотрю в свое будущее, я вижу в будущем долголетнюю счастливую веселую молодость.

В мою голову вливается вновь родившаяся: новая-новая здоровая огромной-колоссальной силы новорожденная жизнь, в мою голову вливается огромная-колоссальная новорожденная животворящая сила. Животворящая сила-животворящая сила-животворящая сила вливается в мою голову, всю насквозь мою голову наполняет животворящая сила. Голова рождается идеально исправная, абсолютно исправная. Все нервные механизмы головного мозга сейчас рождаются идеально исправные, абсолютно исправные. Новорожденная сила-новорожденная сила-новорожденная животворящая сила вливается в мою голову. Животворящая сила всю насквозь наполняет мою голову. Сила-сила-новорожденная сила жизни вливается в мою голову, огромная-колоссальная новорожденная сила вливается в мою голову.

В меня вливается могучая-несокрушимая духовная сила. Быстро-энергично развивается способность управлять своим состоянием, своими мыслями. Быстро-быстро-энергично развивается способность управлять своими мыслями, управлять своим состоянием. Я полностью управляю собой, всем своим поведением, всеми своими мыслями. Я раз навсегда забыла о своих внутренних органах. Все внутренние органы работают самостоятельно, независимо от меня, от моей воли. Я раз навсегда начисто забыла про все свои внутренние органы.

Здоровые-здоровые здоровые мысли, здоровые молодые мысли наполняют душу. Колоссальная новорожденная сила наполняет мою голову. В меня вливается могучая-несокрушимая духовная сила. Я смелей-решительней навсегда начисто забываю про внутренние органы. Усиливается воля, крепнет характер. Колоссальная животворящая сила вливается в мою голову: голова становится сильней-энергичней, сильней-энергичней. В меня вливается огромная несокрушимая духовная сила, я становлюсь смелей-решительней-уверенней в себе, смелей-смелей-решительней-уверенней в себе.

Животворящая сила наполняет голову, рождает сильные быстро развивающиеся чувства. Я становлюсь веселей-веселей-жизнерадостней. Я с каждой секундой становлюсь веселей-веселей-жизнерадостней. Неугасимый огонек всегда горит в моих глазах, светлая весенняя улыбка на моем лице, вся душа поет от счастья, от радости жизни. Неугасимый-неугасимый веселый-веселый огонек всегда горит в моих глазах, солнечная радость жизни светится в моих глазах. Светлая весенняя улыбка на моем лице.

Новорожденная жизнь всю насквозь наполняет мою голову, новорожденная жизнь рождает новорожденно-юную первозданно красивую, первозданно свежую прекрасную голову. Новорожденная жизнь вливается в мое лицо, новорожденная жизнь рождает новорожденно-юное первозданно красивое прекрасное лицо. Свежесть юности рождается в моем лице, прелесть юности рождается в моем лице, девичья радостная свежесть рождается в моем лице. Все лицо наполняется ровным розовым цветом, здоровый молодой румянец во все щеки разгорается все ярче-все ярче. Под глазами мое лицо рождается новорожденно-полное, розовое-румяное. Ярко красный-ярко красный цвет вливается в мои губы, колоссальная энергия развития вливается в мои губы. Быстро-краснеют-краснеют-краснеют мои губы, мои губы рождаются ярко красные-ярко-красные, как маки, как у ребенка мои губы ярко красные, как маки.

Новорожденная жизнь вливается в мои глаза, животворящая сила вливается в мои глаза, рождаются, сейчас рождаются яркие-яркие сияющие-сияющие новорожденно-юные прекрасные глаза. Быстро-быстро светлеют-светлеют белки моих глаз. Белки моих глаз сейчас рождаются ярко светлые-ярко светлые, как снег под яркими лучами солнца. Рождаются новорожденно-юные девичьи яркие прекрасные глаза. Животворящая новорожденная жизнь рождает волевые умные, волевые умные глаза, лучистые-блестящие волевые умные глаза. Неодолимая стальная воля светится в моих глазах, и эту волю чувствуют во мне все люди, которые приходят со мной в соприкосновение. Я смело смотрю людям прямо в глаза, я смело смотрю людям прямо в глаза. Колоссальная животворящая сила вливается в мои глаза, рождаются сильные-неутомимые глаза, рождается взгляд такой силы, как луч солнца, я смело-решительно смотрю людям прямо в глаза, я смело-уверенно смотрю людям прямо в глаза. Волевые умные глаза. Неприступный замок женского превосходства светится в моих глазах. Царственная гордость светится в моих глазах. Рождается красивая грациозная величественная походка, рождается красивая царственная посадка головы.

В голову вливаются радостные силы, веселая-веселая новорожденная молодость рождается в моей душе, веселая-счастливая новорожденная молодость рождается в моей душе. Вся душа поет от счастья, от радости жизни. Торжествующая сила молодости светится в моих глазах.

В головной-спинной мозг, во все мои нервы, во всю мою нервную систему вливается вновь родившаяся: новая-новая здоровая огромной-колоссальной силы новорожденная жизнь, животворящая новорожденная жизнь вливается в головной-спинной мозг, во все мои нервы. Животворящая новорожденная сила, огромная-колоссальная животворящая сила вливается в головной-спинной мозг, во все мои нервы. С каждой секундой моя нервная система становится сильней. Рождается здоровая сильная нервная система, рождается нервная система огромной-колоссальной силы. Рождается нервная система энергичная-сильная, здоровая сильная. Головной-спинной мозг все более энергично, все более энергично идеально правильно управляет жизнью всех внутренних органов. Все внутренние органы работают веселей-энергичней, веселей-энергичней. А головной-спинной мозг с огромной-колоссальной устойчивостью идеально правильно, идеально правильно управляет жизнью моего молодого здорового тела, идеально правильно, идеально правильно управляет работой всех-всех внутренних органов. Все внутренние органы работают идеально правильно, во всех внутренних органах рождается новая могучая здоровая сила, во всем теле рождается огромная молодая сила. Я здоровею-крепну, во всем теле здоровеют-крепнут нервы. Новорожденная, животворящая новорожденная жизнь рождает меня новорожденно-молодой-юной здоровой прекрасной счастливой красавицей.

Новорожденная жизнь всю насквозь наполняет мою голову, новорожденная животворящая жизнь рождает новые веселые молодые мысли, рождает новые-новые веселые здоровые мысли. Новорожденная жизнь рождает новую-новую здоровую крепкую голову. Я весь насквозь здоровею-крепну, здоровею-крепну и потому каждый прожитый день на много-много дней увеличивает-увеличивает продолжительность моей будущей жизни. Я здоровею-крепну, становлюсь все более долголетним-все более долголетним человеком. Новорожденная жизнь наполняет голову, все мое тело, новорожденная жизнь рождает во мне, внутри меня новую-новую: здоровую долголетнюю наследственность. Человек, окрыленный идеей оздоровления, превосходит своей мощью все болезни. Я стараюсь это до конца понять, как можно глубже осмыслить: человек, окрыленный идеей оздоровления, превосходит своей мощью все-все болезни и действительно становится здоровым, идеально здоровым человеком, несокрушимо здоровым человеком. Я здоровею-крепну, становлюсь моложе, с каждым днем увеличивается продолжительность моей будущей жизни и это наполняет меня радостью, торжествующей радостью жизни. Торжествующая радость жизни светится в моих глазах, торжествующая сила молодости светится в моих глазах.

Животворящая новорожденная жизнь вливается в мою голову, новорожденная жизнь рождает быстро развивающиеся яркие сильные чувства, я с каждой секундой становлюсь веселей-веселей-жизнерадостней, вся душа поет от счастья, от радости жизни. Неугасимый веселый-веселый огонек всегда горит в моих глазах, солнечная радость жизни светится в моих глазах, солнечная светлая улыбка на моем лице, солнечная светлая улыбка на моем лице.

И через десять лет, и через тридцать лет, и через пятьдесят лет, и в сто лет я буду молодая-юная прекрасная красавица. Я с каждым днем становлюсь моложе, с каждым днем увеличивается-увеличивается продолжительность моей будущей жизни. Я отчетливо вижу энергичную веселую здоровую молодость в столетнем возрасте. И в сто лет я буду молодая-молодая здоровая веселая красавица.

Рождается прекрасное самочувствие, веселое настроение. Я вижу в будущем радость-счастье, радость-счастье веселой молодой здоровой долголетней жизни. Вся голова наполнилась приятным легким-легким светом, в глазах моих светло-светло, как в яркий солнечный прекрасный день в глазах моих светло.

И через тридцать лет и через пятьдесят лет, и в сто лет я буду молодая-юная веселая-счастливая здоровая красавица.

2.13. На смелое речевое поведение

Когда я говорю о себе, я ни в чем не сомневаюсь. Я всеми силами стараюсь начисто преодолеть абсолютно все свои сомнения в том, что говорю о себе, какими-бы невероятными ни казались мне на первый взгляд утверждения о себе.

Когда я говорю о себе, я стараюсь как можно ярче представить, о чем идет речь. Когда я говорю о себе, я стараюсь как можно глубже понять, как можно глубже осмыслить, о чем идет речь. Я человек смелый, если я сказал, что я человек смелый, так уж я не допускаю в этом никаких сомнений. Я стараюсь как можно ярче, отчетливей представить себя человеком беспредельно-безгранично смелым, представить себя человеком, который не спасует нигде, никогда, ни при каких обстоятельствах. Я действительно человек смелый, твердо уверенный в себе. Я с беспредельной дерзновенностью верю в свои возможности. Я все могу. Для меня нет ничего невозможного. Я сразу же усваиваю нужный мне психологический настрой. И по закону материализации психологического настроя, он сразу же материализуется в деятельности организма и во всей моей жизни. И потому все действительно осуществляется, осуществляется, как в сказке, "По щучьему велению". И потому я действительно все могу. Мои возможности абсолютно безграничны. Я человек смелый, твердо уверенный в себе, я все смею, все могу и ничего не боюсь. Я твердо знаю, что если все трудности обрушатся на меня сразу, неожиданно, им все равно не сокрушить моей могучей воли. И потому я действительно ничего не боюсь и смотрю миру в лицо, ничего не боясь, и смело иду навстречу всем трудностям и препятствиям. Я способен пред бедой за себя постоять, я способен под грозой роковой назад шагу не дать. Я способен с горем в миру быть с веселым лицом. Моя воля сильнее всех трудностей жизни. Я ярко, отчетливо чувствую себя в десять раз сильней, в сто раз сильней всех противодействующих сил жизни.

Я упорнейшим образом учусь с каждым днем все ярче и отчетливей чувствовать, что все противодействующие силы против меня абсолютно бессильны, абсолютно ничтожны. Я упорнейшим образом учусь с каждым днем все ярче и отчетливей чувствовать себя в десять раз сильней, в сто раз сильней всех противодействующих сил жизни. Я работаю над собой с такой страстью, с таким упорством, как никто другой работать не может. И моя воля непрерывно продолжает развиваться.

С каждым днем становлюсь человеком все более и более сильной воли. Крепнут мои духовные силы, здоровеют мои нервы. Я стараюсь как можно ярче представить, о чем идет речь. Крепнут мои духовные силы, здоровеют мои нервы. Во всем теле все нервы и мышцы устойчиво-здоровы, прочно-спокойны. Молодые нервы устойчиво-здоровы, прочно-спокойны. Мои молодые нервы устойчиво-здоровы, прочно-спокойны. Во всем теле молодые нервы и мышцы устойчиво-здоровы, прочно-спокойны.

Непрерывно развивается моя воля. Я становлюсь способным преодолевать все больше трудностей и препятствий. С каждым днем я чувствую себя все более смелым, все более волевым человеком. С каждым днем я все ярче и отчетливей чувствую, что все противодействующие силы против меня абсолютно бессильны, абсолютно ничтожны. С каждым днем я все ярче и отчетливей чувствую себя в десять раз сильней, в сто раз сильней всех противодействующих сил жизни.

Я действительно становлюсь человеком огромной воли. И весь организм безоговорочно, беспрекословно мне подчиняется. Когда я говорю о себе, весь организм мобилизует все свои силы, все свои безграничные возможности для максимально-быстрого и точного исполнения всего того, что я говорю о себе.

Я стараюсь как можно ярче представить, о чем идет речь. Я стараюсь стать человеком все более сильным, все более здоровым, а следовательно все более долголетним. И это полностью совпадает с природным стремлением моего организма к жизни, к долголетию, к здоровью. И потому весь организм приходит мне на помощь, мобилизует все свои силы, все свои безграничные возможности для максимально-быстрого точного исполнения всего того, что я говорю о себе.

Крепнут мои духовные силы, здоровеют мои нервы. Все нервы и мышцы с каждым днем становятся все более прочно-спокойны. С каждым днем я становлюсь все более устойчивым человеком в жизни. И при физическом напряжении, при держании растянутой резины, я непоколебимо сохраняю прочное спокойствие. При физическом напряжении я абсолютно спокоен, как зеркальная гладь озера, абсолютно спокоен. При физическом напряжении все нервы и мышцы прочно-спокойны. С каждым днем увеличивается запас прочности, спокойствия всех нервов и мышц при физическом напряжении.

Крепнут мои духовные силы, здоровеют мои нервы. С каждым днем я становлюсь человеком все более и более смелым. Я действительно человек смелый и ничего не боюсь. Я стараюсь как можно ярче представить, о чем идет речь. Я человек смелый, беспредельно-смелый и ничего не боюсь. Я стараюсь как можно глубже осмыслить, что это значит. Я ничего не боюсь. Я с беспредельной смелостью вступаю в контакт с любыми людьми. Я беспредельно-смело говорю с незнакомыми людьми. Я смело, уверенно говорю на экзаменах, на занятиях, где угодно, в любой обстановке я всегда говорю смело, уверенно. Я ничего не боюсь. Я смотрю миру в лицо, ничего не боясь. Я твердо знаю, что все речевые трудности против меня абсолютно бессильны, абсолютно ничтожны. Я учусь, я упорнейшим образом учусь все ярче и отчетливей чувствовать себя в тясячу раз сильней, в миллион раз сильнее всех речевых трудностей.

Я упорнейшим образом учусь преодолевать абсолютно все свои сомнения в том, что я в любой обстановке всегда говорю легко-свободно, как наедине с самим собой.

Я стараюсь как можно глубже сейчас осмыслить, о чем идет речь. С незнакомыми людьми или на экзаменах, в самой трудной для меня обстановке, я говорю легко-легко. Я говорю абсолютно свободно, как наедине с самим собой в пустой комнате. Я никогда не допущу никаких сомнений в том, что я могу говорить легко-легко, абсолютно свободно. Я никогда не допущу ни малейших сомнений в том, что мои речевые возможности абсолютно безграничны. Мои речевые возможности абсолютно безграничны. Я никогда не допущу в этом ни малейших сомнений. Я всегда ярко, отчетливо представляю себя человеком с красивой здоровой речью. Я буду упорнейшим образом учиться начисто преодолевать абсолютно все свои сомнения в том, что мои речевые возможности абсолютно безграничны, в том, что я человек с хорошей здоровой речью. Я твердо знаю, что мои речевые возможности действительно абсолютно безграничны. Я всегда как хочу, так и говорю. И всегда говорю легко-легко, абсолютно свободно. Я могу говорить как угодно громко. Хочу говорю громко, хочу говорю быстро. Как угодно могу говорить быстро, как угодно-громко. И при этом всегда говорю легко-легко, абсолютно свободно. Громко я говорю так же смело, уверенно, как и шепотом. Быстро я говорю так же смело, уверенно, как и медленно. Как бы ни хотел я говорить громко и быстро, я всегда говорю смело, уверенно. Мои речевые возможности абсо-

181

лютно безграничны. Я человек смелый, твердо уверенный в своих безграничных речевых возможностях. Я твердо знаю, что я во всякой обстановке могу говорить абсолютно легко, абсолютно легко, беспредельно свободно. Я стараюсь как можно ярче представить себя человеком, который всегда, от рождения говорил легко-легко, совсем свободно. Я стараюсь упорнейшим образом преодолевать абсолютно все свои сомнения в том, что я от рождения всегда говорил легко-легко, абсолютно свободно. Я от рождения всегда был человеком с хорошей-здоровой речью.

Я твердо знаю, что если среди моих знакомых окажется новый человек, то я буду говорить также легко-легко, абсолютно свободно, как и при знакомых людях, которые меня хорошо знают. Я твердо знаю, что в новой, незнакомой для меня обстановке, с совершенно незнакомыми людьми я также буду говорить смело, уверенно, легко-легко, абсолютно свободно, как наедине с самим собой в своей комнате. Я упорнейшим образом стараюсь преодолеть абсолютно все свои сомнения в том, что при незнакомых людях, в новой для меня обстановке, я буду говорить абсолютно свободно, легко-легко, как наедине с самим собой в своей комнате. Мои речевые возможности, действительно, абсолютно безграничны. Я как хочу, так и говорю. В любой обстановке как хочу, так и говорю, хочу громко, хочу быстро.

Я человек с хорошей здоровой речью. Я стараюсь преодолеть абсолютно все свои сомнения, я упорнейшим образом учусь подавить абсолютно все свои сомнения в том, что я человек с хорошей-здоровой речью. Я с беспредельной дерзновенностью безгранично верю в то, что я всегда, во всякой обстановке могу говорить легко-легко, абсолютно свободно, говорить так, как говорят все люди с нормальной здоровой речью. Я стараюсь как можно ярче представить, о чем идет речь, как можно глубже понять, о чем идет речь. Я начисто подавил абсолютно все свои сомнения в том, что у меня нормальная-здоровая речь. Я с беспредельной дерзновенностью, безгранично верю в то, что у меня нормальная-здоровая речь, и я всегда могу сказать хорошо, легко, свободно. Я всегда как хочу, так и говорю, хоть громко, хоть быстро. Мои речевые возможности абсолютно безграничны. Я упорнейшим образом стараюсь, изо всех сил стараюсь безгранично верить в свои речевые возможности, верить в то, что у меня нормальная-здоровая речь, верить в то, что я человек с хорошей-красивой-здоровой речью.

Речевые органы мне подчиняются беспредельно-бесприкословно. Речевые органы работают всегда так, как мне надо, как я того хочу. Я всегда говорю легко-легко, абсолютно свободно. Весь организм безоговорочно-беспрекословно подчиняется моей воле и мобилизует все свои возможности для исполнения моих желаний. И потому всегда, неизбежно с железной необходимостью все будет так, как я говорю. Я всегда буду говорить легко-легко, абсолютно свободно. Я всегда буду говорить легко-легко, абсолютно свободно.

Я теперь никогда-никогда не буду думать о том, как сказать. Я теперь всегда думаю только о том, что сказать. Я теперь всегда думаю только о содержании своей речи. Это происходит потому, что я теперь прочно, непоколебимо-прочно усвоил представление о себе, как о человеке с хорошей-здоровой речью. Я твердо теперь знаю, что у меня никогда теперь не может быть никаких речевых задержек. И потому мне теперь о них думать нечего. Я упорнейшим образом стараюсь преодолеть все свои сомнения в том, что у меня теперь никогда не может быть никаких речевых задержек. У меня нет в этом сомнений. Я с беспредельной дерзновенностью безгранично верю в то, что у меня теперь никогда не может быть никаких речевых трудностей, никаких речевых задержек, потому что я человек с абсолютно здоровой-красивой речью. Мои речевые возможности абсолютно безграничны. И потому я теперь навсегда позабыл о речевых трудностях и во всякой обстановке, трудной для меня обстановке, незнакомой, я теперь думаю только о содержании того, что мне надо сказать и говорю всегда легко-легко, как наедине с самим собой, в своей комнате.

Во время речи я весь насквозь абсолютно спокоен. Во время речи абсолютно спокойны все нервы и мышцы губ, языка, грудной клетки. Во время речи я весь насквозь абсолютно спокоен. Я с беспредельной смелостью сохраняю абсолютное спокойствие во время речи. Я стараюсь как можно глубже осмыслить, о чем идет речь. Я весь беспредельно-смело сохраняю абсолютное спокойствие во время речи. Во время речи все нервы и мышцы речевых органов прочно-спокойны.

Я стараюсь как можно ярче представить, о чем идет речь. Во время речи все нервы и мышцы речевых органов прочно-спокойны. Я сам весь насквозь абсолютно-спокоен во время речи. Я беспредельно-смело управляю степенью напряжения всех речевых органов. В любой обстановке я смело-уверенно могу при надобности в десять раз уменьшить, в десять раз могу уменьшить напряжение речевых органов, даже в трудной-незнакомой для меня обстановке. Я беспредельно управляю степенью напряжения всех речевых органов. Я могу регулировать силу нервного возбуждения для управления речевых органов. Я могу беспредельно управлять силой нервного возбуждения, необходимой для управления речевых органов. И при надобности могу уменьшить и вдвое, и в пять раз, и в десять раз могу уменьшить нервное возбуждение, которое идет в речевые органы. Я беспредельно управляю, абсолютно полностью управляю работой всех речевых органов. Я могу в любое число раз уменьшить напряжение всех речевых органов. Я могу говорить ленивыми губами, с минимальным напряжением мышц губ и языка. Во время речи все нервы в области грудной клетки, все нервы в области желудка прочно-спокойны. Я выдыхаю воздух все время плавно-одинаково, все время равномерно-одинаково, плавно. И на одном выдохе я свободно произношу целые фразы. Во время речи, во время самой речи я однородно-одинаково, плавно выдыхаю воздух. Во время речи все нервы в области желудка прочно-спокойны. Во время речи я сам весь насквозь абсолютно-спокоен, как зеркальная гладь озера. Даже очень быстро и предельно громко я говорю с минимальным напряжением всего речевого аппарата, всех речевых органов. Я как бы ленивыми губами, ленивым языком говорю, а говорю громко и быстро, громко и быстро я говорю с минимальным напряжением всех речевых органов и при этом однородно-одинаково, плавно выдыхаю воздух. Во время речи я абсолютно спокоен. Во время речи все нервы в области желудка устойчиво-спокойны, прочно-спокойны все нервы в области желудка и во всей грудной клетке.

Во время речи я все время однородно, одинаково, плавно выдыхаю воздух. Я на одном выдохе произношу целые фразы, целые фразы произношу на одном выдохе. Я выдыхаю воздух во время речи плавно одинаково, однородно, абсолютно-спокойно. Во время речи я абсолютно спокоен, как при физическом напряжении все нервы и мышцы во всем теле прочно-спокойны, — так и во время громкой и быстрой речи все нервы и мышцы речевого аппарата прочно спокойны. Во время речи я весь насквозь абсолютно-спокоен, как зеркальная гладь озера.

Я стараюсь полностью подавить-уничтожить все свои сомнения в том, что во время речи я абсолютно спокоен, как зеркальная гладь озера. Я стараюсь во время речи представить себя абсолютно спокойным. Я упорнейшим образом стараюсь представить себя абсолютно-спокойным во время речи. Я стараюсь подавить абсолютно все свои сомнения в том, что во время речи все нервы и мышцы речевых органов абсолютно-спокойны, прочно-спокойны, как при держании растянутой резины я весь насквозь абсолютно-спокоен, так и во время речи все нервы и мышцы речевых органов прочно-спокойны. И я сам весь насквозь во время речи абсолютно-спокоен, как зеркальная гладь озера. Потому-то я и говорю легко-легко, абсолютно-свободно. Потому я и говорю всегда смело-уверенно. Потому что я всегда могу сказать хорошо, легко-легко, абсолютно-свободно. Потому что я безгранично управляю деятельностью всего своего организма. Я безгранично управляю, абсолютно-полностью управляю своими речевыми органами. И всегда, во всякой обстановке я сохраняю полную власть над речевыми органами. Абсолютное управление речевыми органами я сохраняю в любой, самой трудной для меня обстановке.

Я человек смелый, беспредельно уверенный в себе. Моя уверенность в том, что я сохраняю абсолютное управление речевыми органами в любой трудной для меня обстановке. Несокрушимо прочная, эта моя уверенность сильней всего во всей Вселенной. Ничто на свете не может поколебать моей беспредельной уверенности в том, что я в любой трудной обстановке беспредельно управляю своими речевыми органами и всегда могут сказать легко-легко, абсолютно свободно.

Я уменьшаю возбуждение и напряжение речевых органов до такой степени, при которой я говорю абсолютно-свободно, легко-легко. Я стараюсь как можно глубже осмыслить, о чем идет речь. Я беспредельно управляю речевыми органами. Я беспредельно управляю степенью напряжения речевых органов и силой возбуждения и уменьшаю возбуждение, силу напряжения речевых органов до такой нужной степени, до такого нужного уровня, при котором я говорю абсолютно-свободно, легко-легко.

Я человек смелый, беспредельно-уверенный в себе и я твердо знаю, как действительный факт, что я всегда, в любой обстановке могу беспредельно управлять своей речью и говорить легко-легко и быстро, и громко, говорить легко-легко, с минимальным напряжением всех речевых органов, с минимальным возбуждением, которое необходимо для работы речевых органов. И поэтому я теперь всегда буду говорить смело-уверенно.

Головной мозг теперь автоматически сам управляет работой речевых органов и не пропускает в речевые органы ни малейшего лишнего возбуждения. Головной мозг теперь пропускает в речевые органы автоматически самое минимальное возбуждение, которое необходимо для нормальной-свободной-легкой работы речевых органов. Я теперь всегда во всякой обстановке говорю легко-легко, абсолютно свободно. Речевые органы, работая, остаются абсолютно-спокойными.

Все речевые органы, работая, остаются абсолютно-спокойными. Во время речи я сам весь насквозь остаюсь абсолютно-спокойным, как зеркальная гладь озера. Все нервы и мышцы речевых органов во время речи, во время работы речевых органов, остаются абсолютно-спокойны, прочно-спокойны все нервы и мышцы речевых органов во время речи. Начисто подавляю все свои сомнения в том, что я теперь могу легко-легко сказать на одном выдохе целую длинную фразу. Я всегда могу теперь на одном выдохе произносить целые фразы.

Я теперь беспредельно смело вступаю в контакт с любым человеком. Я теперь становлюсь с каждым днем все более и более общительным человеком. У меня хорошая-красивая речь. Меня теперь все люди с удовольствием слушают, и общение с людьми доставляет мне огромное удовольствие.

2.14. Против заикания

Меня ничем не возьмешь, меня ничем не запугаешь. Я всегда могу соразмерить свое речевое усилие и говорить с усилием в десять раз меньше, в сто раз меньше. Если трудная обстановка, я могу сделать еще меньшее речевое усилие и могу наметить практически любой запас прочности. И отсюда-то исходит моя уверенность в том, что я действительно могу сказать совершенно легко, абсолютно свободно. Я могу получить практически любой запас надежности, любой запас прочности хорошего произношения, легкого произношения. И потому, конечно, меня ничем не запугаешь. Я упорнейшим образом учусь говорить с любой частью обычного усилия – с 1/10, с 1/100, с 1/1000. И могу соразмерить свое речевое усилие с той обстановкой, в которой мне надо говорить. И на любую обстановку, и на любую жизненную ситуацию, я могу получить любой, желательный мне запас надежности, запас прочности, легкого, абсолютно легкого произношения. Потому-то я всегда и говорю смело-уверенно. И иду на разговор в любой обстановке, с любым человеком смело-уверенно. Потому-то я беспредельно убежден в том, что я всегда могу сказать хорошо, могу сказать легко-легко, абсолютно-свободно. Потому-то я и не волнуюсь. Другие люди, даже с нормальной речью в обычных условиях, начинают заикаться на экзаменах или в какой-нибудь другой трудной обстановке, потому что они не умеют соразмерить свои усилия, а я умею. Так, у меня еще больше запас надежности, еще больше запас прочности хорошего легкого произношения, по сравнению с обычными здоровыми людьми. И тем более я непоколебимо уверен в том, что я всегда могу сказать легко-легко, абсолютно свободно. Я это твердо знаю, как действительный факт. Я на самом деле всегда могу сказать легко-легко, абсолютно свободно. Потому-то я и иду на речевое общение смело-уверенно, в любой обстановке, с любыми незнакомыми людьми.

Я способен безгранично, практически безгранично управлять степенью своего речевого усилия. И могу говорить практически с любой степенью речевого усилия, с любой степенью речевого напряжения. Таким образом, я могу создать практически любой запас прочности, любой запас надежности, абсолютно легкого, абсолютно свободного произношения. Потому-то я и иду на речевой контакт с людьми смело-уверенно. Я всегда говорю беспредельно смело, беспредельно уверенно в том, что я всегда скажу хорошо-красиво, легко-легко, абсолютно свободно.

У меня хорошая речь. У меня хорошая речь. Меня всегда с удовольствием слушают другие люди. Все мои товарищи знают, что в любой трудной обстановке я могу сказать хорошо. И на занятиях в институте, на всевозможных семинарах я всегда выступаю смело-уверенно. Всегда могу сказать легко-легко, абсолютно свободно. Я действительно человек смелый, твердо, беспредельно твердо уверенный в себе. Я все смею, все могу и ничего не боюсь. Я в любой обстановке беспредельно управляю своей речью. Управляю степенью своего речевого усилия.

Я сейчас стараюсь как можно ярче представить, о чем идет речь.

Я беспредельно управляю степенью своего речевого усилия. Во всякой трудной обстановке я беспредельно управляю степенью своего речевого усилия и потому всегда могу сказать легко-легко, абсолютно свободно. У меня молодые-здоровые нервы. Самые крепкие, самые здоровые нервы в области головы. В области головы самые здоровые, самые прочно-спокойные нервы.

В области глаз молодые нервы – здоровые, прочные-спокойные. В области глаз молодые нервы – здоровы, прочно-спокойны. Глаза – здоровые, спокойные. Глаза – здоровые-спокойные. Все нервы в области головы устойчиво-здоровы, прочно-спокойны.

У меня сильная воля. Я безгранично управляю собой. Я безгранично управляю собой. Я безгранично управляю всей деятельностью своего организма. Я всегда могу говорить с любой степенью речевого усилия, с любой степенью речевого напряжения. С какой степенью речевого усилия хочу говорить, – с такой и говорю. Я беспредельно управляю степенью своего речевого усилия: с какой степенью речевого усилия хочу говорить, – с такой и говорю. Я беспредельно управляю степенью своего речевого усилия. И всегда создаю достаточный запас прочности, запас надежности хорошего произношения. Потому-то я и говорю всегда в жизни в любой обстановке смело-уверенно.

Я человек с безграничными, с абсолютно безграничными речевыми возможностями. Я как хочу, – так и говорю: хочу – громко, хочу – быстро, хочу – с меньшим, хочу – с большим речевым усилием. Всегда имею при этом достаточный запас прочности, надежности хорошего легкого произношения. У меня безграничные речевые возможности. Я стараюсь упорнейшим образом учиться преодолевать абсолютно все свои сомнения в том, что я всегда могу создать нужный, желательный мне запас прочности, запас надежности хорошего произношения. У меня в этом действительно нет ни малейших сомнений.

Я ярко, ярко-твердо представляю себя человеком, который всегда может, во всякой обстановке сказать хорошо, легко-легко, абсолютно свободно. Ведь голосовые связки работают абсолютно свободно, с любой силой, работают абсолютно свободно. Я могу говорить очень громко абсолютно ленивыми губами, абсолютно ленивым языком. Я могу говорить очень громко, очень громко, беспредельно громко. Я могу говорить в полную силу голоса, абсолютно ленивыми губами, абсолютно ленивым языком, с минимальным-ничтожным речевым усилием, с ничтожным напряжением мышц губ и мышц языка. И потому я могу говорить абсолютно свободно громким голосом. И при громкой речи я точно так же, как и при спокойной речи могу создать практически любой желательный, любой желательный запас прочности, запас надежности абсолютно свободного произношения.

Головной мозг пропускает в речевые мышцы минимум возбуждения, пропускает то возбуждение минимальной силы, которое необходимо для абсолютно свободной работы всех речевых органов, языка и губ.

Я стараюсь как можно ярче представить, о чем идет речь. Вот в автомобиле полный бак бензина. Однако в цилиндр поступает все время то минимальное количество, которое может пройти через жиклёр карбюратора. В карбюраторе есть такое прокалиброванное отверстие, которое может пропустить только строго определенное необходимое количество бензина в цилиндр. Вот так и в головном мозгу образуется у меня своего рода "жиклёр", который пропускает в речевые мышцы тот минимум возбуждения, которое необходимо для абсолютно свободной работы речевых мышц и всех речевых органов. Как бы сильно ни был я возбужден, какое бы сильное ни было возбуждение во всей нервной системе, все равно в речевые органы не может пройти более сильное возбуждение, чем то, которое необходимо для абсолютно свободной работы всех речевых органов. Я стараюсь как можно глубже понять и осмыслить этот процесс. Головной мозг управляет силой возбуждения, которое он пропускает в речевые органы. И теперь я могу говорить абсолютно свободно в любой обстановке. Как бы я ни был сам сильно возбужден, головной мозг все равно пропускает в речевые мышцы только минимум возбуждения, которое необходимо для абсолютно свободной, беспредельно свободной речи. Теперь у меня в головном мозгу существует ”жиклёр”, который не пропускает в речевые мышцы возбуждение сильнее того, которое необходимо для минимального напряжения мышц языка и губ, которое необходимо для того минимального напряжения мышц и губ, чтобы я мог говорить. Теперь все мышцы языка и губ могут напрягаться только лишь ничтожно слабо, ничтожно слабо. Головной мозг никогда теперь не пропускает в речевые мышцы более сильного возбуждения, чем то, которое необходимо для абсолютно свободной, беспредельно свободной речи. Я могу быть сам очень возбужден, раздражен, я могу выполнять тяжелейшую физическую работу, поднимать тяжести, переносить тяжесть, выполнять тяжелейшие физические упражнения, а вот в речевые мышцы головной мозг все равно будет пропускать только минимум возбуждения, которое необходимо для абсолютно свободного произношения. Я теперь до конца понял, глубоко осмыслил, что на пути движения нервного возбуждения в речевые органы в головном мозгу есть ”жиклёр”, сквозь который не может пройти более сильное возбуждение, чем то, которое необходимо для абсолютно свободного произношения. Все больше расслабляются язык и губы во время речи. Все больше расслабляются язык и губы во время речи. Во время речи язык и губы полностью расслаблены. И потому говорю легко-легко, абсолютно свободно.

Я стараюсь ярко, твердо запомнить, что я действительно могу говорить легко-легко, абсолютно свободно. Я в этом уже убедился на практике. Головной мозг теперь пропускает в мышцы губ и языка только 1/10 часть той силы возбуждения, которое необходимо для абсолютно свободного произношения. Таким образом, у меня теперь существует десятикратный запас прочности, десятикратный запас надежности свободного произношения. И потому я теперь твердо знаю, что в любой обстановке я могу говорить смело-уверенно,

так как твердо знаю, что речь будет абсолютно свободной, легкой-легкой, абсолютно свободной. Теперь головной мозг сам автоматически не пропускает в речевые мышцы возбуждение сильней того, которое необходимо для абсолютно свободного произношения. И
потому я теперь о речи, о том, как теперь сказать, могу
не думать. Теперь речевой механизм у меня работает
автоматически, — помимо моего сознания. Точно так
же, как автоматически работают ноги, когда я иду.
Ведь я не думаю, в какой последовательности и как
переставлять ноги, и как переносить центр тяжести
тела при ходьбе. Также автоматически я всегда буду
говорить. Ведь не думаю как идти, я только думаю,
куда мне надо идти. Так и в речи. Я теперь буду думать о том, что мне надо сказать. А как говорить — это
мозг сам все делает автоматически, — помимо моего
сознания. И потому теперь я это твердо усвоил и
никогда не буду больше думать о том, как сказать. Головной мозг теперь автоматически сам правильно и с
большой надежностью управляет всеми речевыми органами. И потому теперь я говорю всегда легко-легко,
абсолютно свободно. И начинаю говорить всегда легко-легко. Я твердо знаю, что я всегда могу сказать хо-
рошо-легко-свободно. У меня большой запас прочности, надежности хорошей речи. И потому я всегда говорю смело-уверенно. И начинаю говорить смело-уверенно. Я к речи отношусь также, как к ходьбе, как к
самой обычной деятельности, которая не представляет для меня абсолютно никаких трудностей. Потому я
и начинаю говорить абсолютно спокойно. Я начинаю
говорить абсолютно спокойно. Начинаю говорить я
всегда смело-уверенно, абсолютно спокойно. Я всегда
начинаю говорить ленивыми губами. Я стараюсь как
можно ярче представить начало речи ленивыми губами. Я стараюсь твердо помнить, что начинаю говорить
ленивыми губами, ленивым языком. Начинаю говорить легко; когда меня, например, зовут к телефону,
так я начинаю говорить так же легко, как начинаю
ходьбу. Для меня совершенно все равно, что идти к телефону, что говорить по телефону. Одинаково нет ни-

каких трудностей ни в ходьбе, ни в речи. Начинаю говорить легко-легко. Начинаю говорить абсолютно спокойно. Я стараюсь это всегда ярко твердо помнить. Начинаю говорить я всегда абсолютно спокойно. При начале речи я весь насквозь абсолютно спокоен, как зеркальная гладь озера. В начале речи все мышцы языка и губ расслаблены. В начале речи все мышцы языка и губ расслаблены. Начинаю говорить ленивыми губами. Начинаю говорить ленивым языком. В начале речи я абсолютно спокоен, безмятежно спокоен. Начинаю говорить всегда смело-уверенно. Я твердо знаю, что я начну говорить легко-легко, абсолютно легко. Я твердо знаю, что я начну говорить легко-легко, абсолютно легко. Я твердо знаю, что в начале своей речи я абсолютно спокоен. Я стараюсь как можно отчетливей почувствовать себя абсолютно спокойным в начале речи. Я стараюсь сейчас как можно отчетливей почувствовать, что я в начале речи абсолютно спокоен, как зеркальная гладь озера. Я начинаю говорить ленивыми губами, начинаю говорить ленивыми губами. Говорю легко-легко. Начинаю говорить легко-легко. В начале речи я абсолютно спокоен. В начале речи я абсолютно спокоен. В начале речи я абсолютно спокоен. Спокойно-спокойно, абсолютно спокойно начинаю говорить. Спокойно-спокойно, абсолютно спокойно начинаю говорить. Спокойно-спокойно, абсолютно спокойно начинаю говорить. Стараюсь сейчас как можно ярче представить себя абсолютно спокойным в начале речи. Я все ярче и отчетливей представляю себя человеком с безграничными речевыми возможностями. Прежде чем начать говорить, я сам себе скажу: "Спокойно-спокойно, абсолютно спокойно. Ленивые губы. Ленивый язык. Спокойно-спокойно. Абсолютно спокойно. Ленивые губы. Ленивый язык. Спокойно-спокойно. Абсолютно спокойно. Ленивые губы". И после этого начинаю говорить легко-легко, абсолютно спокойно.

Я упорнейшим образом стараюсь начисто подавлять абсолютно все свои сомнения в том, что в начале речи я абсолютно спокоен. Совершенно спокоен. Я упорнейшим образом учусь начисто подавлять абсолютно все свои сомнения в том, что я в начале речи абсолютно спокоен, весь насквозь абсолютно спокоен, как зеркальная гладь озера. Я стараюсь как можно ярче представить себя абсолютно спокойным в начале речи. Я стараюсь как можно отчетливей почувствовать себя абсолютно спокойным в начале речи. Я стараюсь как можно глубже понять и до конца осмыслить, что этот рабочий, речевой настрой, который я сейчас так упорно стараюсь усвоить — пронизывает всю мою жизнь. Он входит в жизнь и заполняет собой всю жизнь.

2.15. На долголетнюю женскую красоту
(первый вариант)

Я настраиваюсь на энергичную веселую молодую жизнь: и сейчас и через тридцать лет, и через сто лет я буду веселой, несокрушимо здоровой прекрасной красавицей. Вся долголетняя энергичная веселая молодая жизнь у меня впереди. Я настраиваюсь на воспитание своего новорожденного ребенка. Человек, окрыленный идеей оздоровления-долголетия, превосходит своей мощью все болезни, все стихии естества, всесильную судьбу, полностью выздоравливает, здоровеет-крепнет, становится долголетним, несокрушимо здоровым. Я настраиваюсь на сохранение способности к деторождению и сейчас и через тридцать лет, и через сто лет. Я настраиваюсь на постоянное-энергичное развитие всех своих способностей и сейчас и через тридцать лет, и через сто лет.

Я отчетливо чувствую, что здоровею-крепну, наполняюсь несокрушимо-крепким здоровьем и это наполняет меня радостью жизни. В меня вливаются радостные силы, радостью-весельем я вся наполняюсь. В моих глазах всегда горит неугасимый веселый огонек, солнечная радость жизни наполняет и душу и тело. Я с каждым мгновением становлюсь веселей, веселей-жизнерадостней. На моем лице всегда веселая весенняя улыбка, во мне всегда цветет-цветет весна, в меня вливается безмятежная-безоблачная юность, я вся наполняюсь безмятежным блаженством и счастьем.

194

Во всем теле огромная энергия бьет ключом, все внутренние органы работают энергично-весело, моя походка веселая-веселая, быстрая, иду – птицей на крыльях лечу, ярко чувствую свои молодые силы.

В мою психику, во все мои нервы вливается стальная крепость, стальная крепость, стальная крепость вливается в мою психику, во все мои нервы, я становлюсь несокрушимо устойчивой в жизни, мое веселое настроение несокрушимо-прочное. В меня вливаются могучие-несокрушимые духовные силы. Я навсегда-навечно родилась человеком смелым, твердо уверенным в себе, я все смею, все могу и ничего не боюсь. Я твердо знаю, как действительный факт, что, если все трудности обрушатся на меня сразу, им все равно не сокрушить моей могучей воли и потому я смотрю миру в лицо, ничего не боясь, и среди всех житейских ураганов и бурь непоколебимо стою, как скала, о которую все сокрушается.

Неприступный замок женского превосходства светится в моих глазах, царственная гордость светится в моих глазах, царственное величие светится в моих глазах, торжествующая сила молодости светится в моих глазах, торжество несокрушимо крепкого здоровья светится в моих глазах, восторг счастливой молодости светится в моих глазах. Я вся наполнилась счастьем-блаженством, радостью жизни.

И через тридцать лет, и через сто лет я буду молодой-веселой, несокрушимо здоровой прекрасной красавицей. Каждый прожитый день увеличивает продолжительность моей будущей жизни, я живу по закону: чем старше – тем моложе.

2.16. На долголетнюю женскую красоту
(второй вариант)

Вновь родившаяся, новая-новая здоровая новорожденная жизнь наполняет мою голову, все мое тело. Вновь родившаяся новая-новая здоровая новорожденная жизнь наполняет мою голову, все мое тело. Новорожденная жизнь всю меня обновляет, всю меня

новую рождает, новорожденно-молодую, новорожденно-юную прекрасную красавицу.

Вся голова полностью обновляется, вся голова моя
новая рождается: новорожденно-юная, новорожденно-
юная, первозданно-красивая, первозданно-свежая.
Бурно-бурно развивающаяся новорожденная жизнь
наполняет всю насквозь мою голову. Энергия развития, развития, развития, новорожденной жизни энергия развития наполняет всю мою голову. Огромная-
колоссальная сила вливается в мою голову. С каждой
секундой голова становится сильней-энергичнее,
сильней-энергичней. С каждым днем увеличивается
моя умственная работоспособность. Я работаю целый
день напролет со свежими силами, с огромной энергией. Я работаю целый день напролет со свежими силами, с огромной энергией. Я работаю целый день напролет со свежими силами, с огромной энергией. После
целого дня работы я человек свежий-бодрый-энергич-
ный. После целого дня работы я человек бодрый,
бодрый-свежий-энергичный.

Новорожденная жизнь рождает новорожденно-густые, предельно-густые крепкие волосы. Новорожденная жизнь рождает новорожденно-густые, предельно-густые, крепкие волосы.

Новорожденная жизнь всю мою голову обновляет,
всю мою голову новую рождает, первозданно-красивую, первозданно-свежую.

Новорожденная жизнь вливается в мои глаза. Новорожденная жизнь рождает яркие-яркие, яркие-яркие,
новорожденно-юные прекрасные глаза. Новорожденная жизнь рождает яркие-яркие, сияющие-сияющие,
новорожденно-юные прекрасные глаза. Белки моих
глаз, белки моих глаз быстро-быстро светлеют, светлеют белки моих глаз. Белки моих глаз рождаются ярко-
светлые, ярко-светлые, как снег под яркими лучами
солнца. Рождаются ярко-светлые, ярко-светлые белки
моих прекрасных глаз. Белки моих глаз быстро-быстро
светлеют, быстро светлеют, рождаются яркие-яркие,
сияющие-сияющие новорожденно-юные прекрасные
глаза, волевые-умные, волевые-умные глаза. Непри-

196

ступный замок женского превосходства светится в моих глазах. Неприступный замок женского превосходства светится в моих глазах. Царственное величие, царственная гордость светятся в моих глазах. Волевые умные глаза.

Вновь родившаяся: новая, новая здоровая, новорожденная жизнь вливается в мое лицо. Вновь родившаяся новая, новая здоровая новорожденная жизнь вливается в мое лицо. Новорожденная жизнь рождает новое, новорожденно-молодое, новорожденно-юное прекрасное лицо. Все лицо наполняется ровным розовым цветом. Здоровый румянец во все щеки разгорается все ярче. Под глазами мое лицо рождается новорожденно-полное, новорожденно-полное, белоснежно-светлое, белоснежно-чистое, розовое румяное лицо под глазами. Ярко-красный, ярко-красный цвет вливается в мои губы. Энергия развития, энергия развития, новорожденной жизни энергия развития вливается в мои губы. Мои губы рождаются ярко-красные, как маки. Рождается красивый, четкий рисунок губ. Губы красивые, как резные. Губы красивые, как резные. Ярко красный, ярко красный цвет вливается в мои губы. Ярко красный, ярко красный цвет вливается в мои губы. Мои губы рождаются ярко красные, как маки. Быстро-быстро краснеют-краснеют мои губы. Мои губы рождаются ярко красные, как маки. Как у ребенка, мои губы ярко красные, как маки. Все лицо наполнилось ровным розовым цветом. Новорожденная жизнь вливается в мое лицо. Все мое лицо быстро светлеет, все лицо рождается белоснежно-светлое, белоснежно-чистое, розовое-румяное. Новорожденная жизнь меня рождает прекрасной бело-розовой красавицей. Новорожденная жизнь меня рождает прекрасной бело-розовой красавицей. Монолитная девичья крепость вливается в мое лицо. Монолитная девичья крепость вливается в мое лицо. Все лицо разгладилось, окрепло. Все лицо рождается гладкое, ровное-гладкое, гладкое-полированное. Новорожденная жизнь меня рождает прекрасной бело-розовой красавицей.

В тело горла-груди, в тело горла-груди, в тело горла-груди вливается вновь родившаяся новая-новая, здоровая новорожденная жизнь вливается в тело горла-груди. Новорожденная жизнь все тело в области горла-груди рождает новое, новое-здоровое, новорожденно-свежее, новорожденно-свежее, новорожденно-юное прекрасное девичье тело. В области горла-груди вся кожа рождается новорожденно-свежая, толстая здоровая гладкая кожа. В области горла-груди кожа с телом крепко спаяна. В области горла-груди кожа с телом – сплошная монолитная крепость. В области горла-груди кожа с телом – сплошная монолитная крепость. В области горла-груди все тело рождается белоснежно-светлое, белоснежно-чистое румяное, белоснежно-светлое, белоснежно-чистое, как сметана, розовое-румяное прекрасное тело.

Вновь родившаяся новая новорожденная жизнь вливается в мою грудь. Новорожденная жизнь рождает новорожденно-свежую, новорожденно-свежую здоровую, новорожденно-свежую здоровую грудь.

Новорожденная жизнь вливается во все мое юное тело. Все тело наливается монолитной девичьей крепостью. Все лицо, все тело рождается белоснежно-светлое, белоснежно-чистое, розовое-румяное. Новорожденная жизнь меня рождает прекрасной бело-розовой красавицей.

В головной-спинной мозг, во все мои нервы вливается вновь родившаяся новая, новая новорожденная жизнь. Огромная-колоссальная сила новорожденной жизни вливается в головной-спинной мозг, во все мои нервы. Новорожденная жизнь рождает мою нервную систему крепкую-здоровую. Новорожденная жизнь рождает нервную систему огромной-колоссальной силы. Здоровеют-крепнут молодые нервы.

В нервы плеч-рук вливается здоровая стальная крепость. От темени до кончиков пальцев рук, ног здоровеют-крепнут мои нервы. Я рождаюсь человеком с крепкими нервами. Я рождаюсь человеком с крепкими нервами.

2.17. На женскую нежность

Бурно-бурно развивающаяся новорожденная жизнь вливается в мою голову, колоссальная животворящая сила вливается в мои чувства, колоссальная энергия развития вливается в мои чувства, бурно-бурно развиваются мои чувства, быстро-энергично развиваются мои чувства, колоссальная сила жизни вливается в мои чувства, с каждым днем усиливаются мои чувства, с каждым днем увеличивается потребность в мужской ласке-в половой жизни.

Бурно-бурно развивающаяся новорожденная жизнь вливается в половые органы, животворящая новорожденная жизнь рождает энергичную-сильную половую систему, быстро усиливаются половые чувства, с каждым днем сильней становится половое возбуждение, от малейшей мужской ласки мгновенно возникает сильнейшее половое возбуждение.

В половые железы-яичники вливается колоссальная животворящая сила, колоссальная сила жизни вливается в половые железы-яичники, колоссальная энергия развития-энергия развития вливается в половые железы-яичники. С каждой секундой усиливаются-активизируются, работают все более энергично-все более энергично работают половые железы-яичники. Яичники работают веселей-энергичней-веселей-энергичней, вырабатывают все больше-все больше гормонов-биостимуляторов, которые активизируют головной-спинной мозг, все системы организма. Все системы организма работают веселей-энергичней, все тело живет веселей-энергичней, колоссальная сила жизни вливается в мое тело. Животворящая новорожденная жизнь вливается в половые железы-яичники, новорожденная жизнь животворит-животворит-животворит: рождает энергичные-сильные, энергичные-сильные нетронутые яичники. Огромная-колоссальная сила жизни вливается в яичники, колоссальная энергия вливается в яичники.

Животворящая новорожденная жизнь вливается в матку, новорожденная жизнь животворит-животворит-

животворит: рождает новорожденно-юную девичью нетронутую матку. Рождается несокрушимо сильная, несокрушимо-крепкая девичья матка. В нервы матки вливается стальная крепость-стальная крепость-стальная крепость вливается в нервы матки.

Во всех половых органах здоровеют-крепнут, здоровеют-крепнут, здоровеют-крепнут нервы. В нервы половых органов, в нервы-в нервы-в нервы-стальная крепость-стальная крепость-стальная крепость вливается в нервы половых органов. В нервы влагалища вливается стальная крепость-стальная крепость-стальная крепость вливается в нервы влагалища, рождает узкое-крепкое сильное влагалище.

Животворящая новорожденная жизнь вливается во влагалище, новорожденная жизнь животворит-животворит-животворит: рождает новорожденно-юное девичье узкое-сильное-крепкое влагалище. Во время полового акта влагалище с большой-с огромной силой сжимает-сдавливает член, сжимает-сдавливает член. Узкое-сильное-крепкое влагалище. Бурно-бурно развивающаяся новорожденная животворящая новорожденная жизнь вливается в мышцы влагалища. Быстро-энергично развиваются мышцы влагалища. Новорожденная жизнь животворит-животворит-животворит: рождает бурно-быстро-энергично развивающиеся мышцы влагалища, рождает сильно развитые сильные-мощные мышцы влагалища. Во время полового акта мышцы влагалища с большой-с огромной силой сдавливают-сжимают-сдавливают член.

С каждым движением члена усиливается-усиливается-усиливается половое возбуждение. В конце полового акта рождается сильное-бурное-бурное половое возбуждение, в конце полового акта я вся горю огнем в сильнейшем половом возбуждении.

Я настраиваюсь на ежедневную-ежедневную энергичную-энергичную половую жизнь и сейчас и через десять лет, и через тридцать лет, и в сто лет. И через десять лет, и через тридцать лет, и через пятьдесят лет у меня будут рождаться здоровые крепкие долголетние дети. Я настраиваюсь на воспитание многих поколений своего потомства до взрослого состояния, я настраиваюсь на энергичную здоровую веселую молодость сквозь многие поколения своего потомства. И через тридцать лет, и через пятьдесят лет я буду молодая-юная прекрасная красавица.

Половой акт приносит мне большое-величайшее наслаждение, порождает у меня прилив энергии и вдохновение. После полового акта прекрасное самочувствие, веселое настроение, после полового акта вся душа поет от счастья, от радости жизни.

Я очень люблю мужскую ласку, мужская ласка мне приносит огромное наслаждение. Я очень люблю любовные игры со своим любимым мужем. Мне очень нравится, когда мы голенькие в постели, я так люблю поиграть-поласкаться со своим любимым. Мне очень-очень приятно от его прикосновения, мне очень приятно, когда он нежно погладит мои груди. Мне очень приятно его прикосновение к соскам, очень приятно, когда он целует соски. Я люблю, когда он погладит нежно мой живот. От его прикосновения к половым органам у меня возникает сильнейшее половое возбуждение. Мне очень-очень приятно, когда он пальцами раздвинет половые губы и прикоснется пальцем к клитору, нежно-нежно легким прикосновением погладит клитор. От такой ласки я вся погружаюсь в море нежности-счастья и забываю весь мир. Я очень люблю, чтобы любимый погладил половые органы, погладил низ живота, бедра. Любовные игры мне так приятны, что не описать никакими словами. Так изумительно хорошо, когда любимый введет свой пальчик в талисманчик, — я про себя так называю влагалище, — нежно-нежно помассирует клитор, нежно-нежно погладит всю область половых органов. Я тогда на вершине блаженства и счастья.

Я сама очень люблю нежно-нежно ласкать своего любимого, мне очень приятно погладить его волосы, погладить щеки, нежно-нежно его поцеловать, а в губы ввести свой язычок поглубже. А рукой нежно-нежно ласкать ему яички, мальчика, — я так в своих мыслях называю половой член, — взять мальчика

201

нежно в кулачок и двигать кулачок по головке мальчика взад-вперед, а потом по всей длине мальчика, сначала медленно, потом быстрей. Я так люблю погладить ему всю область половых органов. Мне это доставляет неизъяснимое наслаждение, а любимому так хорошо-хорошо.

Я бы всю ночь напролет без конца наслаждалась любовными играми. Мне иногда хочется встать на четвереньки, чтобы любимый ввел свой мальчик в меня – в талисманчик, погладил бы руками всю спинку, взял бы меня руками за плечи и прижал к себе крепко-крепко. И мне так хорошо-хорошо. То мне хочется лечь на спину, чтобы мой любимый меня всю приласкал, поцеловал, ввел бы в талисманчик свой мальчик. Каждое движение мальчика мне изумительно приятно, с каждым движением любимого усиливается половое возбуждение, я все забываю, я вся погружаюсь в море блаженства и счастья. Мне нравится, когда я лежу на боку, а любимый введет в меня мальчика и нежно-нежно меня ласкает. Когда мальчик твердый, я очень люблю сесть на него и подвигать тазом вперед-назад, а потом силой ног вертикально вверх-вниз подвигаться, когда мальчик во мне. Мне так и хочется находить все новые и новые любовные игры и без конца забавляться со своим любимым.

Я настраиваюсь на любовные игры и сейчас, и через десять лет, и через тридцать лет, и через пятьдесят лет, и в сто лет. И в сто лет я буду жить ежедневной-ежедневной энергичной половой жизнью, и в сто лет я буду молодой-веселой-несокрушимо здоровой прекрасной красавицей.

2.18. На долголетнюю мужскую красоту

Вновь родившаяся: новая-новая здоровая новорожденная жизнь вливается в мою голову, во все мое тело. Вновь родившаяся: новая-новая здоровая новорожденная жизнь вливается в мою голову, во все мое тело. Огромной-колоссальной силы новорожденная жизнь вливается в мою голову, во все мое тело. Новорожденная жизнь всего меня обновляет, всего меня нового рождает. Новорожденная жизнь сейчас-сейчас меня рождает новорожденно-молодым, первозданно здоровым – несокрушимо здоровым человеком.

В головной-спинной мозг, в головной-спинной мозг, во все мои нервы вливается вновь родившаяся новая-новая здоровая новорожденная жизнь. Новорожденная жизнь вливается в головной-спинной мозг, во все мои нервы. Огромная-колоссальная сила жизни вливается в головной-спинной мозг, во все мои нервы. Здоровеет-крепнет вся моя нервная система. Вся моя нервная система рождается энергичная-сильная. Быстро-энергично развивается вся нервная система.

Бурно-бурно развивающаяся новорожденная жизнь вливается в головной-спинной мозг. Быстро-энергично, бурно-бурно развивающаяся новорожденная жизнь вливается в головной-спинной мозг. Новорожденное быстрое развитие, новорожденное развитие вливается в головной-спинной мозг. Весь головной-спинной мозг насквозь наполняется новорожденным развитием. Новорожденная жизнь сечас-сейчас рождает головной-спинной мозг новорожденно-развивающимся, быстро-энергично развивающимся. Быстрое-энергичное развитие, новорожденное быстрое развитие вливается в мою голову. Бурное-бурное новорожденное развитие всю насквозь наполняет мою голову. Быстрое-энергичное, бурное-бурное новорожденное развитие весь насквозь наполняет головной мозг. Весь головной мозг сейчас-сейчас рождается новорожденно-развивающийся, быстро-быстро-энергично развивающийся, бурно-бурно развивающийся головной мозг. Новорожденная жизнь рождает быстро-энергично развивающиеся, бурно-бурно развивающиеся умственные способности. Новорожденная жизнь рождает энергичное-энергичное быстрое-быстрое, как молния, мышление. С каждой секундой усиливается память. Рождается яркая-сильная-крепкая память. Рождается прочное-устойчивое внимание. Я могу часами напролет, целый день напролет сосредоточенно работать над одной проблемой. Рождается яркое-яркое-энергичное творческое воображение. Все мои способности энергично-быстро, бурно-бурно развиваются. Все мои способности быстро-бурно-бурно развиваются.

Огромная колоссальная сила жизни вливается в передние-в передние: лобные доли мозга вливается бурно-бурно развивающаяся новорожденная жизнь. Огромная-колоссальная сила жизни вливается в передние: лобные доли головного мозга. С каждой секундой лобные доли мозга становятся сильней-энергичней, сильней-энергичней. С каждой секундой передние лобные доли мозга становятся сильней-энергичней, сильней-энергичней. Колоссальная сила жизни вливается в передние лобные доли головного мозга. С каждой секундой усиливается-усиливается воля. Быстро развивается способность к волевым усилиям. Быстро-энергично развивается способность к самооздоровлению, к самоомоложению. Я могу часами напролет усваивать настрой на долголетнюю здоровую молодость. Быстро-энергично развивается способность к самоуправлению, к самоомоложению.

Человек, окрыленный идеей долголетия-оздоровления превосходит своей мощью всесильную судьбу, превосходит своей мощью все стихии естества, все болезни и действительно и в сто лет будет молодой-веселый-несокрушимо здоровый.

С каждой секундой усиливается воля. Я становлюсь смелей-решительней-уверенней в себе. В меня вливается могучая несокрушимая духовная сила. В меня вливается могучая несокрушимая духовная сила. Я сейчас рождаюсь человеком смелым-твердо уверенным в себе. Я все смею, все могу и ничего не боюсь. Я могу действительно стать молодым-здоровым и в сто лет быть молодым-здоровым человеком.

Новорожденная жизнь рождает энергичные-сильные мозговые механизмы воли. В нервные мозговые механизмы воли вливается огромная-колоссальная сила, вливается огромная-колоссальная энергия. Энергия развития, новорожденное бурное развитие вливается в нервные механизмы воли. С каждой секундой воля становится сильней. Я отчетливо чувствую, что если все трудности обрушатся на меня сразу, им все равно не сокрушить моей могучей воли. И потому я смотрю миру в лицо, ничего не боясь. Среди всех житейских ураганов и бурь я непоколебимо стою, как скала, о которую все сокрушается.

Я становлюсь смелей-решительней-уверенней в себе. Я вижу себя, как человека бурно развивающегося. Как человека, возможности которого непрерывно-с каждым днем быстро возрастают. И те задачи восстановления молодости, которые мне казались трудными, сечас уже кажутся мне вполне посильными. Мои возможности непрерывно возрастают. Я здоровею-крепну, становлюсь моложе.

Бурно-бурно, бурно-энергично развивающаяся новорожденная жизнь вливается в мою голову, во все мое тело. Новорожденная жизнь сейчас-сейчас рождает внутри меня здоровую-энергичную молодость в столетнем возрасте. Новорожденная жизнь сейчас-сейчас рождает внутри меня новую долголетнюю-долголетнюю здоровую наследственность. Я стараюсь это до конца понять, до конца осмыслить. Вновь родившаяся: новая-новая, здоровая новорожденная жизнь, огромной колоссальной силы новорожденная жизнь наполняет мою голову, все мое тело. Новорожденная жизнь сейчас-сейчас рождает во мне, внутри меня рождает новую здоровую долголетнюю-долголетнюю наследственность. Новорожденная жизнь сейчас-сейчас превращает меня в человека новорожденно-молодого, новорожденно-юного. Новорожденная жизнь меня полностью обновляет. Новорожденная жизнь меня сейчас рождает бурно-бурно развивающимся, новорожденно-молодым, несокрушимо здоровым богатырем могучего телосложения.

Весь головной мозг насквозь наполняется огромной колоссальной силой жизни. Весь головной мозг наполняется новорожденным бурным-энергичным-быстрым-бурным развитием. Новорожденное развитие, новорожденное бурное развитие наполнило весь мой головной мозг. С каждой секундой головной мозг становится сильней-энергичней, сильней-энергичней.

С каждой секундой головной мозг становится сильней-энергичней. С каждым днем увеличивается моя умственная работоспособность. Я работаю целый день напролет со свежими силами, с огромной энергией. Я работаю целый день напролет со свежими силами, с огромной энергией. А после целого дня работы я – человек бодрый свежий энергичный. В меня вливается огромная-неиссякаемая энергия новорожденной юности. В меня вливается огромная-неиссякаемая энергия новорожденной юности.

В головной-спинной мозг, во все мои нервы, во все мои мышцы вливается огромной колоссальной силы бурно-бурно развивающаяся новорожденная жизнь. Новорожденная жизнь рождает всю мою нервно-мышечную систему быстро-энергично развивающейся. Бурно-бурно развивающаяся новорожденная жизнь сейчас-сейчас вливается во все мои мышцы. Бурно-бурно развивающаяся новорожденная жизнь сейчас-сейчас вливается во все мышцы моих ног. Во все мышцы плеч, рук, во все мышцы моего туловища вливается быстро-энергично развивающаяся новорожденная жизнь. Новорожденная жизнь сейчас-сейчас рождает все мои мышцы быстро-энергично развивающиеся. Новорожденная жизнь сейчас-сейчас все мои мышцы рождает новорожденно-бурно-развивающиеся. Новорожденно-бурное-быстрое-энергичное-бурное развитие вливается во все мои мышцы. Новорожденная жизнь сейчас-сейчас рождает новорожденно-юные, быстро-энергично развивающиеся мышцы. Я стараюсь это до конца понять, до конца осмыслить. Бурно-бурно развивающаяся новорожденная жизнь наполнила все мои мышцы. Новорожденная жизнь сечас-сейчас рождает новорожденно-развивающиеся, быстро-энергично развивающиеся мышцы, новорожденно-юные, новорожденно-юные, быстро-энергично, бурно-бурно развивающиеся мышцы. Во все мои нервы, во все мои мышцы вливается бурно развивающаяся новорожденная жизнь. В головной-спинной мозг, во все нервы, все мышцы моих ног вливается бурное новорожденное бурное развитие. В головной-спинной мозг, во все

206

нервы, во все мышцы моих ног вливается бурное-бурное энергичное новорожденное развитие. Новорожденная жизнь сейчас-сейчас рождает все мышцы моих ног, сейчас рождает новорожденно-юные, бурно-бурно развивающиеся мышцы. Сейчас-сейчас быстро-энергично бурно-бурно развиваются мышцы моих ног. В мышцах ног здоровеют-крепнут нервы. А голова днем и ночью все более энергично – все более энергично активизирует-активизирует развитие мышц в моих ногах. Каждую секунду в моих ногах рождаются новые здоровые силы. С каждой секундой мои ноги становятся сильней. С каждой секундой мои ноги становятся сильней. Я стараюсь это до конца понять, до конца осмыслить. Голова днем и ночью, постоянно активизирует-активизирует развитие мышц в моих ногах. Каждую секунду в моих ногах рождаются новые-новые здоровые силы. С каждой секундой мои ноги становятся сильней. Богатырская сила рождается в моих ногах. Новорожденная жизнь сейчас-сейчас рождает богатырски сильные неутомимые ноги. Новорожденная жизнь сейчас-сейчас рождает богатырски сильные неутомимые ноги. Новорожденная жизнь рождает быструю-сильную-энергичную походку. Рождается легкая-быстрая-веселая походка. Сейчас-сейчас рождается легкая-быстрая-веселая походка. Иду – птицей на крыльях лечу. Иду – птицей на крыльях лечу. Шаг легкий-широкий. Шаг легкий-широкий. Ноги легкие, как пушиночки. Шаг легкий-свободный. Богатырская сила рождается в моих ногах. Новорожденная жизнь сейчас-сейчас рождает богатырски-сильные, богатырски-сильные неутомимые ноги. Новорожденная сила сейчас-сейчас рождает легкую-быструю-веселую походку. Иду – птицей на крыльях лечу. Шаг легкий-широкий. Ноги легкие, как пушиночки. Все мое молодое сильное тело легкое-легкое-легкое, как пушинка. Голова легкая-легкая, легкая-светлая. Голова легкая-невесомая, легкая-светлая. Иду – птицей на крыльях лечу, ярко чувствую свою удаль молодецкую, ярко чувствую свою силу богатырскую. Ярко чувствую свою удаль молодецкую, ярко чувствую свою силу богатырскую. Богатырская молодость рождается в моих плечах. Богатырская сила рождается в моих плечах-в моих руках. Богатырская сила рождается в моих ногах. Во всем моем молодом здоровом теле рождается могучая несокрушимая богатырская сила. Новорожденная жизнь сейчас-сейчас рождает меня новорожденно-молодым бурно развивающимся богатырем могучего телосложения.

Быстро-быстро-бурно развиваются все мои мышцы. Во всем теле рождается красивый рельеф сильно развитых мышц. Рождается красивый рельеф сильно развитых мышц моих ног. Рождаются стройные мускулистые богатырски сильные ноги. Рождается специфическое мужское телосложение. Новорожденная жизнь рождает быстро-энергично развивающиеся мышцы. На всем теле рождается красивый рельеф сильно развитых мышц. На всем теле рождается красивый рельеф сильно развитых мышц. Рождается красивая стройная мужская фигура. Весь ненавистный мне жир в области живота, сверху на мышцах живота, внутри брюшной полости, весь этот ненавистный мне жир быстро сгорает-сгорает под колоссальной силой жизни. Весь этот ненавистный мне жир в области живота быстро сгорает-сгорает до полного исчезновения. Весь этот ненавистный мне жир в области живота быстро сгорает-сгорает до полного исчезновения. Я ненавижу этот жир, отягчающий мою фигуру, портящий мою прекрасную фигуру. Этот жир я ненавижу сильнейшей лютой злобной ненавистью. Под колоссальной силой жизни весь этот ненавистный мне жир в области живота быстро сгорает-сгорает-сгорает до полного исчезновения. Рождается тощий-тощий-сильный несокрушимо сильный тощий живот, рождается тонкая красивая молодая талия. Рождается стройная новорожденно-молодая прекрасная фигура. Новорожденная жизнь сейчас-сейчас рождает меня новорожденно-юным богатырем могучего телосложения, бурно-бурно развивающимся богатырем могучего телосложения.

Я с каждой секундой здоровею-крепну, становлюсь моложе. Конец моей будущей жизни все дальше, все дальше уходит в будущие годы. Моя жизнь, передвигаясь в будущее, непрерывно удлиняется-удлиняется. Каждый прожитый день на много-много дней увеличивает-увеличивает продолжительность моей будущей жизни. Я живу по закону: чем старше – тем моложе. Я живу по закону – чем старше, тем моложе. Дата моего рождения, убыстряясь, движется вперед сквозь прошлые годы, стремится в тысяча девятьсот семидесятый год. Новорожденная жизнь старается родить меня новорожденно-юным семнадцатилетним бурно-развивающимся богатырем могучего телосложения. Дата моего рождения непрерывно изменяется. Дата моего рождения, убыстряясь, движется вперед сквозь прошлые годы. Я становлюсь с каждой секундой моложе, здоровею-крепну. Каждый прожитый день на много-много дней увеличивает продолжительность моей будущей жизни. Я живу по закону: чем старше – тем моложе. И в сто лет я буду молодой-веселый, молодой-веселый, несокрушимо здоровый.

Бурно-бурно развивающаяся новорожденная жизнь всю насквозь наполнила мою голову. Новорожденная жизнь сейчас-сейчас рождает голову новую-новую здоровую крепкую неутомимую голову. Новорожденная жизнь сейчас-сейчас рождает новорожденно-юную, первозданно-свежую первозданно-красивую прекрасную голову.

Быстрая черная новорожденная краска навсегда вливается в мои волосы. Быстро-быстро чернеют-чернеют мои волосы. На голове все волосы, все как один, рождаются по всей длине: от корней до кончиков черные-черные, как смоль густые волосы. Быстро чернеют волосы на висках. Быстро чернеют волосы впереди над лбом. На всей большой первозданной площади волосистой части головы навсегда рождаются черные-черные, как смоль, густые волосы.

Новорожденная жизнь вливается в мое лицо. Вновь родившаяся новая-новая здоровая новорожденная жизнь вливается в мое лицо. Новорожденная жизнь рождает новорожденно-молодое, новорожденно-юное прекрасное лицо. Свежесть молодости – свежесть юности рождается в моем лице. Прелесть молодости – прелесть юности рождается в моем лице. Все лицо разгладилось, помолодело. Я улыбнулся жизни. Монолитная крепость юности вливается в мое лицо. Монолитная крепость юности вливается в мое лицо. Все лицо разгладилось окрепло. Все лицо наполняется ровным-ровным розовым цветом. Под глазами мое лицо рождается новорожденно-полное, новорожденно-свежее, новорожденно-полное, розовое-румяное. Все лицо наполнилось ровным розовым цветом. Здоровый молодой румянец во все щеки разгорается все ярче. Здоровый-здоровый молодой румянец во все щеки разгорается все ярче. Ярко красный-ярко красный цвет вливается в мои губы. Ярко красный-ярко красный цвет вливается в мои губы. Быстро-быстро краснеют-краснеют-краснеют мои губы. Быстро-быстро краснеют-краснеют мои губы. Мои губы навсегда рождаются ярко-красные, как маки. Как у ребенка, мои губы ярко красные, как маки. Как у ребенка, мои губы ярко красные, как маки. Новорожденная жизнь рождает новорожденно-молодое, новорожденно-юное прекрасное лицо.

В задние: затылочные доли головного мозга вливается бурно-бурно развивающаяся новорожденная жизнь. Новорожденное развитие – бурное новорожденное развитие вливается в задние: затылочные доли головного мозга. Колоссальная сила жизни вливается в задние: затылочные доли головного мозга. Колоссальная сила жизни вливается в задние: затылочные доли головного мозга. С каждой секундой задние затылочные доли головного мозга становятся сильней-энергичней, сильней-энергичней. С каждой секундой задние: затылочные доли головного мозга становятся сильней-энергичней, сильней-энергичней. Колоссальная сила жизни вливается в задние: затылочные доли головного мозга. Новорожденная жизнь сейчас-сейчас рождает задние: затылочные доли мозга энергичные-сильные, энергичные-сильные. Рождается энергичное-сильное, энергичное-сильное, идеально правильное зрение. Рождается энергично-сильное, энергично-сильное, идеально правильное зрение. Рождается взгляд большой-огромной силы, как луч солнца. Рождается взгляд большой-огромной силы, как луч солнца. Ни один человек не может твердо смотреть в мои глаза. Ни один человек не может твердо смотреть в мои глаза. Мой взгляд такой силы, как луч солнца. Новорожденная жизнь рождает сильные-сильные неутомимые глаза. Я могу читать книжный текст целый день напролет – в области глаз легко-спокойно, легко-спокойно. Новорожденная жизнь рождает сильные-сильные неутомимые глаза. Новорожденная жизнь рождает идеально правильное зрение. Я без очков и близко и далеко вижу все одинаково ярко-одинаково отчетливо. В зрительные нервы вливается стальная крепость, стальная крепость вливается в зрительные нервы. Бурно-бурно развивающаяся новорожденная жизнь вливается в мои глаза. Новорожденная жизнь рождает яркие-яркие, сияющие-сияющие, новорожденно-молодые, новорожденно-юные прекрасные глаза. Белки моих глаз быстро-быстро светлеют. Белки моих глаз рождаются ярко светлые-ярко светлые: как снег под яркими лучами солнца. Рождаются яркие-яркие лучистые блестящие глаза. Волевые умные глаза. Вся мудрость жизни светится в моих глазах. Глубокий ум светится в моих глазах. Огромная сила духа светится в моих глазах, и эту силу чувствуют во мне все люди, которые приходят со мной в соприкосновение. И эту силу духа чувствуют во мне все люди, которые приходят со мной в соприкосновение. Торжествующая сила молодости светится в моих глазах. Торжествующая радость жизни светится в моих глазах. Неугасимый-неугасимый веселый огонек всегда горит в моих глазах.

Новорожденная жизнь наполняет всю насквозь мою голову. Новорожденная жизнь рождает быстро-энергично развивающиеся сильные чувства. Новорожденная жизнь рождает сейчас-сейчас рождает быстро-энергично-бурно-бурно развивающиеся сильные чувства. Я с каждой секундой становлюсь веселей-веселей, веселей-жизнерадостней. Вся душа поет от счастья, от радости жизни. Все тело живет веселой-радостной, веселой-радостной здоровой жизнью. Все тело живет веселой-радостной здоровой-здоровой молодой счастливой жизнью. Радость-веселье вливаются в сердце. Радость-веселье вливаются в сердце. Рождается веселое-веселое радостное сердце, веселое-веселое счастливое сердце, веселое-веселое хохочущее сердце. Вся душа поет от счастья, от радости жизни. Я с каждой секундой становлюсь веселей-веселей-веселей-веселей-жизнерадостней. Вся душа поет от счастья, от радости жизни. Я становлюсь веселей-веселей-жизнерадостней. Все тело живет веселой-радостной счстливой жизнью. Все тело живет веселой-радостной-энергичной-радостной здоровой жизнью. Неугасимый веселый огонек всегда горит в моих глазах. И в сто лет я буду молодой-молодой-веселый несокрушимо здоровый.

2.19. От импотенции

Я становлюсь в десять раз, в сто раз сильней всех противодействующих сил жизни. Я все ярче чувствую, что все противодействующие силы против меня абсолютно бессильны. Я буду упорнейшим образом омолаживать себя, настраивать себя на все более и более долголетнюю жизнь; теперь я живу по закону: чем старше – тем моложе, в том смысле, что каждый прожитый день увеличивает продолжительность моей будущей жизни.

Когда я говорю о себе, я с огромной, все побеждающей силой подавляю, подавляю абсолютно все сомнения в том, что говорю и каким бы фантастическим ни казался мне настрой, я со всей силой своей личности стараюсь как можно ярче и отчетливей представить себе реализованным в жизни то, о чем говорю. Когда я говорю о себе, весь организм мобилизует все свои безграничные возможности для полной реализации моих желаний, для полной реализации содержания настроя. И потому все, что я говорю, действительно происходит и происходит роковым образом, с железной необходимостью по законам причины и следствия.

Когда я усваиваю полезный для омоложения настрой, по законам материализации настроя неизбежно, роковым образом в организме происходят нужные мне изменения. И потому действительно все осуществляется, как в сказке "По щучьему велению". Роковым образом, с железной необходимостью все происходит точно так, как я говорю. И потому я действительно все могу.

Я – человек беспредельно уверенный в себе, в своих возможностях. Я все могу. С огромной, все побеждающей силой подавляю абсолютно все сомнения в том, что я все могу, в том что все в действительности будет точно так, как я говорю.

Сейчас я проведу сеанс самоуравления с целью усиления мужской силы, активизации деятельности половых желез, укрепления всех нервных механизмов полового акта. И сейчас весь организм мобилизует все свои безграничные возможности и с огромной мощностью работает для осуществления всего того, что я буду говорить.

Все кровеносные сосуды во всем теле от темени до кончиков пальцев рук и ног навсегда расширяются, навсегда раскрываются равномерно по всей длине. Во всем теле свободное, абсолютно свободное кровообращение. И в костном мозгу, во всех костях тела все кровеносные сосуды полностью раскрылись по всей своей длине. Я стараюсь как можно ярче представить, о чем идет речь.

Внутри костей – в костном мозгу все кровеносные сосуды полностью раскрылись по всей длине. В костном мозгу во всех костях тела свободное, абсолютно свободное кровообращение. И мое молодое здоровое сильное сердце с огромной силой гонит кровь по всему телу и внутри костного мозга во всех костях тела кровь вечным, быстрым непрерывным потоком течет и промывает костный мозг, и несет каждой клетке костного мозга в избытке полноценное питание и омолаживает костный мозг. Непрерывно днем и ночью молодеет костный мозг, восстанавливает первозданную юную свежесть и работает все более и более энергично. Во всех костях тела костный мозг оживает. В костном мозгу во всех костях тела рождается юная энергично быстро развивающаяся жизнь. Костный мозг работает все более и более энергично. Непрерывно днем и ночью молодеет костный мозг, наполняется все новой и новой юной энергией и вырабатывает все более энергичную кровь, наполненную все большей и большей жизненной силой, все большей и большей жизненной энергией. Во всех костях тела костный мозг вырабатывает все большее и большее число эритроцитов. Непрерывно увеличивается в крови количество гемоглобина. Образно говоря, костный мозг вырабатывает все более и более горячую-юную здоровую кровь. Идет непрерывное-вечное омолаживание костного мозга и омоложение крови. А моя, вечно молодеющая, юная здоровая кровь вечным-быстрым непрерывным потоком течет по всем кровеносным сосудам моего тела и непрерывно омолаживает все кровеносные сосуды и само сердце. Кровь непрерывно начисто промывает все кровеносные сосуды, смывает с внутренних стенок кровеносных сосудов все отложения солей, все продукты обмена, непрерывно восстанавливает первозданную чистоту кровеносных сосудов. Поэтому все кровеносные сосуды от темени до кончиков пальцев рук и ног вечно-постоянно первозданно чистые, эластичные, упругие, гладкие, ровные, как у здорового ребенка. Все кровеносные сосуды от темени до кончиков пальцев рук вечно полностью открыты по всей своей длине. И внутри самого сердца все кровеносные сосуды полностью раскрыты по всей своей длине. И моя вечно молодеющая, вечно юная здоровая кровь свободным, абсолютным свободным полным потоком течет по кровеносным сосудам внутри сердца и постоянно-вечно начисто промывает сердце, и несет сердцу в избытке полноценное питание и омолаживает сердце, восстанавливает первозданную юную свежесть сердца. В моем сердце рождается юная энергично-быстро развивающаяся жизнь. В моем сердце рождаются все новые и новые юные силы. Все мышцы сердца молодеют, восстанавливают огромную первозданную юную силу. Все тело становится крепким-упругим, а сердце становится боле звонким. Мышцы сердца восстанавливают первозданную юную свежесть, молодеют; становятся более звонкими и поэтому тоны сердца ясные, чистые, нормальной высоты, нормальной громкости, как у юного 17-летнего человека.

Я стараюсь как можно ярче представить, о чем идет речь. Молодеет, здоровеет сердце.

Сердце первозданной юной свежести. Все мышцы сердца юные звонкие. Тоны сердца ясные, чистые, нормальной высоты, нормальной громкости. Тоны сердца ясные, чистые, нормальной высоты, нормальной громкости. Здоровеет-крепнет сердце.

Здоровый румянец во все щеки с каждым днем становится все ярче и ярче. Молодеет кровь и омолаживает головной-спинной мозг. Все кровеносные сосуды внутри головного-спинного мозга вечно-постоянно полностью открыты по всей длине. Внутри головного-спинного мозга вечно свободное, абсолютно свободное-полное кровообращение. И моя вечно молодеющая здоровая юная кровь вечным быстрым непрерывным потоком свободно течет по всем кровеносным сосудам внутри головного-спинного мозга, начисто промывает головной-спинной мозг. Усиливает все нервные клетки головного-спинного мозга и наполняет из все большей и большей юной энергией. В головном-спинном мозгу рождается юная энергично-быстро развивающаяся жизнь. Все нервные клетки головного-спинного мозга увеличивают свои энергетические ресурсы, увеличивают свои энергетические запасы: с каждой секундой возрастает устойчивость нервной системы.

Все быстрей-энергичней развиваются мои умственные и физические способности. Увеличивается умственная и физическая работоспособность. Здоровеют, крепнут нервы. Я становлюсь в жизни все более и более устойчивым человеком. С каждым днем моя воля становится сильней. С каждым днем крепнут мои духовные силы, здоровеют мои нервы. Крепнут-здоровеют мои нервы. Все нервы устойчиво здоровы, прочно спокойны. Непрерывно увеличивается запас прочности спокойствия всех нервов и мышц. Нервы крепкие-стальные. Мышцы крепкие-стальные. Сильная воля и твердый характер. Я абсолютно владею собой и беспредельно управляю своим организмом. Головной-спинной мозг усиливается, работает все более и более энергично, все более энергично со все большей и большей силой управляет жизнью тела. Меня вечно омолаживает юная здоровая кровь. Меня вечно омолаживает юная здоровая кровь. Меня непрерывно омолаживает молодеющий головной-спинной мозг. Головной-спинной мозг со все большей и большей силой все более и более энергично управляет жизнью тела, как в юные 17 лет. Все тело оживает: все системы организма работают все более и более энергично. Все внутренние органы работают энергично-радостно, с молодецкой удалью. Все тело оживает, я весь оживаю.

Непрерывно повышается интенсивность деятельности, интенсивность жизни всего организма. Головной-спинной мозг все более и более энергично управляет работой всех желез внутренней секреции: управляет работой щитовидной железы, паращитовидных желез, надпочечников, эпифиза, гипофиза и половых желез. Головной-спинной мозг все более и более энергично со все большей и большей силой управляет работой всех желез внутренней секреции. И под интенсивной деятельностью головного-спинного мозга активизируются все железы внутренней секреции. Все железы внутренней секреции вырабатывают все бо́льшее и бо́льшее количество гормонов, которые активизируют жизнь всего тела.

Головной-спинной мозг все более и более энергично управляет работой половых желез – яичек. С каждой минутой, с каждой секундой яички работают все более и более энергично, вырабатывают все большее и большее количество спермы. Яички все время переполнены спермой. С каждым днем, с каждым часом увеличивается потребность в половой жизни, усиливается половое возбуждение. Достаточно мне хоть мельком взглянуть на голую женщину, как сразу же возникает сильнейшее половое возбуждение и половой член становится твердым, как кость.

Увеличивается устойчивость всей нервной системы. Здоровеют-крепнут нервы. Здоровеют-крепнут-усиливаются все нервные механизмы полового акта. Все нервные механизмы твердости полового члена с каждым часом, с каждой минутой становятся все более и более сильными. Нервные механизмы твердости полового члена продолжают энергично работать сквозь многократные извержения спермы. Я могу совершить подряд 2–3 половых акта с извержением спермы, не выходя из женщины, и половой член продолжает оставаться твердым, как кость, твердым, как гвоздь. С каждой минутой здоровеют-крепнут нервные механизмы твердости полового члена. С каждой минутой здоровеют-крепнут-усиливаются все механизмы твердости полового члена. Я стараюсь как можно ярче представить, о чем идет речь. Сквозь 2–3 половых акта подряд половой член остается твердым, как кость, твердым, как гвоздь. С каждым днем при половом возбуждении половой член становится все более и более твердым. С каждым днем при половом возбуждении половой член становится все более и более твердым. Все нервные клетки головного-спинного мозга непрерывно днем и ночью увеличивают свои энергетические ресурсы, повышается устойчивость нервной системы. Здоровеют-крепнут-усиливаются все нервные механизмы полового акта. Здоровеют, крепнут-усиливаются все нервные механизмы полового акта.

Для извержения спермы необходимо активное-длительное движение полового члена в женских половых органах не менее, чем в течение 15 минут. Я стараюсь как можно ярче представить, о чем идет речь. Для извержения спермы необходимо активное движение полового члена в женских половых органах не менее, чем в течение 15 минут. Никакими другими способами невозможно добиться извержения спермы. Ни при каких других способах невозможно получить извержение спермы. Для извержения спермы необходимо активное длительное движение полового члена в женских половых органах в течение 15 минут.

Крепнут мои духовные силы, здоровеют мои нервы. Крепнут-усиливаются все нервные механизмы полового акта. Все более активно работают половые железы-яички, вырабатывают все большее и большее количество спермы.

Мне необходимо совершить минимум 2–3 половых акта в сутки. При желании я могу совершить 2–3 половых акта подряд с извержением спермы, не выходя из женщины. Я при желании могу совершить 2–3 половых акта подряд с извержением спермы, не выходя из женщины. Крепнут мои духовные силы, здоровеют мои нервы, увеличивается потребность в половой жизни. С каждым днем увеличивается потребность в половой жизни.

Весь организм настраивается на сохранение способности к активной половой жизни, к деторождению в течение долгих десятилетий до ста лет и больше, в течение долгих столетий до трехсот лет и больше. Я стараюсь как можно ярче представить, о чем идет речь. Весь мой организм настраивается на сохранение способности к активной половой жизни, к деторождению в течение долгих десятилетий до ста лет и больше, в течение долгих столетий до 300 лет и больше.

И потому у меня и сейчас и через десять лет, и через пятьдесят лет, и через сто лет будут рождаться здоровые-крепкие долголетние дети. И через пятьдесят и через сто лет у меня будут рождаться здоровые-крепкие долголетние дети. Сковозь многочисленные поколения собственного потомства я буду продолжать здороветь, молодеть и крепнуть. Сквозь многочисленные поколения собственного потомства я буду продолжать молодеть, здороветь и крепнуть. И каждый день буду рождаться еще более здоровым, еще более крепким-молодым-юным 17-летним человеком.

Я прилагаю все силы, чтобы подавить абсолютно все сомнения в том, что сейчас материализуется усваиваемый мной настрой. Весь организм действительно сейчас мобилизует все свои безграничные резервы для усиления половой системы, для укрепления нервных механизмов полового акта, для усиления деятельности половых желез-яичек. И потому сейчас вся половая система усиливается. Вся половая система усиливается, восстанавливает первозданную юную силу. В половой системе сейчас рождается юная, энергично развивающаяся жизнь. Все половые органы сейчас энергично-быстро восстанавливают первозданную юную силу, огромную юную энергию. Вся половая система наполняется энергией юного весеннего солнца. Вся половая система наполняется энергией юного весеннего апрельского солнца. В половой системе рождается энергично-быстро развивающаяся новорожденная молодость.

Головной-спинной мозг все более и более энергично правильно, как в юные 17 лет, управляет работой половых органов, работой всей половой системы. Вся половая система здоровеет-крепнет, усиливается, восстанавливает первозданную юную силу и наполняется все новыми и новыми юными силами, все новой и новой энергией юности.

С каждым днем увеличивается потребность в половой жизни. С каждым днем усиливается половое возбуждение. Достаточно хоть мельком одним глазом взглянуть на голую женщину, как половой член сразу становится твердым, как кость, твердым, как гвоздь, сразу возникает сильнейшее половое возбуждение. Сквозь многочисленные извержения спермы половой член остается твердым, как кость, твердым, как гвоздь. Я стараюсь как можно ярче представить, о чем идет речь. Колоссальной силой, колоссальной устойчивостью обладают нервные механизмы твердости полового члена. Сквозь многочисленные извержения спермы половой член остается твердым, как гвоздь, твердым, как кость остается половой член сквозь многочисленные извержения спермы.

Головной-спинной мозг все более и более энергично, со все большей и большей силой правильно, как в юные 17 лет, управляет работой половой системы, работой половых желез. Активизируются половые железы: яички все больше и больше вырабатывают спермы. Половые железы вырабатывают все большее и большее количество гормонов, которые активизируют жизнь всего тела и омолаживают тело, приводят меня в полное соответствие с юным 17-летним возрастом. Я каждый день заново рождаюсь все более прекрасным, все более здоровым и крепким, юным 17-летним человеком. Я весь оживаю. Половые железы вырабатывают все большее и большее количество гормонов, которые активизируют жизнь всего тела.

Весь организм восстанавливает первозданную юную силу. Все железы внутренней секреции вырабатывают все большее и большее количество гормонов, которые активизируют рост волос на голове. На всей большой первозданной площади волосистой части головы непрерывно зарождаются, как в эмбриональном периоде, и энергично-радостно растут все новые и новые волосы. Весь организм с огромной мощностью работает для восстановления колоссального первозданного числа волос на голове. На руках, на ногах, на туловище все волосы вянут-исчезают. Вся энергия роста волос со всего тела идет в кожу волосистой части головы. И на всей большой первозданной площади волосистой части головы непрерывно зарождаются, энергично-радостно растут все новые и новые волосы. Волос на голове становится все больше и больше. И этот процесс идет постоянно-непрерывно днем и ночью. И потому и через тридцать и через пятьдесят, и через сто лет у меня будут густые-густые, крепкие-крепкие волосы. Все волосы постоянно-непрерывно восстанавливают свой красивый природный цвет: моя вечно молодеющая юная кровь несет все большее и большее количество природной краски всем волосам на голове. А костный мозг во всех костях тела вырабатывает все больше и больше природной краски для волос на голове. Этот процесс также идет постоянно-непрерывно днем и ночью и будет продолжаться целые столетия. И потому и через пятьдесят и через сто лет у меня на голове будут красивые густые-густые волосы природного цвета. И через пятьдесят и через сто лет волосы на голове будут иметь красивый природный цвет. Волосы на голове густые-густые, крепкие-крепкие. А головной-спинной мозг все более и более энергично управляет работой всех желез внутренней секреции. Я стараюсь как можно ярче представить, о чем идет речь. Головной-спинной мозг продолжает все более и более энергично управлять работой желез внутренней секреции. Все железы внутренней секреции работают все более и более энергично, во всех железах внутренней секреции рождается юная энергично-быстро развивающаяся жизнь. Во всех железах внутренней секреции рождается энергия солнца. Рождаются все новые и новые юные силы. Все железы внутренней секреции наполняются энергией юного весеннего солнца. И все железы внутренней секреции вырабатывают все большее и большее количество гормонов, которые активизируют жизнь всего тела, всех внутренних органов. И все тело оживает. Я весь оживаю. Все внутренние органы работают все более и более энергично-радостно.

Под интенсивной деятельностью организма весь жир во всем теле: и на мышцах живота, и внутри брюшной полости, во всем туловище, и в руках, и в бедрах сгорает-исчезает, как снег стаивает под жарким солнцем. Я стараюсь как можно ярче представить, о чем идет речь. Под интенсивной деятельностью организма весь жир в теле стаивает, как снег стаивает под жарким солнцем. Фигура становится все более красивой. Широкие плечи, развитая грудная клетка, а талия тонкая. Голова полная, щеки округлые-полные, как на кукле, с красивым здоровым румянцем. Талия тонкая, резко впалый тощий юный живот. Тонкая юная талия, красивая стройная фигура. Весь организм настраивается на сохранение красивого мужского телосложения в течение долгих десятилетий до ста лет и больше, в течение долгих столетий до трехсот лет и больше. И потому и через пятьдесят лет и через сто лет у меня будет красивая стройная юная фигура, как у людей бывает только в 17 юных лет. Я стараюсь как можно ярче представить, о чем идет речь. Красивая юная стройная фигура у меня будет и через тридцать и через пятьдесят, и через сто лет. Весь организм настраивается на сохранение красивой стройной тонкой юной 17-летней фигуры в течение долгих десятилетий до ста лет и больше, в течение долгих столетий до трехсот лет и больше.

Все мышцы продолжают энергично-быстро развиваться. Непрерывно увеличивается объем мышц.

Половые железы вырабатывают все большее и большее количество гормонов, которые активизируют развитие всей мускулатуры тела. С каждым часом, с каждой минутой увеличивается объем всех мышц тела. Все мышцы тела наполняются все новыми и новыми юными силами. С каждой секундой вся мускулатура тела все быстрее и быстрее развивается и рельеф мышц на всем теле становится все более и более красивым. Все телосложение приобретает красивую мужскую форму. Красивый рельеф мышц на всем теле, развитая грудная клетка, сильно развитые мышцы. Вся мускулатура тела продолжает энергично-быстро развиваться. И этот процесс будет идти постоянно-непрерывно днем и ночью. Весь организм настраивается на сохранение сильно развитой мускулатуры в течение долгих десятилетий до ста лет и больше, в течение долгих столетий до трехсот лет и больше.

Все мои умственные и физические способности будут продолжать энергично-быстро развиваться. Непрерывно будет увеличиваться моя умственная и физическая работоспособность. С каждым днем я буду продолжать становиться человеком все более энергичным, все более и более сильным, все более и более устойчивым в жизни. Крепнут мои духовные силы, здоровеют мои нервы. Все тело становится все более и более крепким-упругим, как из сплошной резины: не ущипнешь, в складку не соберешь. Костный мозг во всех костях тела вырабатывает все более юную, все более горячую кровь, вырабатывает все большее и большее количество эритроцитов. С каждым днем губы становятся все более и более ярко красными, как маки. С каждым днем здоровый румянец во все щеки становится все ярче и ярче.

Белки глаз ярко светлые-блестящие. Красивые волевые-умные глаза. Лицо первозданной юной свежести. Все тело крепкое-упругое, как в юные 17 лет.

Все, что я сейчас сказал, сейчас реализуется головным-спинным мозгом и всеми системами организма. Сейчас весь организм мобилизует все свои безграничные резервы для полного-точного-быстрого исполнения всего того, что я сказал. И потому все обязательно, неизбежно, с железной необходимостью будет именно так, как я сказал. Я буду продолжать здороветь, молодеть и крепнуть сквозь все трудности и невзгоды жизни в течение долгих десятилетий до ста лет и больше, в течение долгих столетий до трехсот лет и больше.

В будущем я вижу долголетнюю счастливую-радостную жизнь. И это наполняет все мое существо радостью жизни. Во мне рождается юная жизнь. И это наполняет меня радостным-победным торжеством юной жизни. И потому я с каждым днем становлюсь человеком все более и более веселым, все более устойчивым; непоколебимо устойчивым становится мое прекрасное жизнерадостное настроение и хорошее самочувствие.

Все тело становится легким-невесомым. Походка легкая-быстрая. Хожу, как на крыльях летаю, не чувствуя тяжести тела. Я все ярче и отчетливей чувствую, как я весь наполняюсь энергией юного весеннего солнца, энергией весеннего доброго апрельского солнца. Я весь оживаю, все клетки тела живут и дышат легко-свободно. Все тело живет здоровой полнокровной жизнью. Весь организм настраивается на сохранение способности к активной половой жизни, к деторождению в течение долгих десятилетий до ста лет и больше, в течение долгих столетий до трехсот лет и больше.

Я ярко, отчетливо чувствую, как я весь наполняюсь юными силами, все новой и новой энергией. Я с каждым днем буду продолжать молодеть, здороветь и крепнуть в течение долгих десятилетий до ста лет и больше, до трехсот лет и больше. Я теперь убедился в том, что я действительно все могу. Мои возможности абсолютно безграничны. Я могу очень быстро усвоить нужный мне для омоложения настрой, который сразу же материализуется по закону материализации настроя.

И поэтому все действительно происходит так, как я говорю. Все осуществляется в жизни, все реализуется, как в сказке "По-щучьему велению". И поэтому я дествительно все могу. Я – человек смелый, твердо уверенный в себе. Я все смею, все могу и ничего не боюсь. Мои возможности действительно безграничны.

2.20. На мужскую силу

В меня вливается огромная-колоссальная новорожденная сила, сила-сила новорожденная вливается в мою голову, во все мое тело. В мою голову, во все мои внутренние органы вливается огромная-колоссальная новорожденная сила. Голова рождается энергичная-сильная, все внутренние органы работают веселей-энергичней, веселей-энергичней.

Новорожденного развития колоссальная энергия, энергия развития вливается в мою голову, во все мои внутренние органы, меня наполняет колоссальная энергия развития, новорожденное бурное развитие наполняет меня всего без остатка.

Я с каждой секундой становлюсь веселей-энергичней, в меня вливается колоссальная неиссякаемая энергия развития.

Бурно-бурно развивающаяся новорожденная жизнь всего меня наполняет, во мне, внутри меня рождает новую здоровую долголетнюю-долголетнюю наследственность. Новорожденная жизнь всего меня нового рождает долголетнего здорового энергичного-неутомимого. Новорожденная жизнь сейчас-сейчас рождает во мне энергичную молодость в столетнем возрасте. Новорожденная жизнь рождает меня новорожденно-

224

молодым в столетнем возрасте. Я с каждой секундой здоровею-крепну, становлюсь моложе, с каждым днем увеличивается продолжительность моей будущей жизни, конец моей будущей жизни все дальше-все дальше уходит в будущие годы. Я живу по закону: чем старше – тем моложе, каждый прожитый день на много-много дней увеличивает продолжительность будущей жизни. Моя жизнь, передвигаясь в будущее, непрерывно удлиняется-удлиняется-удлиняется.

Человек, окрыленный идеей оздоровления, превосходит своей мощью все стихии естества, всесильную судьбу, все болезни и потому может усилить все физиологические функции, победить все болезни, жить энергичной-молодой-здоровой-радостной-счастливой жизнью.

Дата моего рождения, убыстряясь, движется вперед сквозь прошлые годы, стремясь в 1973 год. Новорожденная жизнь всего меня наполняет, постоянно омолаживает, стремится родить меня семнадцатилетним новорожденным здоровым юношей. Я с каждой секундой здоровею-крепну, становлюсь моложе. В меня вливается колоссальная неиссякаемая энергия новорожденной юности. Я с каждым днем становлюсь веселей-энергичней.

Бурно-бурно развивающаяся новорожденная жизнь вливается в мою голову, быстро-быстро-энергично развивающаяся новорожденная жизнь вливается в мою голову, новорожденная жизнь рождает новую: молодую-здоровую крепкую голову, новорожденная жизнь рождает новые здоровые веселые мысли, новорожденная жизнь рождает молодые здоровые веселые мысли.

Быстро-энергично развивающаяся новорожденная жизнь вливается в мою голову, новорожденная жизнь рождает быстро-бурно развивающиеся умственные способности. С каждой секундой активизируется мое мышление, рождается быстрое-быстрое-энергичное мышление, рождается быстрое, как молния, энергичное мышление, я становлюсь быстро-мгновенно сообразительным человеком.

Быстро-энергично развивается моя память, рождается яркая-сильная-крепкая память. С каждым днем я все быстрей запоминаю все, что мне нужно в жизни и работе. Рождается легкое-быстрое воспоминание всего, что мне нужно в жизни и работе. Я быстро-мгновенно вспоминаю все, что мне нужно. С каждой секундой усиливается моя память, рождается яркая-сильная-крепкая память. С каждым днем я все быстрей и ярче запоминаю все, что мне нужно.

Рождается яркое-энергичное творческое воображение.

Я с каждой секундой становлюсь все более внимательным человеком, рождается сильное устойчивое внимание.

Быстро усиливается самоконтроль, рождается постоянный несокрушимый самоконтроль, я постоянно-непрерывно контролирую каждое свое движение и потому всегда твердо знаю, что сделано и что еще остается сделать для полного выполнения поставленной задачи.

Все мои музыкальные способности быстро развиваются, с каждой секундой усиливается слух, с каждой секундой я слышу все лучше и лучше, рождается острый музыкальный слух, рождается яркая музыкальная память; достаточно мне один раз прослушать сложное музыкальное произведение, как я сразу же ярко запоминаю его во всех подробностях.

И через десять лет, и через тридцать лет все мои способности будут продолжать быстро-энергично развиваться. Новорожденная жизнь рождает быстро развивающиеся гениальные способности.

Бурно-бурно развивающаяся новорожденная жизнь вливается в передние: лобные доли головного мозга, огромная-колоссальная энергия развития вливается в передние: лобные доли головного мозга, в меня вливается могучая-несокрушимая духовная сила, я становлюсь смелей-решительней-уверенней в себе. Огромная сила духа светится в моих глазах и эту силу чувствуют во мне все люди, которые приходят со мной в соприкосновение. Быстро усиливается моя воля, крепнет характер. Царственная гордость светится в моих глазах, царственное величие светится в моих глазах, торжествующая сила молодости светится в моих глазах.

Я рождаюсь человеком смелым, твердо уверенным в себе, я все смею, все могу и ничего не боюсь. Я твердо знаю, как действительный факт, что, если все трудности жизни обрушатся на меня сразу – неожиданно, им все равно не сокрушить моей могучей воли. И потому я смотрю миру в лицо, ничего не боясь, и среди всех житейских ураганов и бурь непоколебимо стою, как скала, о которую все сокрушается.

Новорожденная жизнь вливается в мою голову, новорожденная жизнь рождает быстро развивающиеся сильные чувства. Я с каждой секундой становлюсь веселей-веселей, веселей-жизнерадостней. Неугасимый веселый огонек всегда горит в моих глазах, солнечная радость жизни светится в моих глазах, солнечная светлая улыбка на моем лице, светлая весенная улыбка на моем лице. Радость-веселье вливаются в сердце, рождается веселое-веселое радостное сердце, веселое-веселое счастливое сердце. Вся душа поет от счастья, от радости жизни, все тело живет веселой радостной здоровой жизнью. Моя походка веселая-веселая-легкая-быстрая, иду – птицей на крыльях лечу, ярко чувствую свою удаль молодецкую, ярко чувствую свою силу богатырскую. Я счастлив и силен, свободен и молод.

Быстро-быстро энергично развивающаяся новорожденная жизнь вливается в задние: затылочные доли головного мозга. Колоссальная энергия развития вливается в задние доли головного мозга. Задние: затылочные доли мозга становятся сильней-энергичней, сильней-энергичней. Задние доли головного мозга рождаются огромной-колоссальной силы. Новорожденная жизнь рождает идеально правильное зрение огромной-колоссальной силы. И близко и далеко я все вижу одинаково ярко-отчетливо. С каждой секундой усиливается зрение, с каждой секундой я вижу все лучше и лучше, рождается идеально правильное зрение огромной колоссальной силы. С каждой секундой я вижу все лучше и лучше. В зрительные нервы вливается стальная крепость-стальная крепость-стальная крепость вливается в зрительные нервы. Рождается яркое-сильное-энергичное зрение.

Огромной-колоссальной силы новорожденная жизнь вливается в мои глаза. Новорожденная жизнь рождает яркие-яркие сияющие новорожденно-юные лучистые-блестящие глаза. Белки моих глаз быстро светлеют-светлеют-светлеют, белки моих глаз рождаются ярко светлые-ярко светлые: как снег под яркими лучами солнца. Огромная-колоссальная энергия развития вливается в мои глаза. Рождаются энергичные-сильные неутомимые глаза. Я могу целый день напролет читать текст: в области глаз легко-спокойно. Рождаются сильные неутомимые глаза. Рождается взгляд такой силы, как луч солнца: ни один человек не может твердо смотреть в мои глаза.

Огромной-колоссальной силы новорожденная жизнь вливается в боковые: височные доли головного мозга. Колоссальная энергия развития вливается в височные доли головного мозга. С каждой секундой височные доли мозга становятся сильней-энергичней, сильней-энергичней. В органы слуха вливается колоссальная энергия развития, с каждой секундой я слышу все лучше и лучше, с каждой секундой расширяется диапазон слышимых мной звуков: с каждой секундой я слышу все более и более высокие звуки, с каждой секундой я слышу все более и более низкие звуки. Рождается новорожденно-юный энергичный-сильный слух. Рождается острый музыкальный слух, рождается абсолютный музыкальный слух. В слуховые нервы вливается стальная крепость-стальная крепость-стальная крепость. Здоровеют-крепнут слуховые нервы.

В кожу волосистой части головы вливается бурно-бурно развивающаяся новорожденная жизнь, вливается колоссальная энергия развития. В кожу волосистой части головы вливается колоссальная энергия зарождения волос, зарождаются новорожденно-густые, предельно густые волосы. На всей большой первозданной площади волосистой части головы рождаются новорожденно-густые, предельно густые, стеной стоящие вьющиеся-курчавые крепкие красивые шелковистые волосы. Каждую секунду зарождаются все новые и новые десятки-сотни волос, каждую секунду зарождаются все новые и новые отряды волос. С каждой секундой волос на голове становится все больше и больше, с каждой секундой волосы на голове становятся все гуще и гуще. На всей большой первозданной площади волосистой части головы рождаются одинаково густые, предельно густые волосы.

В кожу головы – в волосы вливается колоссальная сила жизни. Рождается энергичная-сильная здоровая кожа, рождаются крепкие здоровые густые волосы. Энергия развития – энергия развития вливается в волосы, колоссальная сила жизни вливается в волосы: здоровеют-крепнут, здоровеют-крепнут молодые волосы.

Новорожденная жизнь рождает новорожденно-юную первозданно красивую прекрасную голову.

Бурно-бурно развивающаяся новорожденная жизнь вливается в мои волосы, быстрая-быстрая черная, как смоль, новорожденная краска вливается в мои волосы, быстро чернеют-чернеют-чернеют мои волосы. На голове все волосы, как один, рождаются черные-черные-черные, как смоль, густые волосы. Быстрая черная новорожденная краска наполняет волосы по всей длине от корней до кончиков. На голове все волосы по всей длине от корней до кончиков рождаются черные-черные, черные, как смоль.

Быстро-быстро чернеют-чернеют-чернеют волосы на висках. Новорожденная быстрая черная, как смоль, новорожденная краска вливается в волосы на висках. Черная, как смоль, новорожденная краска наполняет волосы на висках по всей длине: от корней до кончиков. На висках все волосы, все, как один, навсегда рождаются черные-черные. На висках оживает кожа, оживают волосы. В области висков здоровеют-крепнут молодые нервы. В тело в области висков вливается колоссальной силы новорожденная жизнь.

В волосы впереди над лбом вливается огромной-колоссальной силы новорожденная жизнь. Колоссальная энергия развития вливается в волосы впереди над лбом. Быстрая черная новорожденная краска вливается в волосы впереди над лбом. Быстро-быстро чернеют-чернеют-чернеют волосы впереди над лбом. Быстрая черная новорожденная краска по всей длине: от корней до кончиков наполняет волосы впереди над лбом. Впереди над лбом быстро чернеют волосы по всей длине: от корней до кончиков. Впереди над лбом волосы все, как один, навсегда рождаются черные-черные, черные, как смоль, густые волосы.

В темя, в область макушки вливается огромной-колоссальной силы быстро-энергично развивающаяся новорожденная жизнь. В области макушки весь головной мозг насквозь рождается новорожденно-быстро-быстро развивающийся, в области макушки все тело оживает, оживает кожа, оживают волосы, в области макушки здоровеют-крепнут нервы. В кожу в области макушки вливается колоссальная новорожденная энергия зарождения волос, в области макушки сейчас-сейчас быстро-быстро зарождаются новорожденно-густые-предельно густые волосы, на макушке быстро-весело растут стеной стоящие крепкие волосы. Колоссальная энергия жизни вливается в макушку. В области макушки оживает кожа, оживают волосы, зарождаются все новые и новые отряды волос, в области макушки волос становится все больше и больше, в области макушки волосы становятся все гуще и гуще.

Огромной-колоссальной силы новорожденная жизнь вливается в мое лицо. Новорожденная жизнь быстро-быстро навсегда рождает новорожденно-юное прекрасное лицо. Свежесть юности рождается в моем лице, прелесть юности рождается в моем лице, радостная свежесть юности рождается в моем лице. Все лицо наполнилось ровным розовым цветом. Веселый-радостный румянец во все щеки разгорается все ярче-все ярче. Под глазами мое лицо рождается розово-румяное. Под глазами мое лицо рождается новорожденно-полное, новорожденно-полное. Под глазами мое лицо рождается новорожденно-крепкое, новорожденно-крепкое, ярко розовое-румяное.

Ярко красный-ярко красный цвет вливается в мои губы, колоссальная энергия развития вливается в мои губы, быстро-быстро краснеют-краснеют-краснеют мои губы. Мои губы сейчас-сейчас навсегда рождаются ярко красные-ярко красные, как маки, как у ребенка, мои губы ярко красные, как маки.

Колоссальная энергия развития – энергия развития вливается в мое лицо, монолитная крепость юности вливается в мое лицо. Все лицо разгладилось-окрепло. Новорожденная жизнь навсегда рождает новорожденно-юное первозданно красивое-первозданно свежее прекрасное лицо.

В тело горла-груди вливается огромной-колоссальной силы новорожденная жизнь. В области горла-груди рождается тело новое: новорожденно свежее, монолитно крепкое гладкое полированное прекрасное юное бело-розовое тело. В области горла кожа с телом крепко спаяна, в области горла кожа с телом – сплошная монолитная крепость. В области горла рождается монолитно крепкое упругое прекрасное юное тело.

В кожу горла-груди вливается колоссальная энергия развития новорожденной жизни, колоссальная энергия развития-энергия развития вливается в кожу горла-груди. В области горла-груди вся кожа рождается новорожденно-свежая, эластичная-упругая, толстая здоровая гладкая бело-розовая кожа. В области горла-груди навсегда-навсегда рождается прекрасная новорожденно-юная бело-розовая кожа.

Новорожденная жизнь всю голову навсегда рождает новую: новорожденно-юную-первозданно красивую-прекрасную голову.

Огромной-колоссальной силы новорожденная жизнь вливается во все мое тело, новорожденная жизнь все мое тело навсегда рождает новорожденно-юное-монолитно крепкое. Все мое тело насквозь навсегда рождается монолитно крепкое, крепкое, как натянутый барабан: не ущипнешь, в складку не соберешь.

Огромной-колоссальной силы новорожденная жизнь вливается во все мои кости. Новорожденная жизнь навсегда рождает все мои кости новорожденно-юные, прочные-упругие-крепкие кости. Во всех костях тела рождается новорожденно-юное кровообращение: во всех костях тела рождается новорожденно-юная густая сеть кровеносных сосудов. Во всех костях рождается юное-полное кровообращение. Колоссальная сила жизни вливается во все мои кости.

В костном мозгу во всех костях тела здоровеют-крепнут нервы. В костный мозг во всех костях тела вливается огромной-колоссальной силы новорожденная жизнь, колоссальная энергия зарождения красной крови вливается в костный мозг. С каждой секундой костный мозг работает веселей-энергичней, веселей-энергичней. С каждой секундой костный мозг во всех костях тела вырабатывает все больше и больше энергичной зрелой красной крови. С каждой секундой я становлюсь все более полнокровным, все более полнокровным, все более энергичным человеком. С каждой секундой красной крови во мне становится все больше и больше. Все лицо-все тело наполняется ровным розовым цветом. Здоровый молодой румянец во все щеки разгорается все ярче, все ярче.

Бурно-бурно развивающаяся новорожденная жизнь вливается во все мои суставы. Во всех суставах новорожденная жизнь рождает новорожденную полную подвижность. Все суставы навсегда-навсегда рождаются новорожденно-свежие, новорожденно-исправные, идеально исправные. Во всех суставах навсегда-навсегда рождается новорожденная полная подвижность.

Огромной-колоссальной силы новорожденная жизнь вливается в головной-спинной мозг, во все мои нервы, во всю мою нервную систему, во все мои мышцы вливается огромной-колоссальной силы бурно-энергично развивающаяся новорожденная жизнь. Во все мои мышцы вливается бурно-бурно развивающаяся новорожденная жизнь. Новорожденная жизнь рождает новорожденно-юные бурно-бурно-быстро-энергично развивающиеся мышцы. Бурно-бурно развиваюциеся мышцы рождают огромную потребность в движении, в физических упражнениях. Я с удовольствием-с наслаждением выполняю физические упражнения. Хочется быстро ходить, бегать. Весь мой развивающийся организм требует физической нагрузки. Так и хочется прыгать-бегать, бежать с предельной скоростью часами напролет. Бегу – птицей на крыльях лечу, все тело легкое, как пушинка, ноги легкие-быстрые.

Быстро-энергично развиваются все мои мышцы. Все мышцы быстро-быстро увеличиваются в объеме. С каждой секундой я становлюсь физически сильней. Каждую секунду во мне рождается новая здоровая сила. На всем теле рождается красивый рельеф сильно развитых мышц. Богатырская сила рождается в моих плечах-в моих руках. Новорожденная жизнь рождает меня новорожденно-юным богатырем могучего телосложения. Рождается новорожденно-юная богатырская фигура. Рождается специфически мужское богатырское телосложение: рождается тонкая молодая-юная талия, резко впалый тощий сильный живот. Рождается красивый рельеф мышц брюшного пресса.

Под колоссальной энергией развития весь жир во всем теле быстро-быстро сгорает-сгорает-сгорает до полного исчезновения. Весь жир в области талии, в области живота быстро сгорает-сгорает до полного исчезновения. Весь этот жир в области живота, портящий мою фигуру, отягчающий мое тело, я ненавижу сильнейшей лютой злобной ненавистью. Весь этот жир в области живота под колоссальной энергией жизни быстро-быстро сгорает-сгорает-сгорает до полного исчезновения. Рождается тонкая юная красивая талия. Лицо полное, щеки полные-округлые, талия – тонкая. На всем теле красивый рельеф сильно развитых мышц.

В мышцах здоровеют-крепнут нервы, в мышцах крепкие-стальные молодые нервы. В нервы мышц вливается стальная крепость-стальная крепость-стальная крепость вливается в нервы мышц. Во всем моем здоровом теле рождается могучая богатырская сила.

Рождается специфическое мужское телосложение, рождается стройная красивая мужская фигура: н[а] всем теле красивый рельеф сильно развитых мыш[ц,] тонкая гибкая талия, богатырская красивая фигура.

Во всем моем молодом здоровом теле колоссальна[я] сила жизни бьет ключом. Все тело живет весело-радо[с]стно, все тело живет энергичной здоровой жизнью, вс[е] внутренние органы работают энергично-весело, вс[е] внутренние органы с молодецкой удалью выполняют [в] организме все свои функции. Все тело живет беспре[дельно] свободной здоровой радостной счастливо[й] жизнью.

Во всей сердечно-сосудистой системе здоровеют, крепнут молодые нервы. Колоссальная сила жизн[и] вливается во всю сердечно-сосудистую систему. Вс[я] сердечно-сосудистая система рождается огромной, колоссальной силы. Во всем теле быстрое-весело[е] кровообращение, все тело живет полнокровной радо[стной]-счастливой жизнью.

Огромной-колоссальной силы быстро-энергично развивающаяся новорожденная жизнь вливается [в] мое сердце. Новорожденная жизнь навсегда-навсегд[а] рождает сердце огромной-колоссальной силы. Колос[сальная] энергия развития вливается в мое сердце, рождается мое быстро-энергично развивающееся сердце. С каждой секундой в сердце рождается нова[я] здоровая резервная сила, с каждой секундой сердц[е] становится сильней. Здоровеет-крепнет, здоровеет[-]крепнет молодое сердце. И через тридцать лет, и чере[з] сто лет у меня будет богатырское здоровое сердце.

Полнокровной-полнокровной веселой жизнь[ю] живет молодое счастливое сердце. Внутри самог[о] сердца полное веселое кровообращение.

Идеально правильно-абсолютно правильно работае[т] сердце: все удары пульса одинаковой нормально[й] силы, все промежутки между ударами пульса одина[ковы.] Здоровый правильный ритмичный пульс семьде[ся]сят два-семьдесят два-семьдесят два удара в минуту. С колоссальной устойчивостью мое сердце работае[т] идеально правильно.

Новорожденная жизнь все кровеносные сосуды сейчас-сейчас навсегда рождает новорожденно-свежие эластичные-упругие. Вся сердечно-сосудистая система навсегда рождается новорожденно-свежая энергичная-сильная. Во всем теле навсегда рождается быстрое веселое кровообращение.

Вся система дыхания наполняется быстро-энергично развивающейся новорожденной жизнью. Колоссальной силы новорожденная жизнь вливается во всю мою легочную ткань, колоссальная энергия развития вливается в мою легочную ткань. Новорожденная жизнь рождает энергичные-сильные здоровые легкие. Дышится легко-свободно, дыхание легкое беззвучное-неслышное дыхание. Легко-свободно дышит молодая грудь. Рождается несокрушимо сильная — несокрушимо сильная молодая грудь. Бегу — птицей на крыльях лечу, дыхание легкое-свободное.

Во все внутренние органы брюшной полости вливается быстро-энергично развивающаяся колоссальной силы новорожденная жизнь, во все внутренние органы брюшной полости вливается колоссальная сила жизни. Все внутренние органы работают энергично весело, с молодецкой удалью выполняют в организме все свои функции. Рождается энергичный-сильный здоровый желудок, энергичный-сильный-крепкий кишечник. Вся система пищеварения рождается новорожденно-свежая энергичная-сильная. Все ткани желудка-кишечника рождаются новорожденно-цельные, новорожденно-свежие. В нервы желудка-кишечника вливается стальная крепость-стальная крепость-стальная крепость вливается в нервы желудка-кишечника.

В поясничные нервы вливается стальная крепость-стальная крепость-стальная крепость вливается в поясничные нервы.

Все системы организма работают с огромной-колоссальной мощностью для усиления половой системы. В половые органы вливается огромная-колоссальная сила жизни. В половых органах здоровеют-крепнут нервы. А голова-голова все более энергично-все более энергично активизирует-активизирует половую систе-

235

му. Колоссальной силы новорожденная жизнь вливается в половую систему, новорожденная жизнь сейчас-сейчас навсегда рождает энергичную-сильную, энергичную-сильную половую систему. Половые органы становятся сильней-энергичней, сильней-энергичней.

Огромной-колоссальной силы новорожденная жизнь вливается в половые железы-яички. Огромная-колоссальная сила жизни вливается в половые железы-яички. Огромная-колоссальная энергия вливается в половые железы-яички. В яичках здоровеют-крепнут, здоровеют-крепнут молодые нервы. А голова-голова все более энергично, все более энергично активизирует-активизирует деятельность яичек. Половые железы-яички работают все более энергично-все более энергично-все более энергично, половые железы-яички вырабатывают все больше-все больше энергичной-сильной спермы, вырабатывают все больше-все больше биостимуляторов-гормонов, которые активизируют деятельность головного-спинного мозга, повышают интенсивность жизни всего организма, всех внутренних органов. Весь организм живет веселей-энергичней, веселей-энергичней. Яички вырабатывают все больше-все больше энергичной-сильной спермы, яички постоянно переполнены спермой. С каждым днем возрастает потребность в половой жизни.

Колоссальной силы быстро-энергично развивающаяся новорожденная жизнь вливается в мою голову, новорожденная жизнь рождает сильное, быстро-энергично развивающееся, половое чувство. С каждым днем усиливается половое чувство, рождается мощное, быстро развивающееся, половое возбуждение. Достаточно мне хоть мельком взглянуть на обнаженную женщину, как мгновенно возникает сильнейшее половое возбуждение, половой член моментально становится сильный-крепкий. С каждым днем половое возбуждение становится все более сильным-все более сильным. Достаточно хоть одним глазом взглянуть на обнаженную женщину, как я сразу весь горю огнем в сильнейшем половом возбуждении, половой член мгновенно-мгновенно становится крепкий-сильный, крепкий-сильный.

С возникновением полового возбуждения половой член сразу мгновенно становится крепкий-стальной, крепкий-стальной, крепкий-стальной сразу становится половой член при возникновении полового возбуждения. Ярко-твердо помню: половой член сразу, в одно мгновение становится сильный-крепкий, сильный-крепкий. Подавляю все сомнения в том, что с половым возбуждением половой член сразу-мгновенно становится сильный-крепкий, крепкий-стальной становится сразу половой член с половым возбуждением. С возникновением полового возбуждения в половой член стремительно влетает колоссальная сила. С возникновением полового возбуждения половой член сразу наполняет колоссальная энергия. Ярко-твердо помню: при половом возбуждении половой член в одно мгновение наполняется огромной-колоссальной силой, огромной-колоссальной энергией. Подавляю, начисто-полностью подавляю все сомнения в том, что с половым возбуждением во все механизмы твердости полового члена сразу вливается огромная-колоссальная сила, сразу вливается огромная-колоссальная энергия. С половым возбуждением половой член в одно мгновение становится сильный-крепкий, сильный-крепкий, сильный-крепкий.

С каждым днем возрастает моя мужская сила, с каждым днем увеличивается потребность в половой жизни.

Я настраиваюсь на ежедневную энергичную половую жизнь и сейчас и через десять лет, и через тридцать лет, и через пятьдесят лет я буду жить ежедневной энергичной половой жизнью.

Во все механизмы полового акта вливается колоссальной силы новорожденная жизнь, во все механизмы полового акта вливается огромная-колоссальная сила, во все механизмы полового акта вливается огромная-колоссальная энергия. Все механизмы полового акта с каждым днем становятся сильней-энергичней, сильней-энергичней. Во все механизмы полового акта вливается огромная-колоссальная сила жизни, во все механизмы полового акта вливается огромная-колоссальная энергия, все механизмы полового акта с каждым днем усиливаются: с каждым днем все механизмы полового акта становятся сильней-энергичней, сильней-энергичней.

Колоссальная сила жизни вливается в половые органы, в половые железы, колоссальная энергия вливается в половые органы, в половые железы. Вся половая система с каждым днем становится сильней-энергичней, сильней-энергичней. С каждым днем возрастает моя мужская сила, с каждым днем увеличивается потребность в половой жизни. Новорожденная жизнь рождает во мне огромную-колоссальную мужскую силу.

Я смело-уверенно иду на половой акт: я твердо знаю, как действительный факт, что всегда могу полностью удовлетворить самую голодную женщину-жену. В любовной игре я веду себя смело-уверенно, смело-решительно. Вступаю в половой акт смело-решительно. Я – человек смелый, твердо уверенный в себе, я все смею, все могу, я всегда могу полностью удовлетворить самую голодную женщину.

На протяжении всего полового акта во все механизмы твердости полового члена вливается огромная-колоссальная сила, во время полового акта во все механизмы твердости полового члена вливается огромная-колоссальная энергия, на протяжении всего полового акта в половой член вливается огромная-колоссальная сила, на протяжении всего полового акта половой член сильный-крепкий, крепкий-стальной половой член на протяжении всего полового акта. С каждым движением в половой член вливается огромная-колоссальная сила. С каждым движением в половой член вливается огромная-колоссальная энергия. С каждым движением усиливается-усиливается напряжение полового члена. На протяжении всего полового акта огромное-колоссальное напряжение полового члена.

На протяжении всего полового акта в нервные механизмы твердости полового члена вливается стальная крепость-стальная крепость-стальная крепость вливается в нервные механизмы твердости полового члена. С каждым движением полового члена в нервные механизмы твердости полового члена вливается огромная-колоссальная сила. С каждым движением полового члена в нервные механизмы твердости полового члена вливается огромная-колоссальная энергия. С каждым движением во влагалище половой член усиливается-крепнет, усиливается-крепнет. С каждым движением во влажную глубину половой член усиливается-крепнет – усиливается-крепнет – усиливается-крепнет половой член с каждым вдвижением в глубину влагалища.

С каждым вдвижением в глубину влагалища усиливается-усиливается напряжение полового члена. С каждым вдвижением во влажную глубину полового члена усиливается-усиливается-усиливается половое возбуждение. К концу полового акта рождается бурное-взрывное огромной силы половое возбуждение с извержением спермы. Во время извержения спермы в половой член вливается огромная-колоссальная сила. Во время извержения спермы в половой член вливается огромная-колоссальная энергия. Во время извержения спермы половой член сильный-твердый, сильный-твердый, сильный-энергичный.

После извержения спермы в половой член вливается огромная-колоссальная сила. После извержения спермы в половой член вливается огромная-колоссальная энергия. После извержения спермы огромное напряжение полового члена. После извержения спермы половой член сильный-твердый, сильный-энергичный, напряженный-твердый.

После извержения спермы в нервные механизмы твердости полового члена вливается стальная крепость-стальная крепость-стальная крепость вливается в нервные механизмы твердости полового члена. После извержения спермы во все механизмы полового акта вливается огромная-колоссальная сила.

После извержения спермы я продолжаю движение полового члена. На протяжении всего второго полового акта в половой член вливается огромная колоссальная сила. На протяжении всего второго полового акта половой член очень сильно напряженный-твердый-твердый-твердый половой член на протяжении всего второго полового акта. На протяжении всего второго полового акта с каждым вхождением полового члена в глубину влагалища усиливается-усиливается напряжение полового члена, усиливается-усиливается-усиливается половое возбуждение.

На протяжении всего второго полового акта с каждым вдвижением члена во влажную глубину усиливается-усиливается-усиливается напряжение полового члена. На протяжении всего второго полового акта половой член очень сильно напряженный-твердый-стальной половой член на протяжении всего второго полового акта. На протяжении всего второго полового акта с каждым движением усиливается-усиливается-усиливается половое возбуждение. К концу второго полового акта рождается мощное-бурное-взрывное половое возбуждение огромной-колоссальной силы с извержением спермы.

При желании я способен совершить третий половой акт подряд с извержением спермы, не выходя из женщины. Я – человек огромной-колоссальной мужской силы. Я способен совершать три-пять половых актов каждые сутки. С каждым днем увеличивается моя мужская сила, возрастает потребность в половой жизни.

В нервные механизмы извержения спермы вливается стальная крепость-стальная крепость-стальная крепость вливается в нервные механизмы извержения спермы. В нервные механизмы извержения спермы вливается в миллион раз замедленная огромная-колоссальная сила; в нервные механизмы извержения спермы на протяжении всего полового акта вливается в миллион раз замедленная колоссальная сила. На протяжении всего полового акта в нервные механизмы извержения спермы вливается в миллион раз замедленная огромная-колоссальная сила: половой акт удлиняется-удлиняется-удлиняется, рождается продолжительный-продолжительный-продолжительный половой акт.

В нервные механизмы извержения спермы вливается в миллион раз замедленная-замедленная-замедленная колоссальная сила, рождается половой акт продолжительный-продолжительный-продолжительный, я способен удовлетворит самую требовательную женщину; рождается половой акт продолжительный-продолжительный-продолжительный, – я способен удовлетворить самую требовательную женщину, рождается половой акт продолжительный-продолжительный-продолжительный, – я способен удовлетворить самую требовательную женщину.

С каждым разом половая система усиливается усиливается-усиливается, половой акт становится все более энергичным – все более энергичным – все более энергичным, с каждым разом половой акт удлиняется-удлиняется-удлиняется. С каждым разом моя мужская сила возрастает-возрастает-возрастает: с каждым разом половой акт активизируется-активизируется-удлиняется-удлиняется-удлиняется. С каждым днем моя мужская сила возрастает-возрастает, я рождаюсь мужчиной огромной-колоссальной мужской силы. Я всегда способен полностью удовлетворить самую голодную, самую требовательную женщину.

После полового акта я вдохновленный-энергичный-полный сил – неутомимый. После полового акта вся душа поет от счастья, от радости жизни. После полового акта во всем теле колоссальная сила жизни бьет ключом. После полового акта радость-веселье вливаются в сердце, после полового акта веселое-веселое-счастливое сердце. После полового акта целый день работаю со свежими силами – с огромной энергией. После полового акта я – человек бодрый-свежий-энергичный.

2.21. Против курения

Я – человек смелый, твердо уверенный в себе, я все могу и ничего не боюсь. У меня сильная воля и твердый характер и я безгранично владею собой. Я полностью управляю всем своим внешним поведением и деятельностью своего организма. У меня сильная воля и твердый характер и никакие силы в мире не могут заставить меня делать то, что я считаю вредным. Я абсолютно управляю собой. Курение причиняет моему организму сильнейший вред, ухудшает мое здоровье и сокращает мне продолжительность жизни. Табачный дым содержит яд – никотин, который отравляет легочную ткань. Табачный дым содержит различные вещества, которые оседают на легочной ткани и затрудняют снабжение организма кислородом.

Из-за курения организм начинает испытывать недостаток в кислороде, из-за этого снижается интенсивность жизнедеятельности всего организма, всего тела. Раздражение в легких вызывает кашель. Табачный дым ослабляет мои умственные способности, ослабляет память, делает вялым мышление. Курение ухудшает зрение и слух. Курение ослабляет весь организм, сокращает продолжительность моей жизни.

Я люблю жизнь, я хочу быть здоровым, энергичным человеком. Те люди, которые не могут прекратить курение, сокращают себе продолжительность жизни. Они раньше времени делают своих детей сиротами. И ответственность за это целиком лежит на тех, кто не прекратил курение. Я люблю детей, я не хочу оставлять их в мире сиротами, я буду стараться всегда быть здоровым, энергичным и сильным человеком. У меня достанет сил подавить эту вредную привычку, я в десять раз сильней, я в сто раз сильней этой вредной привычки. У меня сильная воля и никакие силы в мире не заставят меня делать то, что я считаю вредным. Мой организм не переносит действия табачного дыма. У меня нет потребности в курении. Мой организм не переносит действия табачного дыма, у меня нет потребности в курении. От курения у меня возникает

242

скверное самочувствие. Курение вызывает раздражение в легких, возникает кашель. От курения я очень плохо себя чувствую, возникают головокружение, кашель, головные боли. Я слабею от курения физически и духовно. Против курения восстают все мои духовные и физические силы. Весь мой организм не переносит действия табачного дыма. Все силы моей личности встают против курения. Я чувствую себя в 10, 100 раз сильней этой вредной привычки. Я никогда не буду курить и никакие силы в мире не смогут заставить меня продолжать курить. У меня сильная воля и твердый характер. Мой организм не переносит действия табачного дыма. От табачного дыма я кашляю и задыхаюсь, мне не хватает воздуха. Табачный дым отравляет легкие, ухудшает снабжение кислородом всего моего тела, всего организма. Курение разрушает мое здоровье и сокращает мне продолжительность жизни.

И потому все силы моей личности восстают против курения. Я ненавижу курение сильнейшей, лютой ненавистью, как злейшего, коварнейшего врага. Я никогда не буду курить и никакие силы в мире не могут заставить меня курить. У меня сильная воля и твердый характер, я безгранично владею собой. Я полностью управляю всем своим внешним поведением и всей деятельностью своего организма. Я чувствую себя в десять раз сильней, в сто раз сильней вредной привычки курения. И я никогда не буду курить и никакие силы в мире не могут заставить меня курить. У меня сильная воля и твердый характер. Я твердо знаю, что если бы все трудности обрушились на меня сразу и неожиданно, им все равно не сокрушить моей могучей воли. И потому я ничего не боюсь и смотрю миру в лицо, не боясь ничего. Среди всех житейских бурь и ураганов непоколебимо стою, как скала, о которую все сокрушается.

Я никогда не буду курить. Я чувствую себя в десять раз сильней, в сто раз сильней привычки к курению. Мой организм не переносит действия табачного дыма. Все силы организма восстают против курения. И табачный дым мне становится неприятен. Даже запах табака мне неприятен. И даже и вспоминать не хочу о курении. Одно воспоминание о курении вызывает у меня плохое самочувствие. Мой организм не переносит действия табачного дыма.

Я люблю жизнь, я хочу быть здоровым, крепким, энергичным человеком и потому я никогда не буду курить. Я никогда не буду курить и никакие силы в мире не могут заставить меня продолжать курение. Когда другие люди будут курить, то я не буду обращать на это ни малейшего внимания, но если я сам закурю, то табачный дым будет отравлять мой организм, я буду кашлять и задыхаться от курения. От курения слабеет слух, слабеет зрение, слабеет память, курение ослабляет все мои умственные способности, разрушает мое здоровье. И потому я ненавижу курение, ненавижу, как коварнейшего своего врага. Я ненавижу курение сильнейшей, лютой, злобной ненавистью, как коварнейшего, подлейшего своего врага. Я никогда не буду курить, я чувствую в себе могучие силы, я чувствую себя в десять раз сильней, в сто раз сильней, я чувствую себя уже в тысячу раз сильней вредной привычки к курению. Я ненавижу курение сильнейшей, лютой, злобной ненавистью как коварнейшего, подлейшего своего врага.

Никакие силы в мире не могут заставить меня курить. Я – человек сильный и смелый. Я все смею, все могу и ничего не боюсь. Весь мой организм мобилизует все свои силы, все свои безграничные возможности для исполнения моего желания. Я не хочу курить и потому от курения я буду кашлять и задыхаться, от курения будет возникать такой сильнейший зуд в носу, как будто нос начали сверлить тысячью сверл. От курения я буду кашлять и задыхаться. От курения меня мутит, тошнит, от курения я испытываю такой ад, какого и словами описать невозможно. Весь мой организм мобилизует все свои силы, все свои безграничные возможности для исполнения моего желания, на борьбу с этой вредной привычкой и потому у меня нет потребности в курении. Мне даже вспоминать о курении противно. Мне даже вспоминать о курении противно. Даже запах табака мне неприятен. Мне очень неприятен запах табака. Я ненавижу запах табака. Я и вспоминать о нем не хочу. Я сильно ненавижу табак. Я ненавижу табак сильнейшей, лютой, злобной ненавистью. Я никогда не буду курить и никакие силы в мире не могут заставить меня курить. Я – человек сильный, у меня огромные духовные силы, сильная воля. Я чувствую себя в сто раз сильней, в тысячу раз сильней этой вредной привычки и я никогда не буду курить. И никакие силы в мире не могут заставить меня курить. Курение ушло в прошлое. Курение целиком ушло в прошлое. Я и вспоминать о нем не хочу. Я теперь буду здороветь и крепнуть, я никогда не буду курить и с каждым днем, с каждым часом буду здороветь и крепнуть. Я победил курение, я в тысячу раз сильнее курения. И все мое существо наполняется радостью победы над этой привычкой. И теперь весь мой организм оживает, я весь наполняюсь радостью жизни. В моей душе цветет весна и солнечная радостная улыбка жизни наполняет все мое существо без остатка. У меня теперь прекрасное самочувствие и веселое, жизнерадостное настроение. Курение навсегда ушло в прошлое и я теперь чувствую прилив новых сил. Я чувствую как я весь здоровею и крепну. Весь организм наполняется все новой и новой энергией. Я здоровею и крепну. Весь организм наполняется все новой и новой силой. И потому все тело мне кажется легким, невесомым, походка легкая, быстрая, хожу будто на крыльях лечу, не чувствуя тяжести тела. Во всем теле приятная свежесть и бодрость, в голове светло, легко-легко, голова легкая, как невесомая. Я весь оживаю, все тело живет радостной, полнокровной здоровой жизнью. Я весь наполняюсь первозданным-несокрушимым здоровьем. Нервы крепкие-стальные. У меня сильная воля и твердый характер.

2.22. На оздоровление системы дыхания

В дыхательные пути – в легочную ткань – в плевру вливается вновь родившаяся: новая-новая быстро-энергично развивающаяся огромной-колоссальной силы новорожденная жизнь. В дыхательные пути-в легочную ткань-в плевру вливается огромная-колоссальная омолаживающая новорожденная сила. В дыхательные пути-в легочную ткань-в плевру вливается колоссальная вновь родившаяся новорожденная энергия развития. Колоссальная сила жизни-новорожденной жизни-вливается во всю систему дыхания. Вся система дыхания сейчас-сейчас, в одно мгновение рождается новорожденно-свежая-новорожденно-цельная-энергичная-здоровая-несокрушимо здоровая.

Бурно-бурно развивающаяся новорожденная жизнь вливается во все ткани носоглотки, в область носоглотки вливается бурно-бурно развивающаяся новорожденная жизнь, в носоглотку вливается огромной-колоссальной силы новорожденная жизнь, в носоглотку вливается огромной-колоссальной энергии новорожденная жизнь. В области носоглотки все ткани-все тело с каждой секундой становится сильней-энергичней-сильней-энергичней-сильней-энергичней. Колоссальная энергия-колоссальная энергия-энергия развития вливается в гланды, колоссальная-колоссальная энергия жизни вливается в гланды, бурно-бурно развивающаяся новорожденная жизнь вливается в гланды. Во все ткани носоглотки вливается бурно-бурно развивающаяся новорожденная жизнь, во все ткани носоглотки вливается огромная-колоссальная сила жизни, во все ткани носоглотки вливается огромная-огромная-колоссальная сила жизни. В области носоглотки все ткани-все ткани рождаются, сейчас-сейчас рождаются энергичные-сильные-энергичные-сильные, с каждой секундой все ткани носоглотки становятся сильней-энергичней, сильней-энергичней-сильней-энергичней, в области носоглотки все ткани рождаются, сейчас-сейчас рождаются новорожденно-здоровые, первозданно здоровые-энергичные-сильные.

Все горло рождается новорожденно-здоровое-новорожденно-здоровое-первозданно здоровое. На самом сильном морозе несокрушимо здоровое-несокрушимо здоровое горло, на самом сильном морозе горло первозданно здоровое-первозданно здоровое. Я могу кушать мороженое, могу пить холодную воду – в области горла легко-спокойно, легко-спокойно в области горла. Все системы организма работают с огромной мощностью для оздоровления горла. Кушаю мороженое: все системы организма работают с огромной мощностью для оздоровления горла, кушаю мороженое: в горле здоровеют-крепнут-здоровеют-крепнут-крепнут нервы. В области горла здоровеют-крепнут, здоровеют-крепнут нервы. В нервы-в нервы носоглотки вливается стальная крепость-стальная крепость-стальная крепость вливается в нервы носоглотки, стальная крепость-стальная крепость-стальная крепость – в нервы носоглотки, стальная крепость-стальная крепость вливается в нервы носоглотки. В носоглотке здоровеют-крепнут, здоровеют-крепнут нервы, в носоглотке рождаются крепкие-крепкие-здоровые-стальные нервы. В нервы-в нервы горла-стальная крепость-стальная крепость вливается в нервы. В горле крепкие-стальные-крепкие-стальные нервы. Рождается первозданно здоровое-несокрушимо здоровое-несокрушимо здоровое горло, энергичное-сильное, энергичное-сильное-здоровое горло.

Во всей области носоглотки-горла все тело новорожденно-свежее-новорожденно-свежее-первозданно здоровое. Гланды новорожденно-свежие-новорожденно-свежие, гланды рождаются новорожденно-свежие, новорожденно-здоровые, гланды рождаются новорожденно-свежие, новорожденно-свежие, новорожденно-здоровые. В гланды вливается огромная-колоссальная энергия, в гланды вливается колоссальная новорожденная оздоравливающая сила-новорожденная оздоравливающая сила вливается в гланды. Мои гланды рождаются энергичные-сильные, энергичные-сильные, колоссальная сила жизни-колоссальная сила жизни вливается в мои гланды.

Гланды рождаются, сейчас-сейчас навсегда-навсегда рождаются энергичные-сильные, энергичные-сильные. Все ткани-все ткани в области гланд рождаются новорожденно-здоровые, новорожденно-свежие, новорожденно-энергичные, новорожденно-энергичные. Вся носоглотка рождается новорожденно-энергичная, новорожденно-энергичная, новорожденно-сильная. Во всей области носоглотки все ткани рождаются новорожденно-энергичные, новорожденно-энергичные.

В нервы-в нервы носоглотки-горла стальная крепость-стальная крепость-стальная крепость вливается в нервы носоглотки-горла. В носовых ходах здоровеют-крепнут, здоровеют-крепнут нервы. В нервы носа-в нервы носа-в нервы носа-стальная крепость-в нервы носа, во всей области носа здоровеют-крепнут нервы, во всей области носа рождаются, навсегда рождаются крепкие-здоровые-стальные нервы, крепкие-здоровые-стальные молодые нервы.

Вновь родившаяся: новая-новая быстро-энергично развивающаяся огромной-колоссальной силы новорожденная жизнь вливается в носовые ходы, вливается в носоглотку, бурно-бурно развивающаяся новорожденная жизнь вливается в мои гланды, в горло-в горло вливается бурно-бурно развивающаяся новорожденная жизнь. Мое горло рождается новорожденно-сильное, новорожденно-энергичное, в области горла все тело рождается новорожденно-свежее, новорожденно-энергичное, энергичное-сильное, несокрушимо здоровое новорожденно-юное тело.

В области горла-груди все тело рождается новорожденно юное, прекрасное гладкое-крепкое бело-розовое тело. В области горла все тело рождается крепкое-крепкое, как натянутый барабан, крепкое-упругое юное тело, гладкое-гладкое-полированное бело-розовое прекрасное юное тело.

Во все дыхательные пути вливается бурно-энергично развивающаяся новорожденная жизнь, огромной-колоссальной силы новорожденная жизнь вливается во все мои дыхательные пути. Новорожденная жизнь сейчас-сейчас навсегда-навсегда рождает мои дыхательные пути новорожденно-свежие, новорожденно-свежие, новорожденно-здоровые, первозданно-здоровые.

Дыхание легкое-легкое, легкое-свободное дыхание. Легко-свободно дышит молодая грудь, свободное-беззвучное неслышное дыхание. Бурно-бурно развивающаяся новорожденная жизнь вливается во все мои дыхательные пути.

Во всю мою легочную ткань вливается бурно-бурно развивающаяся новорожденная жизнь, во все клетки легочной ткани вливается бурно-бурно развивающаяся новорожденная жизнь. Все клетки-все клетки легочной ткани новорожденная жизнь навсегда-навсегда рождает новорожденно-энергичные, новорожденно-развивающиеся, энергичные-энергичные, энергичные-сильные. Огромная-колоссальная сила жизни вливается во все клетки легочной ткани. Бурно-бурно развивающаяся новорожденная жизнь вливается во всю мою легочную ткань. Новорожденная жизнь сейчас-сейчас рождает всю мою легочную ткань новорожденно-цельную, новорожденно-цельную, вся легочная ткань сейчас-сейчас рождается новорожденно-цельная, новорожденно-цельная, энергичная-сильная. Вся легочная ткань сейчас-сейчас рождается новорожденно-здоровая, новорожденно-здоровая, первозданно-здоровая. Во все клетки легочной ткани вливается огромная-колоссальная сила жизни, во все клетки вливается огромная-колоссальная энергия развития-новорожденного развития колоссальная энергия вливается во все клетки легочной ткани. Колоссальная энергия развития-энергия развития вливается во все клетки легочной ткани. Всю мою легочную ткань наполняет колоссальная энергия развития. Новорожденная жизнь навсегда-навсегда рождает новорожденно-здоровую, новорожденно-здоровую легочную ткань.

Новорожденная жизнь сейчас-сейчас рождает новорожденно-свежие, новорожденно-свежие, новорожденно-цельные, новорожденно-цельные несокрушимо здоровые сильные легкие. Новорожденная жизнь рождает энергичные-сильные, энергичные-сильные легкие.

Новорожденная жизнь всю систему дыхания рождает новорожденно-свежую, новорожденно-свежую. Вся система дыхания сечас-сейчас рождается новорожденно-свежая, новорожденно-цельная, энергичная-сильная, энергичная-сильная, рождаются несокрушимо здоровые, несокрушимо здоровые легкие. Рождается несокрушимо здоровое горло, рождается несокрушимо здоровая носоглотка. Вся система дыхания сейчас-сейчас рождается несокрушимо здоровая, несокрушимо здоровая. Всю систему дыхания наполняет огромная-колоссальная новорожденная оздоравливающая сила, всю систему дыхания наполняет огромная-колоссальная новорожденная сила, новорожденная сила наполняет всю систему дыхания. Новорожденная жизнь всю систему дыхания рождает новорожденно-сильную, новорожденно-сильную, несокрушимо здоровую.

Рождается несокрушимо сильная, несокрушимо сильная молодая грудь, рождается несокрушимо сильная, несокрушимо сильная молодая грудь. Я могу идти предельно быстрым шагом часами напролет: дышится легко-свободно, легко-свободно. Легко-свободно, легко-свободно дышит молодая грудь, легкое-свободное неслышное беззвучное дыхание. Новорожденная жизнь рождает несокрушимо сильную, несокрушимо сильную молодую грудь. Во всю мою грудь вливается огромная-колоссальная сила жизни, рождается несокрушимо-сильная-несокрушимо сильная молодая грудь. Огромная-колоссальная сила жизни, огромная-колоссальная сила жизни вливается в мою грудь.

Во всей области грудной клетки все тело рождается энергичное-сильное-новорожденно-юное прекрасное гладкое-полированное бело-розовое тело.

В область горла вливается колоссальной силы новорожденная жизнь, во все внутренние органы в области горла вливается быстро-энергично развивающаяся огромной-колоссальной силы новорожденная жизнь. В область горла все внутренние органы сейчас рождаются новорожденно-свежие, новорожденно-энергичные. Все внутренние органы в области горла работают веселей-энергичней, веселей-энергичней. Все внутренние органы в области горла идеально правильно, идеально правильно выполняют в организме все свои функции. Все внутренние органы в области горла живут здоровой-радостной-счастливой жизнью.

2.23. На общее оздоровление сердца

У меня молодое-здоровое сердце. Все кровеносные сосуды внутри самого сердца вечно-постоянно полностью раскрыты по всей своей длине. Все кровеносные сосуды внутри самого сердца вечно, постоянно полностью раскрыты по всей своей длине. Я стараюсь как можно ярче представить о чем идет речь. Все кровеносные сосуды и самые крупные кровеносные стволы внутри сердца, и средние кровеносные сосуды, и тончайшие микроскопически тонкие кровеносные сосуды-капилляры – все кровеносные сосуды внутри сердца полностью раскрыты по всей своей длине.

Внутри сердца свободное, абсолютно свободное кровообращение. И поэтому в области сердца приятное чувство беспредельной-безграничной свободы.

Все нервы в области сердца спокойны-здоровы. В области сердца приятная легкость, спокойствие.

У меня молодое-здоровое сердце. Все кровеносные сосуды внутри самого сердца вечно, постоянно полностью открыты по всей своей длине.

Все кровеносные сосуды внутри самого сердца вечно, постоянно равномерно раскрыты по всей своей длине. Внутри самого сердца свободное, абсолютно свободное кровообращение. И моя молодая здоровая кровь вечным, быстрым, свободным потоком течет по всем кровеносным сосудам самого сердца, и постоянно, вечно начисто промывает сердце, и все лучше и лучше питает сердце. Все, что нужно сердцу для жизни, работы и восстановления сил, – все кровь несет ему в избытке. И молодое сердце нежится в чистоте и довольстве. Нежится молодое сердце в чистоте и довольстве. А моя молодая здоровая кровь вечно начисто промывает сердце. Сердце вечно первозданно-чистое, новорожденно-чистое.

Моя молодая-здоровая кровь вечно начисто промывает сердце и несет в избытке сердцу полноценное питание. Молодое сердце нежится в чистоте и довольстве. Отдыхает молодое сердце. Отдыхает молодое сердце, нежится в чистоте и довольстве. Накапливает сердце молодую здоровую энергию, зреют в юном сердце могучие силы, увеличивается запасная сила сердца. С каждым днем, с каждым часом сердце накапливает все больше и больше молодой энергии. Непрерывно увеличивается запасная, резервная сила сердца. Непрерывно увеличивается запасная, резервная энергия сердца. И при надобности сердце может работать с огромной энергией, с огромной мощностью. Я часами напролет могу бежать или идти быстрым шагом и при этом сохраняется ровное, усиленное, но ровное дыхание.

У меня молодое здоровое сердце. Сердце работает с огромной внутренней устойчивостью. Внутренняя устойчивость в десять раз сильней, в сто раз сильней всех вредных влияний внешней среды. Я стараюсь как можно глубже понять и до конца осмыслить, о чем идет речь. Внутренняя устойчивость работы сердца в десять раз сильней, в сто раз сильней всех вредных воздействий внешней среды.

И поэтому сквозь все трудности и невзгоды жизни сердце продолжает работать непоколебимо устойчиво-ритмично. Сквозь все трудности и невзгоды жизни сердце продолжает работать устойчиво-правильно. Непоколебимо сохраняется устойчиво-ритмичный пульс. Ритмичный пульс – значит все промежутки времени между ударами пульса точно одинаковы. Устойчиво-ритмичный пульс – значит сквозь быстрый шаг или бег, сквозь физическую работу все промежутки времени между ударами пульса абсолютно одинаковы. Сквозь тяжелую физическую работу непоколебимо сохраняются одинаковые промежутки времени между ударами пульса. У меня молодое-здоровое сердце. Пульс устойчиво ритмичный, 72 удара в минуту. Я стараюсь как можно ярче представить о чем идет речь. Пульс устойчиво ритмичный – 72 удара в минуту. Все промежутки времени между ударами пульса точно одинаковы. Все промежутки времени между ударами пульса точно одинаковы.

Сквозь различные трудности, сквозь физическую работу все промежутки времени между ударами пульса остаются точно одинаковыми. Я стараюсь как можно ярче представить, о чем идет речь. У меня молодое-здоровое-устойчиво-здоровое сердце. Все промежутки времени между ударами пульса сквозь напряженную физическую работу остаются точно одинаковыми. Все удары пульса большой-одинаковой-нормальной силы. Все удары пульса большой-одинаковой-нормальной силы молодого-здорового сердца.

Головной-спинной мозг с огромной, колоссальной устойчивостью правильно управляет работой сердца. Я стараюсь как можно ярче представить, о чем идет речь. Головной-спинной мозг с огромной, колоссальной устойчивостью правильно управляет работой сердца. И потому сквозь все необычные нагрузки, сквозь очень длительное пребывание в очень жаркой парной, сквозь длительную физическую работу, сквозь длительный быстрый бег или быструю ходьбу сердце непоколебимо продолжает работать устойчиво нормально и непоколебимо сохраняется нормальный пульс – 72 удара в минуту. Все промежутки времени между ударами пульса остаются точно одинаковыми. Все удары пульса большой-одинаковой-нормальной силы молодого-здорового богатырского сердца.

У меня молодое-здоровое сердце. Тоны сердца ясные, чистые, нормальной высоты, нормальной громкости молодого-здорового сердца. Сердце непрерывно-постоянно днем и ночью восстанавливает первозданную молодую-юную свежесть. Все мышцы постоянно восстанавливают первозданную молодую-юную свежесть, юную звонкость и потому тоны сердца постоянно днем и ночью высокие, ясные, чистые, нормальной юной высоты, нормальной громкости. Молодые-юные тоны здорового-молодого-юного сердца.

У меня молодое-здоровое-крепкое сердце. Все промежутки времени между ударами пульса точно одинаковы. Все удары пульса большой-одинаковой-нормальной силы.

Я упорнейшим образом стараюсь учиться подавлять все свои сомнения в том, что у меня молодое-здоровое сердце. Я стараюсь беспредельно верить в то, что у меня молодое-здоровое сердце.

Постоянно, непрерывно сердце восстанавливает первозданную-юную свежесть, накапливает все больше и больше молодой энергии. В моем сердце снова рождается молодая-юная-энергичная жизнь. В моем сердце рождается молодая-юная-энергичная жизнь. Непрерывно увеличивается запасная сила сердца. И работать сердцу становится все легче и легче. Сердцу становится работать совершенно легко, абсолютно легко. И поэтому в области сердца приятное чувство покоя и легкости. На сердце легко, легко, легко-свободно. В области сердца приятно-спокойно. Дышится легко-свободно. Здоровеет, крепнет сердце. Непрерывно днем и ночью здоровеет, крепнет сердце, становится все более и более сильным. Молодое-здоровое-богатырское сердце легко, шутя гонит кровь по всему телу. Молодое-богатырское сердце легко, шутя, с молодецкой удалью гонит кровь по всему телу. Здоровеет, крепнет сердце. С каждым днем, с каждым часом здоровеет, крепнет сердце.

Все кровеносные сосуды во всем теле вечно, постоянно, одинаково, равномерно раскрыты по всей своей длине. И моя молодая, здоровая кровь вечным быстрым-свободным потоком течет по всем кровеносным сосудам и постоянно, непрерывно, начисто промывает все кровеносные сосуды. Моя молодая-юная-здоровая-энергичная кровь начисто смывает со всех стенок кровеносных сосудов все отложения солей, все продукции обмена. Все кровеносные сосуды первозданно-чистые, новорожденно-чистые. Я стараюсь как можно ярче представить, о чем идет речь. Во всем теле все кровеносные сосуды первозданно-чистые. Во всем теле все кровеносные сосуды первозданно-чистые. Новорожденно-чистые все кровеносные сосуды. И моя молодая-юная-здоровая кровь вечным, быстрым, свободным потоком течет по всем кровеносным сосудам, постоянно-вечно, начисто промывает все кровеносные сосуды и восстанавливает первозданную-юную свежесть всех кровеносных сосудов сердца.

Все кровеносные сосуды первозданной-юной свежести, гладкие-ровные. Все кровеносные сосуды молодые-энергичные, как у здорового-молодого человека. Моя молодая-юная-здоровая кровь непрерывно восстанавливает первозданную-юную свежесть всех кровеносных сосудов и наполняет все кровеносные сосуды молодой-юной жизненной энергией. И потому все вены все сильней и энергичней проталкивают кровь к самому сердцу. Я стараюсь как можно ярче представить, о чем идет речь. Моя молодая-юная-здоровая кровь постоянно, непрерывно восстанавливает первозданную-юную свежесть всех кровеносных сосудов и наполняет все кровеносные сосуды все новой и новой молодой-юной жизненной энергией. И поэтому все вены с каждым днем все сильней и энергичней проталкивают кровь к сердцу, облегчая сердцу работу и улучшая общее кровообращение во всем теле, во всем теле, во всем организме.

Во всем теле от темени до кончиков пальцев рук и ног свободное, абсолютно свободное кровообращение. И потому во всем теле приятное чувство безграничной-беспредельной свободы. Все тело кажется легким-невесомым. Походка легкая, быстрая. Хожу как на крыльях летаю, не чувствую тяжести тела. Молодое-здоровое-богатырское сердце легко, шутя, с огромной силой гонит кровь по всему телу. Молодое-здоровое-богатырское сердце с молодецкой удалью гонит кровь по всему телу и наполняет меня все новой и новой молодой-юной энергией. Энергия бьет ключом, все время хочется что-то делать, работать. Непрерывно увеличивается моя умственная и физическая работоспособность. Здоровеет, крепнет сердце. Непрерывно увеличивается запасная резервная сила сердца. И при надобности сердце может работать с огромной мощностью. Молодое богатырское сердце работает с огромной-колоссальной внутренней устойчивостью.

Головной мозг все энергичней и сильней не пропускает в сердце никаких вредных влияний внешней среды, никаких волнений. Сердце живет и работает под вечной защитой головного мозга. Я стараюсь как можно ярче представить, о чем идет речь. Головной мозг с каждым днем все сильней и энергичней не пропускает в сердце никаких вредных влияний внешней среды, никаких волнений. Сердце живет и работает под вечной защитой головного мозга. Сердце живет под защитой головного мозга здоровой-полнокровной жизнью. Моя молодая-юная-здоровая-энергичная кровь вечным-быстрым-непрерывным потоком течет по всем кровеносным сосудам внутри самого сердца и постоянно-вечно начисто промывает сердце. И потому сердце внутри постоянно-вечно, первозданно-чистое.

Кровь несет в избытке полноценное питание сердцу. Все, что нужно сердцу для энергичной работы, жизни и непрерывного, постоянного восстановления сил, восстановления первозданной-юной свежести — все кровь несет ему в избытке. И молодое-здоровое сердце крепнет с каждым днем и увеличивает свою внутреннюю устойчивость. Внутренняя устойчивость работы сердца в десять раз сильней, в сто раз сильней всех вредных влияний внешней среды. И потому сквозь все трудности и невзгоды жизни сердце продолжает работать непоколебимо устойчиво.

Сквозь любые трудности, сквозь тяжелую физическую работу непоколебимо сохраняется нормальный — устойчиво-ритмичный пульс — 72 удара в минуту. Все промежутки времени между ударами пульса точно одинаковы. Я стараюсь как можно ярче представить, о чем идет речь. Сквозь тяжелую физическую работу все промежутки времени между ударами пульса непоколебимо остаются точно одинаковыми. Все удары пульса одинаковой, большой-нормальной силы молодого-здорового-богатырского сердца.

Сквозь все трудности жизни, сквозь тяжелую физическую работу сердце непоколебимо продолжает работать устойчиво нормально. Пульс устойчиво ритмичный – 72 удара в минуту. Тоны сердца ясные-чистые, нормальной высоты, нормальной громкости.

Кровяное давление устойчиво-стабильно-нормальное 120/80.

Молодое-юное-здоровое-крепкое сердце. У меня молодое-юное, неутомимое-здоровое сердце. С каждым днем, с каждым часом здоровеет сердце, накапливает все больше и больше молодой энергии. С каждым днем сердце становится все более сильным, все более мощным. Непрерывно увеличивается запасная сила сердца. Непрерывно увеличивается запасная-резервная сила сердца. И при надобности сердце может работать с огромной мощностью.

У меня молодое-здоровое сердце. С каждым днем, с каждым часом здоровеет, крепнет сердце. Здоровый румянец во все щеки становится все ярче и ярче. С каждым днем, с каждым часом здоровеет, крепнет сердце. Молодой-здоровый румянец во все щеки становится все ярче и ярче.

С каждым днем я становлюсь все более и более энергичным человеком. Непрерывно увеличивается моя умственная и физическая работоспособность. И потому в конце рабочего дня я чувствую себя таким же свежим, неуставшим, полным сил и энергии, как утром при пробуждении, как будто я и не работал совсем.

У меня молодеющее, крепнущее сердце. Молодое-юное-здоровое-богатырское сердце. У меня неутомимое, молодое-юное-здоровое сердце. Молодое, неутомимо-богатырское сердце. Молодое-юное-сильное сердце с молодецкой удалью гонит кровь по всему телу и наполняет меня все новой и новой молодой-юной жизненной энергией. И потому я весь наполняюсь торжеством молодой-юной жизни. Здоровеет, крепнет сердце. Я весь наполняюсь радостным, победным торжеством молодой-юной жизни. Здоровеет, крепнет сердце. Я весь наполняюсь радостным, победным торжеством молодой-юной жизни. Во мне снова рождается юная-энергичная жизнь.

С каждым днем я становлюсь все более здоровым, все более крепким человеком. Мое здоровье с каждым днем становится все более и более устойчивым.

Сквозь все вредные влияния внешней среды я продолжаю здороветь, крепнуть. Сквозь все вредные влияния внешней среды, сквозь все невзгоды жизни мое сердце продолжает здороветь, крепнуть и накапливать все больше и больше молодой-юной жизненной энергии. У меня молодое-здоровое-богатырское сердце.

Во мне все быстрей и быстрей снова рождается, развивается энергичная-юная жизнь. В моем сердце все быстрей и быстрей рождается, развивается юная-энергичная жизнь. Я весь наполняюсь радостным победным торжеством быстро развивающейся энергичной жизни.

2.24. На омоложение сердца

Вновь родившаяся новая-новая здоровая, бурно-бурно развивающаяся новорожденная жизнь вливается в мое средце. Бурно-бурно развивающаяся новорожденная жизнь вливается в мое сердце. Новорожденная жизнь сейчас-сейчас рождает быстро-энергично, бурно-бурно развивающееся сердце. Новорожденная жизнь сейчас-сейчас рождает быстро-энергично, бурно-бурно развивающееся сердце.

Каждую секунду в сердце рождаются новые силы. Новые здоровые силы рождаются в сердце. А молодая кровь веселым-радостным, веселым-радостным потоком, веселым-радостным потоком промывает-промывает молодое сердце.

Новорожденная жизнь сейчас-сейчас рождает новорожденное полное кровообращение внутри сердца. Сейчас-сейчас рождается новорожденно-полное, новорожденно-полное, новорожденно-свободное кровообращение внутри сердца. Кровь все более широким потоком, как река в половодье, кровь все более широким-широким-свободным потоком течет внутри сердца. Внутри сердца рождается новорожденно-полное, новорожденно-полное, полное-свободное-

258

веселое кровообращение. А кровь веселым-радостным стремительным-свободным-радостным потоком течет внутри сердца, промывает-промывает молодое сердце, вымывает-вымывает из сердца все соли, все шлаки, все продукты обмена. Новорожденная жизнь днем и ночью, постоянно промывает-промывает-промывает мое сердце, вымывает-вымывает из сердца все соли, все шлаки, все продукты обмена. Новорожденно-чистое, новорожденно-чистое рождается сердце. Новорожденно-чистое, новорожденно-чистое рождается сердце. Кровь несет сердцу в избытке прекрасное полноценное питание. Все, что сердцу нужно для жизни, работы, непрерывного омоложения, все кровь несет ему в избытке. В полном довольстве оживает-оживает, здоровеет-крепнет молодое сердце.

Богатырская сила рождается в сердце.

Новорожденная бурно развивающаяся жизнь вливается в сердце. Новорожденное быстрое развитие, новорожденное быстрое развитие вливается в сердце. Новорожденное быстрое развитие, новорожденное быстрое развитие вливается в сердце.

Новорожденная жизнь сейчас-сейчас рождает новорожденно-юное, быстро развивающееся, новорожденно-юное, быстро-бурно развивающееся сердце. С каждой секундой в сердце рождаются новые силы. Здоровые силы рождаются в сердце. Новорожденная жизнь рождает богатырское могучее молодое сердце, несокрушимо сильное, несокрушимо крепкое молодое сердце. Новорожденная жизнь рождает полнокровную-полнокровную здоровую жизнь сердца. Полнокровной-полнокровной веселой-радостной здоровой жизнью живет молодое сердце. Новорожденная жизнь рождает новорожденно-юное, новорожденно-юное, бурно развивающееся здоровое-здоровое нетронутое сердце. Новорожденная жизнь рождает бурно-бурно развивающееся новорожденно-юное, здоровое-здоровое нетронутое сердце. Мое новорожденно-юное, новорожденно-юное здоровое нетронутое сердце.

Новорожденная жизнь рождает идеально правильную, идеально правильную работу сердца. Новорожденная жизнь рождает идеально правильную, идеально правильную работу сердца. Рождается здоровый правильный ритмичный пульс семьдесят два, семьдесят два удара пульса в минуту. Все удары пульса одинаковой нормальной силы молодого сердца. Все промежутки времени между ударами пульса одинаковы. Идеально правильно, идеально правильно, ритмично работает сердце. С огромной, с колоссальной устойчивостью идеально правильно работает сердце. С огромной, колоссальной устойчивостью идеально правильно, идеально правильно работает сердце. Здоровый правильный ритмичный пульс: семьдесят два, семьдесят два удара в минуту.

Новорожденная жизнь рождает новорожденно-юное сильное могучее веселое сердце. Юное-молодое-юное, новорожденно-чистое сильное сердце звонкое-звонкое. Новорожденная жизнь рождает громкое-звонкое, громкое-звонкое юное сердце. Новорожденно-юное, громкое-звонкое юное сердце. Тоны сердца высокие, громкие-звонкие. Тоны сердца высокие-высокие, звонкие-громкие.

С колоссальной устойчивостью сохраняет сердце идеально правильную работу. Новорожденная жизнь рождает пульс полный сильного наполнения, пульс полный, сильного наполнения.

Во всей сердечно-сосудистой системе здоровеют-крепнут, здоровеют-крепнут молодые нервы.

Новорожденная жизнь наполняет всю мою сердечно-сосудистую систему. Вся сердечно-сосудистая система сейчас-сейчас рождается новорожденно свежая, новорожденно свежая. Все кровеносные сосуды рождаются новорожденно свежие, эластичные-упругие, эластичные-упругие. Вся сердечно-сосудистая система рождается новорожденно свежая, новорожденно свежая, энергичная-сильная. Вся сердечно-сосудистая система рождается новорожденно исправная, идеально исправная. Идеально-исправная вся сердечно-сосудистая система. Во всем теле быстрое-веселое, полное-веселое кровообращение. Во всем теле полное-веселое, новорожденно полное, полное-веселое кровообращение. Все тело живет веселой-радостной счастливой жизнью, веселой радостной здоровой жизнью, полнокровной здоровой жизнью живет молодое сердце.

Иду – птицей на крыльях лечу, сердце ярко чувствует свою удаль молодецкую, сердце ярко чувствует свою силу богатырскую.

И через десять лет, и в сто лет у меня будет несокрушимо здоровое, несокрушимо крепкое, богатырское могучее молодое сердце.

С каждой секундой здоровеет-крепнет молодое сердце. С каждой секундой в сердце рождаются новые-новые здоровые силы. Богатырская сила рождается в сердце. Новорожденная жизнь рождает сердце огромной-колоссальной силы. Бегу – птицей на крыльях лечу, сердце ярко чувствует свою удаль молодецкую, сердце ярко чувствует свою силу богатырскую.

И через десять лет, и в сто лет у меня будет молодое здоровое крепкое сердце.

Весело-радостно оживает-оживает, здоровеет-крепнет молодое сердце. Веселое-веселое здоровое сердце, веселое-веселое счастливое сердце, веселое-веселое-хохочущее сердце, веселое-веселое-хохочущее сердце.

В области сердца легко-спокойно, легко-спокойно в области сердца. В области сердца все нервы здоровеют-крепнут, здоровеют-крепнут. Вся область сердца рождается легкая-легкая, легкая-невесомая, как будто вся область сердца исчезла в пространстве. На сердце так легко-хорошо, как никогда раньше не было. Вся область сердца легкая-легкая, легкая-невесомая.

Все тело молодое-сильное, богатырски сильное, молодое тело легкое, как пушинка. Иду – птицей на крыльях лечу, иду – птицей на крыльях лечу, ярко чувствую свою удаль молодецкую, ярко чувствую свою силу богатырскую.

2.25. На устойчивость сердца

Вновь родившаяся, новая-новая здоровая новорожденная жизнь вливается в мое сердце. Новая здоровая, огромной-колоссальной силы новорожденная жизнь вливается в мое сердце. Огромной-колоссальной силы новорожденная жизнь вливается в мое сердце. Новорожденная жизнь рождает сердце огромной-колоссальной силы. Новорожденная жизнь рождает сердце огромной-колоссальной силы. Рождается несокрушимо-устойчивое сердце. Рождается несокрушимо-устойчивое сердце. С огромной, с колоссальной устойчивостью сердце работает идеально правильно, с огромной, с колоссальной устойчивостью сердце работает идеально правильно, с огромной, с колоссальной устойчивостью сердце работает идеально-правильно, сохраняет здоровый-здоровый-правильный ритмичный пульс 72 удара в минуту. Непоколебимо с колоссальной устойчивостью сохраняет сердце здоровый-правильный ритмичный пульс семьдесят два, семьдесят два удара пульса в минуту. Сердце ярко-твердо помнит, постоянно непрерывно сердце ярко-твердо помнит этот самый приятный темп жизни, самый приятный темп жизни семьдесят два удара пульса в минуту. С колоссальной устойчивостью сохраняет сердце здоровый-правильный-ритмичный пульс семьдесят два, семьдесят два удара в минуту. Все удары пульса одинаковой-нормальной силы, все удары пульса одинаковой-нормальной силы здорового богатырского сердца. Все удары пульса одинаковой-нормальной силы молодого богатырского могучего сердца. Все промежутки времени между ударами пульса одинаковы, все промежутки времени между ударами пульса одинаковы.

В сердце вливается в миллион раз замедленная колоссальная сила. В сердце вливается в миллион раз замедленная колоссальная сила. В сердце вливается в миллион раз замедленная колоссальная сила. В сердце вливается в миллион раз замедленная колоссальная сила. В сердце вливается в миллион раз замедленная колоссальная сила. Новорожденная сила вливается в сердце, новорожденная сила вливается в сердце, новорожденная сила вливается в сердце. С колоссальной устойчивостью сохраняет сердце здоровый правильный-нормальный пульс семьдесят два, семьдесят два удара пульса в минуту. Сердце постоянно-непрерывно ярко-твердо помнит этот самый приятный темп жизни, самый приятный темп жизни: семьдесят два, семьдесят два удара пульса в минуту. Сердце ярко-твердо помнит, постоянно, днем и ночью, непрерывно-постоянно сердце помнит этот самый приятный, самый приятный темп жизни: семьдесят два, семьдесят два, семьдесят два удара пульса в минуту.

С колоссальной устойчивостью сохраняет сердце правильный-ритмичный пульс семьдесят два удара в минуту. С колоссальной устойчивостью сохраняет сердце здоровый правильный-ритмичный пульс семьдесят два, семьдесят два удара в минуту. С колоссальной устойчивостью сохраняет сердце здоровый энергичный пульс семьдесят два, семьдесят два удара в минуту.

С огромной, с колоссальной устойчивостью идеально правильно работает сердце. С огромной-колоссальной устойчивостью идеально правильно работает сердце. С огромной-колоссальной устойчивостью идеально правильно работает сердце, несокрушимо устойчивое, несокрушимо устойчивое здоровое сердце.

В миллион раз замедленная колоссальная сила вливается в сердце. В миллион раз замедленная колоссальная сила вливается в сердце. Новорожденная сила вливается в сердце, новорожденная сила вливается в сердце. В миллион раз замедленная колоссальная сила вливается в сердце. С колоссальной устойчивостью сердце работает идеально правильно, с колоссальной устойчивостью сердце работает идеально правильно. С колоссальной устойчивостью сердце работает идеально правильно, с колоссальной устойчивостью сердце работает идеально правильно, с колоссальной устойчивостью сердце работает идеально правильно.

Новая здоровая новорожденная жизнь наполняет сердце. Новорожденная сила, новорожденная сила наполняет сердце, новорожденная сила, новорожденная сила наполняет сердце. Новорожденная жизнь рождает несокрушимо устойчивое, несокрушимо крепкое, несокрушимо сильное богатырское могучее молодое сердце. Новорожденная жизнь рождает сердце огромной-колоссальной силы, новорожденная жизнь рождает сердце огромной-колоссальной силы. Новорожденная жизнь рождает несокрушимо устойчивое, несокрушимо устойчивое сердце. Новорожденная жизнь рождает несокрушимо устойчивое, несокрушимо устойчивое, богатырское, могучее, молодое сердце. Сквозь все физические нагрузки, сквозь любую физическую работу непоколебимо сохраняет сердце идеально правильную здоровую работу, идеально правильную работу. Непоколебимо, с твердостью стали сохраняет сердце идеально правильную работу.

Иду быстрым шагом, иду – птицей на крыльях лечу, сердце ярко чувствует свою силу богатырскую, сердце ярко чувствует свою силу богатырскую. Сердце ярко чувствует свою огромную-колоссальную силу, сердце ярко чувствует свою огромную-колоссальную устойчивость.

Во всей сердечно-сосудистой системе здоровеют-крепнут молодые нервы. Во всей сердечно-сосудистой системе здоровеют-крепнут нервы. Головной-спинной мозг работает с огромной-колоссальной устойчивостью. Головной-спинной мозг работает идеально правильно с огромной, с колоссальной устойчивостью. Головной-спинной мозг с колоссальной устойчивостью идеально правильно управляет жизнью сердца. Головной-спинной мозг с колоссальной устойчивостью идеально правильно управляет жизнью сердца. С колоссальной устойчивостью сердце работает идеально правильно. Новорожденная жизнь наполняет всю сердечно-сосудистую систему. Новорожденная жизнь всю сердечно-сосудистую систему рождает новорожденно свежую, новорожденно свежую, энергичную-сильную. Во всем теле рождается новорожденное полное-полное кровообращение. Новорожденная жизнь рождает новорожденное полное-полное-свободное кровообращение. Во всем теле полное свободное кровообращение. Все тело живет полнокровной радостной здоровой жизнью. Все внутренние органы работают энергично-весело, с молодецкой удалью выполняют в организме все свои функции. Новорожденная жизнь рождает меня человеком идеально здоровым, абсолютно здоровым, несокрушимо здоровым. Новорожденная жизнь сейчас-сейчас рождает меня человеком несокрушимо здоровым, идеально здоровым.

Во всем теле здоровеют-крепнут нервы. Я рождаюсь человеком стальных нервов. Новорожденная жизнь рождает меня новорожденно-молодым, новорожденно-юным богатырем могучего телосложения.

И через тридцать лет, и через пятьдесят лет, и в сто лет я буду молодой-веселый, молодой-веселый, несокрушимо здоровый.

2.26. На запасную силу сердца

В мою голову – в мое сердце, в голову – в сердце, в голову – в сердце вливается вновь родившаяся: новая-новая здоровая новорожденная жизнь вливается в мою голову – вливается в мое сердце.

В головной-спинной мозг – в головной-спинной мозг вливается вновь родившаяся: новая-новая здоровая огромной-колоссальной силы новорожденная жизнь вливается в головной-спинной мозг. Головной-спинной мозг работает энергично, идеально правильно, с огромной-колоссальной устойчивостью идеально правильно работает головной-спинной мозг. С огромной-колоссальной устойчивостью – энергично идеально-правильно головной-спинной мозг управляет сердцем. С огромной- с колоссальной устойчивостью головной-спинной мозг идеально правильно управляет сердцем. Головной-спинной мозг энергичный-сильный, прочно устойчивый головной-спинной мозг энергично-энергично, с огромной- с колоссальной устойчивостью идеально правильно, идеально правильно управляет сердцем. Головной-спинной мозг с огромной-с колоссальной устойчивостью идеально правильно, идеально правильно управляет сердцем.

Сердце с огромной – с колоссальной устойчивостью работает идеально правильно, идеально правильно. С огромной – с колоссальной устойчивостью сердце работает идеально правильно, идеально правильно. С огромной-с колоссальной устойчивостью сердце работает идеально правильно, идеально правильно, абсолютно правильно. С колоссальной устойчивостью сохраняет сердце здоровый правильный ритмичный пульс семьдесят два, семьдесят два удара в минуту. Сердце ярко-твердо помнит этот самый приятный-самый приятный темп жизни: семьдесят два, семьдесят два, семьдесят два удара пульса в минуту. Сердце ярко-твердо помнит этот самый приятный-самый приятный темп жизни: семьдесят два, семьдесят два, семьдесят два удара пульса в минуту. С огромной-с колоссальной устойчивостью сохраняет сердце идеально правильную работу.

Вновь родившаяся: новая-новая здоровая новорожденная жизнь наполняет сердце. Новорожденная жизнь рождает полнокровную-полнокровную здоровую жизнь сердца. Новорожденная жизнь рождает полнокровную-полнокровную здоровую-здоровую жизнь сердца. Полнокровной-полнокровной здоровой жизнью живет молодое сердце.

Вновь родившаяся: новая-новая здоровая новорожденная жизнь наполняет сердце. Новорожденная жизнь рождает идеально правильную-абсолютно правильную работу сердца. Все удары пульса одинаковой нормальной силы молодого здорового могучего сердца. Все удары пульса одинаковой нормальной силы богатырского могучего здорового сердца. Все промежутки времени между ударами пульса одинаковы-одинаковы. Сердце работает идеально правильно:

ритмично; идеально правильный: ритмичный пульс. Все удары пульса одинаковой силы. Все промежутки времени между ударами пульса одинаковы. Идеально правильный-идеально правильный ритмичный пульс.

Новорожденная жизнь наполняет сердце. Здоровая могучая сила вливается в сердце. Здоровая могучая сила вливается в сердце, здоровая могучая сила вливается в сердце. С каждой секундой увеличивается-увеличивается запасная сила сердца. С каждой секундой увеличивается-увеличивается запасная сила сердца. При надобности сердце может работать с огромной- с колоссальной силой. Новорожденная жизнь рождает несокрушимо здоровое сердце, новорожденная жизнь рождает несокрушимо крепкое сердце, новорожденная жизнь рождает несокрушимо устойчивое сердце. Новорожденная жизнь рождает сердце огромной-колоссальной силы, новорожденная жизнь рождает сердце огромной-колоссальной силы. Новорожденная жизнь рождает пульс полный, сильного наполнения, новорожденная жизнь рождает пульс полный, сильного наполнения, новорожденная жизнь рождает пульс полный, сильного наполнения.

Во всем теле новорожденно-полное, новорожденно-свободное кровообращение. Во всей голове насквозь новорожденно-полное, новорожденно-свободное кровообращение. Вся голова наполнилась приятным, легким-легким светом. Вся голова легкая-легкая, светлая-светлая. Вся голова легкая-легкая, легкая, светлая. В глазах светло-светло. Как в яркий солнечный прекрасный день в глазах моих светло. Как в яркий солнечный прекрасный день в глазах моих светло. Голова легкая-легкая, легкая, светлая. Вся голова наполнилась приятным легким-легким светом.

Вновь родившаяся: новая-новая здоровая новорожденная жизнь наполняет сердце. Новорожденная жизнь рождает новое здоровое сильное сердце. Как у ребенка, у которого в жизни не было ни малейшей неприятности, которого все любили, ласкали, лелеяли, так и у меня: новорожденно-свежее нетронутое сердце. Так и у меня: первозданно-здоровое, несокрушимо здоровое сердце. Так и у меня: несокрушимо здоровое нетронутое сердце. Как у ребенка, у которого в жизни не было ни малейшей неприятности, которого все любили, ласкали, лелеяли, так и у меня: здоровое-здоровое нетронутое сердце, здоровое-здоровое нетронутое сердце.

В течение всей ночи, до самого пробуждения утром, сердце работает идеально правильно, идеально правильно. В течение всей ночи с колоссальной устойчивостью сохраняет сердце идеально правильную работу. В течение всей ночи с колоссальной устойчивостью сохраняет сердце идеально правильную работу. Здоровый правильный ритмичный пульс. Все удары пульса одинаковой нормальной силы. Все промежутки времени между ударами пульса одинаковы. Идеально правильно: ритмично работает сердце всю ночь, до самого пробуждения утром. Днем и ночью сердце работает идеально правильно. С колоссальной устойчивостью сохраняет сердце идеально правильную-правильную здоровую: ритмичную работу. Несокрушимо здоровое, несокрушимо здоровое могучее крепкое молодое сердце.

Во всю сердечно-сосудистую систему вливается вновь родившаяся: новая-новая здоровая новорожденная жизнь вливается во всю мою сердечно-сосудистую систему. Новорожденная жизнь всю сердечно-сосудистую систему рождает новорожденно-свежую, новорожденно-свежую, энергичную-сильную, энергичную-сильную. Все кровеносные сосуды рождаются новорожденно-свежие, новорожденно-свежие, эластичные-упругие, эластичные-упругие, сильные-сильные кровеносные сосуды. Во всем теле рождаются новорожденно-свежие, эластичные-упругие, сильные вены. В руках, в ногах рождаются тонкие сильные-энергичные вены. Вены рук, ног с огромной силой проталкивают кровь кверху-кверху-кверху: к сердцу гонят кровь стремительным потоком. В руках, в ногах рождаются сильные тонкие, сильные-тонкие энергичные вены. Во всех венах здоровеют-крепнут, здоровеют-крепнут нервы. Во все вены рук, ног

268

вливается огромная-колоссальная сила. В вены рук, ног вливается огромная-колоссальная сила. Вены рук, ног с огромной силой стремительным потоком гонят кровь кверху-кверху-кверху: к сердцу гонят кровь стремительным потоком.

Во всем теле новорожденно-свободное, новорожденно-полное, новорожденно-свободное кровообращение.

Во всей сердечно-сосудистой системе здоровеют-крепнут, здоровеют-крепнут нервы. Вся сердечно-сосудистая система рождается новорожденно-свежая энергичная-сильная. Новорожденная жизнь рождает сердечно-сосудистую систему огромной-колоссальной силы. Во всем теле новорожденно-свободное, новорожденно-полное кровообращение. Во всем теле новорожденно-свободное, новорожденно-полное кровообращение. Быстрая-быстрая веселая молодая кровь веселым-радостным, веселым-радостным стремительным потоком течет внутри самого сердца. Горячая-горячая веселая молодая кровь, веселая радостная кровь стремительным потоком промывает-промывает-промывает молодое сердце. Новорожденно-чистое, новорожденно-чистое, новорожденно-чистое рождается сердце. Молодая кровь веселым-радостным, веселым-радостным стремительным потоком промывает-промывает-промывает молодое сердце. Новорожденно-чистое, новорожденно-чистое, новорожденно-чистое рождается сердце. Радость-веселье, радость-веселье вливаются в сердце. Радость-веселье, радость-веселье вливаются в сердце. Новорожденная жизнь рождает веселое-веселое радостное сердце, радостное-радостное-радостное сердце, веселое-веселое-счастливое сердце, веселое-веселое-хохочущее сердце. Новорожденная жизнь рождает веселое-веселое-радостное сердце, радостное-радостное-радостное сердце, веселое-веселое-счастливое сердце, веселое-веселое-хохочущее сердце, веселое-веселое-хохочущее сердце. Сердце живет веселой-радостной, веселой-радостной здоровой жизнью. Полнокровной-полнокровной-веселой-радостной-счастливой жизнью живет мое молодое сердце. Веселой-радостной-веселой-радостной-счастливой жизнью-счастливой жизнью живет мое веселое-веселое-веселое-счастливое молодое сердце.

Полнокровной-полнокровной-полнокровной жизнью живет мое здоровое молодое сердце. Полнокровной-полнокровной здоровой жизнью живет мое молодое-юное здоровое сердце.

Вновь родившаяся: новая-новая здоровая жизнь наполняет сердце. Здоровая могучая сила вливается в сердце, здоровая-здоровая могучая сила наполняет сердце. Здоровая-здоровая могучая сила наполняет сердце. Здоровая-здоровая могучая сила наполняет сердце. Здоровая-здоровая могучая сила наполняет сердце.

Вновь родившаяся: новая-новая быстро-быстро развивающаяся новорожденная жизнь, бурно-бурно развивающаяся новорожденная жизнь наполняет мое сердце. Быстро-быстро развивающаяся, бурно-бурно развивающаяся новорожденная жизнь наполняет сердце. Новорожденное быстрое-быстрое новорожденное быстрое развитие наполняет сердце. Новорожденное быстрое-быстрое новорожденное быстрое развитие наполняет сердце. Новорожденное быстрое-быстрое новорожденное развитие наполняет сердце. Быстрое-быстрое, бурное-бурное новорожденное бурное развитие наполняет сердце. Новорожденная жизнь рождает быстро-быстро развивающееся сердце. Новорожденная жизнь рождает быстро-быстро развивающееся сердце. Новорожденная жизнь рождает быстро-быстро здоровеющее-крепнущее, здоровеющее-крепнущее сердце.

В мышцы- в мышцы сердца вливается быстрое-быстрое новорожденное быстрое развитие вливается в мышцы сердца. В мышцы-в мышцы сердца вливается быстрое-быстрое новорожденное быстрое развитие вливается в мышцы сердца. С каждой секундой в сердце рождается новая-новая могучая здоровая сила. С каждой секундой сердце становится сильней-сильней. Каждую секунду в сердце рождается новая-новая здоровая сила. Каждую секунду в сердце рождается новая-новая здоровая сила. Каждую секунду в сердце рождается новая-новая здоровая сила. Быстрое-быстрое бурное новорожденное быстрое развитие наполняет сердце. Новорожденная жизнь рождает быстро-быстро развивающееся сердце. Новорожденная жизнь рождает быстро-быстро развивающиеся мышцы сердца. Новорожденная жизнь рождает быстро-быстро развивающиеся мышцы сердца. С каждой секундой мышцы сердца становятся сильней-сильней. С каждой секундой мышцы сердца становятся сильней. Богатырски сильное рождается сердце. Богатырски сильное рождается сердце. Богатырски сильное рождается сердце. Богатырская могучая несокрушимая сила наполняет сердце. Богатырская могучая несокрушимая сила наполняет сердце. Богатырская могучая несокрушимая сила наполняет сердце.

Вновь родившаяся: новая бурно-бурно развивающаяся новорожденная жизнь наполняет сердце. Новорожденная жизнь все ткани сердца-все ткани сердца рождает новорожденно-свежие, новорожденно-цельные. Новорожденно-свежие, новорожденно цельные рождаются все ткани сердца. Идеально исправное, идеально исправное рождается сердце. Новорожденная жизнь сейчас-сейчас рождает все ткани сердца новорожденно-свежие, новорожденно-свежие, новорожденно цельные. Новорожденная жизнь сейчас-сейчас рождает все ткани сердца новорожденно-свежие. Новорожденная жизнь сейчас-сейчас рождает новорожденно-свежее нетронутое сердце. Новорожденная жизнь сейчас-сейчас рождает новорожденно свежее, новорожденно свежее нетронутое сердце. Новорожденная жизнь сейчас-сейчас рождает новорожденно-свежее, новорожденно-свежее нетронутое сердце. Новорожденная жизнь рождает устойчивую-устойчивую, идеально правильную, идеально правильную работу сердца. Новорожденная жизнь сейчас-сейчас рождает идеально исправную, абсолютно исправную работу сердца. Новорожденная жизнь рождает пульс полный сильного наполнения, пульс полный сильного наполнения.

Каждую секунду в сердце рождается новая-новая

здоровая сила. Каждую секунду в сердце рождается новая-новая здоровая сила. Каждую секунду в сердце рождается новая-новая здоровая сила. Новорожденная жизнь рождает сердце огромной-колоссальной силы. Новорожденная жизнь рождает сердце огромной-колоссальной силы. С каждой секундой сердце становится сильней. С каждой секундой сердце становится сильней. С каждой секундой увеличивается запасная сила сердца. С каждой секундой увеличивается запасная устойчивость сердца. Я стараюсь до конца понять, до конца осмыслить: с каждой секундой увеличивается запасная устойчивость сердца. С каждой секундой увеличивается запасная устойчивость сердца. Сквозь все трудности жизни, сквозь все невзгоды жизни сердце продолжает работать идеально правильно, идеально правильно. Огромная-колоссальная запасная устойчивость работы сердца дает возможность сохранять идеально правильную работу наперекор всем трудностям жизни, всем невзгодам, наперекор всем обидам, утратам, наперекор всем предательствам даже самых близких родных и любимых людей. Наперекор всем подлостям и предательствам людей сердце работает идеально правильно, с колоссальной устойчивостью сердце работает идеально правильно. С колоссальной устойчивостью сердце работает идеально правильно.

С каждой секундой увеличивается-увеличивается запасная устойчивость сердца. Новорожденная жизнь рождает огромную-колоссальную устойчивость сердца. Новорожденная жизнь рождает огромную-колоссальную устойчивость сердца. Наперекор всем трудностям и невзгодам жизни, наперекор всем утратам жизни, наперекор всем подлостям и предательствам людей сердце работает идеально правильно с огромной-колоссальной устойчивостью. Сердце работает идеально правильно, сохраняет пульс полный сильного наполнения, сохраняет здоровый правильный: ритмичный пульс семьдесят два, семьдесят два, семьдесят два удара в минуту. Сердце ярко-твердо помнит самый приятный, самый приятный темп

272

жизни: семьдесят два, семьдесят два, семьдесят два удара пульса в минуту. Непоколебимо с твердостью стали сохраняет сердце самый приятный, самый выгодный, самый приятный темп жизни: семьдесят два, семьдесят два удара пульса в минуту.

Полнокровной-полнокровной здоровой жизнью живет молодое сердце. Полнокровной-полнокровной здоровой жизнью живет новорожденно-юное здоровое нетронутое сердце, мое новорожденно-юное здоровое-здоровое нетронутое сердце. Как у ребенка, у которого в жизни не было ни малейшей неприятности, которого все любили, ласкали, лелеяли, так и у меня новорожденно-свежее, здоровое нетронутое сердце, новорожденно-юное, новорожденно-юное нетронутое сердце. Новорожденно-юное, новорожденно-юное здоровое-здоровое-здоровое нетронутое сердце. Весело-радостно оживает-оживает, здоровеет-крепнет, здоровеет-крепнет мое юное сердце. С каждой секундой увеличивается-увеличивается запасная сила сердца. С каждой секундой, с каждой секундой увеличивается-увеличивается запасная сила сердца.

2.27. На снятие возбуждения сердца

Все кровеносные сосуды внутри самого сердца полностью раскрылись по всей своей длине. Внутри молодого-юного сердца свободное, абсолютно свободное кровообращение, и моя вечно молодеющая-юная-здоровая кровь свободным, абсолютно свободным потоком течет по всем кровеносным сосудам внутри самого сердца и постоянно-вечно начисто промывает молодое сердце и все лучше и лучше питает сердце и успокаивает сердце. Отдыхает молодое сердце в чистоте и довольстве. А кровь все лучше и лучше питает и успокаивает сердце и сердце работает все более и более устойчиво спокойно, отдыхает молодое-юное сердце. Нежится молодое сердце в чистоте и довольстве. Все нервы в области сердца прочно спокойны, все нервы в области сердца прочно спокойны. Головной-спинной мозг устойчиво правильно управляет сердцем, головной-спинной мозг устойчиво правильно управляет сердцем. Сердце нежится в чистоте и довольстве. Кровь начисто промывает сердце. Мое сердце новорожденно чистое, все кровеносные сосуды внутри сердца новорожденно чистые, моя юная-энергичная кровь начисто промывает сердце. Нежится молодое сердце в чистоте и довольстве. Нежится молодое-юное сердце в чистоте и довольстве, нежится молодое-юное сердце в чистоте и довольстве. А зреют в молодом-юном сердце могучие силы. Отдыхает юное-молодое сердце. Все лучше и лучше питает юная-энергичная кровь мое сердце, кровь начисто промывает сердце. Все нервы в области сердца здоровы-спокойны. Молодые-юные нервы устойчиво здоровы. В области сердца молодые нервы устойчиво здоровы. Дышится легко, свободно. Грудь дышит легко, свободно и зреют в юном сердце могучие силы. Рождается в сердце юная-энергичная жизнь. Все быстрей и энергичней развивается в моем сердце юная жизнь. Здоровеют, крепнут нервы в области сердца. Все более и более устойчиво работает сердце, все более и более устойчиво работает сердце. Нежится молодое сердце в чистоте и довольстве, а кровь все лучше и лучше питает сердце и успокаивает сердце. В области сердца приятная легкость и спокойствие. Дышится легко, легко. Грудь дышит легко, свободно. Все более ярким становится приятное чувство покоя и легкости в области сердца.

2.28. На блаженство сердца

Вновь родившаяся: новая-новая здоровая новорожденная жизнь наполняет сердце. Безмятежное безоблачное новорожденное счастье наполняет сердце. Новорожденное счастье наполняет сердце. Вновь родившаяся: новая-новая здоровая новорожденная жизнь наполняет сердце. Новорожденная жизнь рождает новорожденно-счастливое нетронутое сердце. Рождается новорожденно-счастливое, новорожденно-свежее здоровое нетронутое сердце. Новорожденное счастье наполняет сердце. Новорожденное счастье наполняет сердце. Безмятежное безоблачное счастье наполняет сердце. Новорожденное счастье наполняет сердце. Блаженным покоем наполняется сердце. Новорожденным покоем наполняется сердце. Новорожденным покоем наполняется сердце. Безмятежное блаженство наполняет сердце. Безмятежное блаженное нетронутое сердце. Безмятежное блаженное нетронутое сердце. Новорожденно-счастливое, новорожденно-счастливое здоровое сердце. Новорожденно-счастливое здоровое сердце. Безмятежным покоем наполняется сердце. Абсолютным покоем наполняется сердце. Безмятежная безоблачная юность рождается в сердце. Безмятежная безоблачная юность рождается в сердце. Новорожденное счастье-новорожденное счастье наполняет сердце. Новорожденным покоем наполняется сердце. Новорожденный покой наполняет сердце. Блаженный покой-блаженный покой наполняет сердце. Блаженное спокойствие наполняет сердце.

А кровь все лучше-все лучше питает сердце. Беззаботно отдыхает-беззаботно отдыхает новорожденное сердце. Беззаботно отдыхает нетронутое сердце. Беззаботно отдыхает нетронутое сердце. На сердце так спокойно-светло. На сердце спокойно-легко. Вся область сердца легкая-легкая-легкая невесомая, как будто вся область сердца исчезла в пространстве, как будто вся область сердца исчезла в пространстве. Безмятежно спокойно, абсолютно спокойно здоровое сердце. Беззаботно отдыхает-беззаботно отдыхает здоровое сердце. Беззаботно отдыхает-беззаботно отдыхает здоровое сердце. На сердце так спокойно-легко. На сердце так спокойно-легко. На сердце так спокойно-легко. Новорожденное счастье наполняет сердце. Блаженным спокойствием наполняется сердце. Безмятежно спокойно-совсем спокойно-абсолютно спокойно нетронутое сердце. Здоровое-здоровое нетронутое сердце. Идеально исправное-абсолютно исправное-абсолютно исправное нетронутое сердце. Идеально исправное-идеально исправное-абсолютно исправное нетронутое сердце. Абсолютно исправное нетронутое сердце. На сердце так легко-хорошо, безмятежно спокойно. На сердце так легко-хорошо, абсолютно спокойно. Безмятежная безоблачная юность наполняет сердце. Безмятежно спокойно-абсолютно спокойно-новорожденно-спокойно нетронутое сердце. На сердце так легко-хорошо, так легко-хорошо, как никогда раньше не было. На сердце так легко-хорошо, как никогда раньше не было. Вся область сердца легкая-легкая-легкая-невесомая, как будто вся область сердца исчезла в пространстве. Новорожденное счастье наполняет сердце. Безмятежное безоблачное счастье наполняет сердце. Новорожденное счастье наполняет сердце. Новорожденное счастье наполняет сердце. На душе так легко-так легко-хорошо. Безмятежное-безоблачное счастье наполняет душу. Безмятежное-безоблачное счастье наполняет душу. Безмятежное-безоблачное счастье рождается в моей душе. На душе так легко-хорошо, как никогда раньше не было. На душе так спокойно-светло, безмятежно-спокойно. Абсолютным покоем наполняется сердце. Безмятежным покоем наполняется сердце.

А голова-голова днем и ночью, постоянно успокаивает сердце: успокойся, успокойся новорожденно-счастливое нетронутое сердце. Успокоилось-успокоилось нетронутое сердце. Новорожденно-свежее здоровое нетронутое сердце. Абсолютно спокойно-безмятежно спокойно здоровое сердце. Новорожденным спокойствием наполняется сердце. Новорожденным спокойствием наполняется сердце. Новорожденное счастье наполнило сердце. Безмятежно счастливо-безмятежно счастливое здоровое сердце. Новорожденное счастье вливается в сердце. Новорожденная жизнь наполняет сердце, успокаивает-успокаивает-успокаивает сердце. Успокойся-успокойся-успокойся мое сердце. Успокойся-успокойся здоровое сердце. А голова-голова днем и ночью, постоянно успокаивает сердце. Успокойся-успокойся-успокойся здоровое сердце. Успокоилось-успокоилось нетронутое сердце. Абсолютным покоем наполняется сердце. Безмятежное безоблачное счастье наполняет сердце. Новорожденное счастье-новорожденное счастье наполняет сердце. Безмятежное блаженство-безмятежное блаженство наполняет сердце. Успокоилось-успокоилось новорожденно юное здоровое нетронутое сердце. Безмятежно счастливое здоровое сердце. Безмятежно счастливое нетронутое сердце. В области сердца спокойно-легко. В области сердца спокойно-легко. Вся область сердца легкая-легкая-легкая невесомая, как будто вся область сердца исчезла в пространстве. Как будто вся область сердца исчезла в пространстве, так спокойно-легко в области сердца. Вся область сердца легкая-легкая-невесомая.

На душе так светло-хорошо, безмятежно спокойно. Безмятежное безоблачное счастье наполняет душу. Безмятежное безоблачное счастье наполняет душу. Безмятежное безоблачное счастье наполняет душу. Безмятежное безоблачное счастье наполняет душу. На душе так легко-так светло хорошо-так светло-хорошо, как никогда раньше не было. Безмятежно спокойно-абсолютно спокойно-совершенно спокойно. Абсолютным покоем наполняется сердце. Новорожденным покоем наполняется сердце. Новорожденным покоем наполняется сердце. Новорожденное счастье-новорожденное счастье наполняет сердце. Безмятежное новорожденное счастье наполняет сердце. Безмятежное новорожденное счастье наполняет сердце. Безмятежно счастливое беззаботное сердце. Беззаботно отдыхает в полном довольстве новорожденно счастливое нетронутое сердце. Беззаботно отдыхает-беззаботно отдыхает новорожденно-счастливое нетронутое сердце, новорожденно счастливое-новорожденно счастливое нетронутое сердце. Беззаботно отдыхает в полном довольстве, беззаботно отдыхает в полном довольстве новорожденно-счастливое нетронутое сердце, новорожденно-счастливое нетронутое сердце. Новорожденное счастье наполняет сердце.

Вновь родившаяся: новая-новая здоровая новорожденная жизнь вливается в сердце. Вновь родившаяся: новая-новая здоровая новорожденная жизнь вливается в сердце. Новорожденная жизнь успокаивает сердце: успокойся-успокойся новорожденное сердце. Новорожденное счастье наполняет сердце. Безмятежное безоблачное новорожденное счастье-новорожденное счастье наполняет сердце.

Вновь родившаяся: новая-новая здоровая новорожденная жизнь вливается в мою голову. Новорожденная жизнь наполняет голову. Безмятежное безоблачное счастье рождается в моей душе. Безмятежная безоблачная юность-новорожденная юность рождается в моей душе. Безмятежно счастливая новорожденная юность рождается в моей душе. А голова днем и ночью, постоянно успокаивает сердце: успокойся-успокойся-успокойся мое сердце, успокойся-успокойся мое сердце. Абсолютным покоем наполняется сердце. Блаженным покоем-блаженным покоем наполняется сердце. Беззаботно отдыхает блаженное сердце. Беззаботно отдыхает блаженное сердце. Беззаботно отдыхает блаженное сердце, новорожденно-счастливое нетронутое сердце, новорожденно-счастливое нетронутое сердце, новорожденно-счастливое нетронутое сердце.

Вновь родившаяся: новая-новая счастливая новорожденная жизнь наполняет сердце. Вновь родившаяся: новая-новая здоровая новорожденная жизнь, счастливая-счастливая новорожденная жизнь наполняет сердце. Новорожденное счастье-новорожденное счастье рождается в сердце. Новорожденное счастье-новорожденное счастье рождается в сердце. Беззаботно отдыхает новорожденное сердце. Беззаботно отдыхает блаженное сердце. Беззаботно отдыхает блаженное сердце.

Безмятежное блаженство рождается в моей душе. Безмятежное-новорожденное счастье рождается в моей душе. Новорожденное счастье безмятежное безоблачное новорожденное счастье рождается в моей душе. Новорожденное счастье-новорожденное счастье наполнило сердце. Новорожденная жизнь рождает безмятежно счастливое блаженное сердце. Беззаботно отдыхает новорожденное сердце. Беззаботно отдыхает блаженное сердце. Беззаботно отдыхает блаженное сердце, новорожденно-счастливое нетронутое сердце, новорожденно-счастливое-беззаботное сердце. Беззаботно отдыхает-беззаботно отдыхает блаженное сердце. Беззаботно отдыхает счастливое сердце, новорожденно-счастливое нетронутое сердце, новорожденно-счастливое здоровое сердце. Новорожденно-счастливое здоровое сердце. Новорожденно-счастливое здоровое сердце.

Беззаботное безоблачное счастье рождается в моей душе. Безмятежное безоблачное новорожденное счастье рождается в моей душе.

Голова днем и ночью, постоянно успокаивает сердце. Здоровое спокойствие наполняет сердце. Здоровое спокойствие наполняет сердце. Блаженное спокойствие наполняет сердце. А голова днем и ночью, постоянно успокаивает сердце: успокойся-успокойся здоровое сердце. Новорожденным покоем наполняется сердце. Беззаботно отдыхает блаженное сердце. Беззаботно отдыхает счастливое сердце, мое новорожденно-юное здоровое-здоровое нетронутое сердце. На сердце так легко-хорошо безмятежно спокойно-абсолютно спокойно. Блаженным покоем наполнилось сердце. На душе так светло-хорошо. Безмятежная безоблачная юность рождается в моей душе. Безмятежная безоблачная юность рождается в моей душе. Новорожденное счастье наполнило сердце. Безмятежное безоблачное счастье наполнило сердце. Безмятежно счастливое-новорожденно счастливое рождается сердце, безмятежно счастливое блаженное сердце. Беззаботно отдыхает блаженное сердце. В полном довольстве-в полном довольстве беззаботно отдыхает новорожденно-счастливое здоровое сердце, новорожденно-счастливое нетронутое сердце, новорожденно-счастливое нетронутое сердце. Беззаботно отдыхает-беззаботно отдыхает новорожденно-счастливое-новорожденно-счастливое здоровое сердце, здоровое нетронутое сердце.

2.29. На снижение повышенного артериального давления крови
(первый вариант)

Все мышцы на лице расслабились, я весь успокоился, я весь наполнился безмятежным, безоблачным счастьем юности. На душе легко, светло, хорошо, в области сердца приятно, спокойно. Я весь успокоился. Я доброжелательно отношусь к людям.

Я стараюсь как можно ярче представить такую картину: летняя, солнечная погода, на небе ни облачка, недвижим воздух, не колышатся на деревьях листья, и водная гладь озера неподвижна, как зеркало. Вот и я весь насквозь абсолютно спокоен, как зеркальная гладь озера. Я весь полностью безмятежно спокоен, абсолютно спокоен, как зеркальная гладь озера. Все мышцы на лице расслабились, все нервы успокоились. Все нервные клетки и нервные центры головного-спинного мозга, управляющие кровеносными сосудами, прочно спокойны. Я стараюсь как можно ярче представить, о чем идет речь. Все нервные клетки и нервные центры головного-спинного мозга, управляющие всей сердечно-сосудистой системой, прочно-спокойны. Прочно-спокойны все нервные клетки, управляющие сердцем.

Я стараюсь как можно глубже осмыслить, о чем идет речь. Внутри головного-спинного мозга есть нервные клетки и нервные центры, управляющие работой сердца. Эти нервные клетки внутри головного-спинного мозга, которые управляют всей работой сердечно-сосудистой системы, прочно-спокойны, устойчиво-спокойны. Прочно-спокойны все нервные клетки головного-спинного мозга, управляющие кровеносными сосудами. И все кровеносные сосуды прочно-спокойны. Все кровеносные сосуды расслаблены, расширены равномерно по всей своей длине. От темени до кончиков пальцев рук и ног все кровеносные сосуды расширены, расслаблены, равномерно раскрыты по всей своей длине. Во всем теле свободное, абсолютно свободное кровообращение.

Внутри всей головы свободное, абсолютно свободное кровообращение. В голове светло, легко-легко, голова легкая, легкая, как невесомая. Я весь наполнен безмятежным, безоблачным счастьем юности. Я весь наполнен безмятежным, безоблачным счастьем юности. На душе легко, светло, хорошо. У меня доброжелательное отношение к людям. Все тело живет и дышит легко, свободно. Все клетки тела живут и дышат легко, свободно. Все тело живет полнокровной молодой радостной жизнью.

Молодой головной-спинной мозг энергичный, устойчиво здоровый, прочно-спокойный. Все нервные клетки головного-спинного мозга, управляющие кровеносными сосудами, прочно-спокойны и все кровеносные сосуды расслаблены, раскрыты, расширены равномерно по всей своей длине все кровеносные сосуды от темени до кончиков пальцев рук и ног.

В коже головы, лица и шеи, в мышцах головы лица и шеи, в костях черепа, внутри головного мозга, во всей голове все кровеносные сосуды полностью раскрыты, расширены по всей своей длине, во всей голове свободное, абсолютно свободное кровообращение. Все мышцы на лице расслаблены, я весь абсолютно спокоен, безмятежно спокоен. Я весь наполнился безмятежным, безоблачным счастьем юности. В голове светло, хорошо. Голова легкая, будто невесомая. Во всей голове свободное, абсолютно свободное кровообращение. Во всей голове свободное, абсолютно свободное кровообращение.

Все мышцы на лице расслабились, все нервы в голове успокоились. В голове самые здоровые, самые крепкие нервы. Молодые здоровые нервы в голове прочно спокойны. В голове светло, легко-легко. Глаза здоровые, спокойные.

Все мышцы на лице расслабились. Я весь успокоился, как зеркальная гладь озера. Все нервные клетки головного-спинного мозга, управляющие кровеносными сосудами, прочно-спокойны. Все нервные клетки и нервные центры внутри головного-спинного мозга, управляющие кровеносными сосудами, прочно-спокойны. Во всем теле свободное, абсолютно свободное кровообращение. Все тело живет здоровой полнокровной энергичной жизнью. Я весь живу здоровой полнокровной энергичной жизнью.

Я стараюсь как можно ярче почувствовать процесс, о котором я говорю. Молодые-здоровые нервы прочно-спокойны, молодые-здоровые нервы прочно-спокойны. Я весь насквозь абсолютно спокоен, во всем теле все нервы и мышцы прочно-спокойны. Во всем теле все кровеносные сосуды одинаково расширены по всей своей длине, во всем теле свободное, абсолютно свободное кровообращение.

Все нервные клетки головного-спинного мозга, управляющие работой сердечно-сосудистой системы, прочно-спокойны, само сердце прочно-спокойно. Головной-спинной мозг устойчиво-спокойно управляет сердцем.

Все кровеносные сосуды внутри сердца полностью раскрыты, расширены по всей своей длине, и самые крупные кровеносные стволы внутри сердца, и средние кровеносные сосуды, и самые тонкие кровеносные сосуды – капилляры, – все кровеносные сосуды внутри сердца полностью раскрыты, расширены по всей своей длине. Внутри самого сердца свободное, абсолютно свободное кровообращение. На сердце легко-легко, на сердце легко, хорошо. Молодое-здоровое сердце легко-шутя гонит кровь в раскрытые кровеносные сосуды. Сердце работает легко-легко. Абсолютно легко работает молодое сердце. А кровь свободным быстрым потоком течет по всем кровеносным сосудам внутри самого сердца.

Я стараюсь как можно ярче представить, о чем идет речь. Моя молодеющая, здоровая, юная кровь вечным быстрым непрерывным потоком свободно, абсолютно свободно течет по всем кровеносным сосудам внутри самого сердца и начисто промывает сердце. Моя вечно молодеющая, юная-здоровая кровь непрерывно омолаживает сердце, восстанавливает первозданную-юную свежесть сердца. Молодеет сердце, нежится сердце в чистоте и довольстве.

Нежится в чистоте и довольстве молодеющее сердце. Внутри самого сердца свободное, абсолютно свободное кровообращение. А моя вечно молодеющая, юная-здоровая кровь начисто промывает сердце. Все, что сердцу нужно для жизни, работы и непрерывного восстановления сил, для непрерывного омоложения, все кровь несет ему в избытке, и молодое сердце нежится в чистоте и довольстве. Сердцу абсолютно легко гнать кровь по всему телу через раскрытые кровеносные сосуды. В области сердца легко-легко, абсолютно легко в области сердца. Все нервы в области сердца здоровы-спокойны, все нервы в области сердца здоровы-спокойны. На сердце легко-легко, легко, хорошо. Я весь наполнен безмятежным, безоблачным счастьем юности.

В моей душе цветет весна, в моем теле расцветает юная красота. Во всем теле все нервы и мышцы здоровы, спокойны. А моя вечно молодеющая кровь непрерывно-вечно начисто промывает сердце. Кровь несет в избытке сердцу полноценное питание. Молодое сердце нежится в чистоте и довольстве. Молодое сердце нежится в чистоте и довольстве, отдыхает молодое сердце, спокойно отдыхает молодое сердце. На сердце легко-легко. Дышится легко, свободно. Все тело живет здоровой полнокровной энергичной жизнью. Я весь живу здоровой полнокровной энергичной жизнью. А моя вечно молодеющая, юная-здоровая кровь все лучше и лучше питает и успокаивает сердце.

Все нервные клетки головного-спинного мозга, управляющие сердцем, прочно-спокойны. Прочно-спокойны все нервные клетки головного-спинного мозга, управляющие сердцем. И сердце живет и работает прочно-спокойно. Непоколебимо устойчиво, непоколебимо устойчиво работает сердце, пульс устойчиво-ритмичный 72 удара в минуту.

Молодое-юное-звонкое сердце, молодое-юное-звонкое сердце. Тоны сердца юные-ясные-чисты. Тоны сердца звонкие-ясные-чисты. Молодое богатырское сердце, молодое здоровое сердце. Здоровое богатырское сердце легко-шутя, с огромной силой гонит кровь по всему телу и наполняет меня все большей и большей молодой энергией. Мое молодое-здоровое сердце легко-шутя, с молодецкой удалью гонит кровь по всему телу и наполняет меня все новой и новой молодой энергией. Я весь оживаю. Я весь живу радостной, полнокровной энергичной жизнью. Сердце живет радостной полнокровной здоровой жизнью.

Сердце работает с огромной внутренней устойчивостью. Отдыхает молодое сердце. Накапливает сердце могучие силы, накапливает сердце могучие силы. В области сердца легко, спокойно. В области сердца все нервы прочно-спокойны. Все нервные клетки головного-спинного мозга, управляющие сердцем, прочно-спокойны. Все нервные клетки головного-спинного мозга, управляющие сердцем, прочно-спокойны. И сердце работает непоколебимо спокойно, непоколебимо спокойно работает молодое здоровое сердце. Тоны сердца ясные, чистые, нормальной высоты, нормальной громкости. Кровяное давление устойчиво-стабильно нормальное – 120/80.

Я стараюсь устранить все сомнения в том, что все кровеносные сосуды во всем теле постоянно-вечно полностью раскрыты, равномерно раскрыты по всей своей длине. Кровяное давление нормальное-молодое-юное, устойчивое нормальное кровяное давление – 120/80. Пульс устойчиво-ритмичный – 72 удара в минуту.

Я стараюсь как можно ярче представить, о чем идет речь. Пульс устойчиво-ритмичный – 72 удара в минуту. Все промежутки времени между ударами пульса точно одинаковы, все промежутки времени между ударами пульса точно одинаковы. Пульс устойчиво-ритмичный – 72 удара в минуту. Молодое здоровое сердце, пульс полный, сильного наполнения. Здоровое богатырское сердце, пульс полный, сильного наполнения. Богатырское сердце, пульс полный, сильного наполнения. Все удары пульса одинаковой нормальной силы, все удары пульса одинаковой нормальной силы.

Все мышцы на лице расслабились, я весь успокоился, я весь насквозь абсолютно спокоен. Во всем теле все нервы и мышцы прочно-спокойны. Все нервные клетки головного-спинного мозга, управляющие кровеносными сосудами, прочно-спокойны. Прочно-спокойны все нервные клетки головного-спинного мозга, управляющие кровеносными сосудами. Все кровеносные сосуды во всём теле расслаблены, расширены, равномерно расширены по всей своей длине, во всем теле свободное, абсолютно свободное кровообращение. Я весь насквозь абсолютно спокоен, я весь насквозь абсолютно спокоен.

В моей душе цветет весна. В моем теле расцветает юная красота. Я весь наполнен безмятежным, безоблачным счастьем юности. Безмятежное безоблачное счастье юности наполняет все мое существо без остатка. Я молодой-юный-здоровый человек, я молодой-юный-здоровый человек.

Во всем теле все нервы и мышцы устойчиво здоровы, прочно-спокойны. Прочно спокойны во всем теле все нервы и мышцы. Я весь абсолютно спокоен, как зеркальная гладь озера, я весь абсолютно спокоен, как зеркальная гладь озера.

2.30. На снижение повышенного артериального давления крови (второй вариант)

Я весь насквозь успокоился, я весь наполняюсь блаженным покоем. Все мышцы лба расслабились, лоб разгладился, все мышцы моего лица глубоко расслабились, всё лицо разгладилось. Вся голова насквозь расслабилась. Во всей голове насквозь кровеносные сосуды расширились, по всей своей длине равномерно расширились, я весь успокоился, вся голова расслабилась, все кровеносные сосуды расслабились, расширились. Во всей голове насквозь кровообращение свободное-новорожденно свободное. Во всей голове насквозь кровообращение свободное полное, все кровеносные сосуды во всей голове расширились по всей своей длине. Кровь течет всё более широким, все более свободным, все более широким потоком, как река в половодье, кровь течёт по всем кровеносным сосудам внутри головного мозга. Во всей голове насквозь новорожденно-полное, новорожденно свободное-свободное кровообращение, во всей голове насквозь новорожденно свободное кровообращение. Все мышцы лба расслабились, все мышцы лица расслабились, все лицо разгладилось. Я весь насквозь успокоился, я весь насквозь абсолютно спокоен, как зеркальная гладь озера, я весь насквозь абсолютно спокоен. Все мышцы головы расслабились, все мышцы лба, лица расслабились. Я весь насквозь успокоился. Лицо блаженное: довольное, лицо блаженное: всем довольное, я всем доволен, я полностью удовлетворен жизнью, я всем доволен, я больше от жизни ничего не требую. Если что-нибудь улучшится, ну что ж я возражать не буду, буду жить ещё лучше, но я полностью доволен всем тем, что у меня есть. Я ничего не жду, я всем удовлетворен, я полностью доволен жизнью. Лицо блаженное: всем довольное. Я весь наполняюсь блаженным покоем, безмятежным покоем.

Безмятежным покоем наполняется сердце, абсолютным покоем наполняется сердце. Безмятежная безоблачная юность наполняет душу, безмятежная безоблачная юность наполняет душу. Я весь насквозь успокоился, во всем теле все мышцы глубоко расслабились, удлинились, стали мягкие, как кисель, все мои мышцы. В области сердца все мышцы глубоко расслабились, в области сердца грудные мышцы расслабились, удлинились, стали мягкие, как кисель. Спинные мышцы в области сердца расслабились, широчайшая мышца спины в области сердца глубоко расслабилась. Мышцы левого плеча расслабились, удлинились, стали мягкие, как кисель. Мышцы левой руки расслабились, удлинились, стали мягкие, как кисель. Во всей обширной области сердца все мышцы расслабились, удлинились, стали мягкие, как кисель. В области сердца стало свободней, ещё свободней стало в области сердца, совсем свободно в области сердца, беспредельно свободно, в области сердца. Внутри самого сердца новорожденно-свободное, новорожденно-свободное кровообращение. Внутри самого сердца все кровеносные сосуды расслабились: расширились по всей своей длине. Все кровеносные сосуды внутри сердца расслабились: расширились по всей своей длине. Внутри самого сердца новорожденно полное, новорожденно свободное-свободное кровообращение. Вся область сердца стала легкая-легкая, легкая невесомая. На сердце спокойно легко, на сердце спокойно легко, в области сердца свободно, беспредельно свободно в области сердца. Вся область сердца легкая-легкая, легкая невесомая вся область сердца легкая-легкая-легкая невесомая, как будто вся область сердца исчезла в пространстве, как будто вся область сердца исчезла в пространстве. Легкая-легкая-легкая невесомая-невесомая вся область сердца, как будто вся область сердца исчезла в пространстве. На душе так светло, так легко, хорошо. Лицо блаженное, всем довольное.

Все мышцы туловища глубоко расслабились, грудные мышцы расслабились, удлинились, стали мягкие, как кисель. Широчайшие мышцы спины расслабились, удлинились, стали мягкие, как кисель. Все мышцы поясницы расслабились, все мышцы брюшного пресса расслабились, все мышцы туловища расслабились, удлинились.

Все мышцы плеч расслабились, мышцы рук расслабились, удлинились все мышцы рук, плеч, все мышцы туловища расслабились, стали мягкие, как кисель. Мышцы ног расслабились, икроножные мышцы глубоко расслабились, икроножные мышцы глубоко расслабились, стали мягкие, как кисель. Во всем теле все мышцы расслабились, стали мягкие, как кисель. Я весь насквозь успокоился, а голова наполнилась приятным легким-легким светом, голова легкая-легкая, легкая светлая, голова легкая невесомая, легкая светлая.

Всё тело легкое-легкое, легкое, как пушиночка, всё тело легкое-легкое, легкое, как пушиночка. Голова легкая невесомая, в глазах светло-светло, на душе так легко хорошо, в области сердца легко, спокойно, в области сердца легко спокойно, вся область сердца легкая-легкая, легкая невесомая, как будто вся область сердца исчезла в пространстве. В области сердца легко спокойно, беспредельно свободно, беспредельно свободно в области сердца. Во всем теле новорожденно свободное, новорожденно свободное кровообращение во всем теле новорожденно свободное, голова легкая-легкая, легкая светлая; в глазах светло-светло, как в яркий солнечный прекрасный день в глазах моих светло.

2.31. На стабильность артериального давления

Все кровеносные сосуды от темени до кончиков пальцев рук и ног полностью раскрыты-расширены по всей своей длине. Во всем теле свободное, абсолютно свободное кровообращение. Все клетки тела живут и дышат легко, свободно. Все тело живет энергичной-полнокровной жизнью. Все кровеносные сосуды насквозь во всей голове полностью раскрыты по всей своей длине. Во всей голове насквозь свободное, абсолютно свободное кровообращение. Все мышцы на лице расслабились, всё лицо разгладилось, все кровеносные сосуды головы расширились полностью, расширились по всей своей длине. Во всей голове насквозь свободное, абсолютно свободное кровообращение. В голове светло, легко-легко. Голова легкая, как невесомая. Появляется приятное чувство безграничной-беспредельной свободы в области головы. Все кровеносные сосуды внутри головного мозга полностью раскрыты, расширены по всей своей длине. Внутри головного мозга свободное, абсолютно свободное кровообращение. И моя вечно молодеющая, юная-здоровая кровь вечным быстрым-энергичным потоком свободно течет по всем кровеносным сосудам внутри головного мозга и постоянно-вечно начисто промывает головной мозг. И наполняет все нервные клетки головного мозга всё большей и большей энергией жизни. Все нервные клетки головного мозга постоянно непрерывно восстанавливают свои энергетические ресурсы.

Я стараюсь как можно глубже понять, о чем идет речь. Все нервные клетки головного мозга постоянно-непрерывно увеличивают свои энергетические ресурсы, увеличивают свой энергетический запас. Все органы чувств наполняются всё большей и большей энергией жизни. Все нервные клетки головного мозга становятся всё более и более энергичными. Головной мозг всё более энергично-правильно управляет моим юным быстроразвивающимся организмом.

Я стараюсь как можно ярче представить, о чем идет речь. Моя вечно молодеющая, юная-здоровая-энергичная кровь вечным быстрым свободным потоком течет по всем кровеносным сосудам внутри головного мозга и начисто промывает головной мозг. И наполняет все нервные клетки головного мозга все большей и большей энергией жизни. Все нервные клетки головного мозга постоянно-непрерывно восстанавливают свои энергетические ресурсы.

Я стараюсь как можно глубже понять, о чем идет речь. Все нервные клетки головного мозга постоянно-непрерывно увеличивают свои энергетические ресурсы, увеличивают свой энергетический запас. Все органы чувств наполняются все большей и большей энергией жизни. Все нервные клетки головного мозга становятся все более и более энергичными. Головной мозг все более энергично-правильно управляет моим юным-быстроразвивающимся организмом.

Я стараюсь как можно ярче представить, о чем идет речь. Моя вечно молодеющая, юная-здоровая-энергичная кровь вечным быстрым свободным потоком течет по всем кровеносным сосудам внутри головного мозга и наполняет головной мозг все большей и большей энергией жизни. Все нервные клетки головного мозга постоянно-непрерывно увеличивают свои энергетические ресурсы, увеличивают свои энергетические запасы.

С каждой секундой, с каждым мгновением каждая нервная клетка головного мозга увеличивает свои энергетические запасы, увеличивает свои энергетические ресурсы. Все нервные клетки головного мозга постоянно-непрерывно увеличивают свои энергетические запасы и становятся все более и более энергичными и с каждой секундой, с каждым мгновением повышается устойчивость нервной системы. Здоровеют, крепнут все мои нервы, все нервы во всем теле устойчиво здоровы, прочно спокойны.

Непрерывно головной мозг становится все более и более энергичным и вся нервная система становится все более и более устойчивой. Головной-спинной мозг все более устойчиво управляет моим юным-быстро развивающимся организмом.

Я стараюсь как можно ярче представить, о чем идет речь. Головной-спинной мозг все более и более устойчиво правильно управляет моим юным-быстро-развивающимся организмом. И потому все более устойчивым становится мое прекрасное самочувствие, все более устойчивым становится мое веселое, жизнерадостное настроение.

С каждым днем я становлюсь все более веселым, жизнерадостным человеком, и все нервные центры головного-спинного мозга, управляющие внутренними органами, работают все более и более устойчиво, все более энергично, со все большей устойчивостью головной-спинной мозг управляет всеми внутренними органами. Все нервные клетки и нервные центры головного-спинного мозга, управляющие кровеносными сосудами, работают энергично, с очень большой устойчивостью.

Я стараюсь как можно глубже осмыслить это явление. Головной-спинной мозг все более энергично, все более и более устойчиво управляет кровеносными сосудами. И потому постоянно непоколебимо сохраняется нормальное артериальное давление 120/80. Мое молодое-энергичное-юное сердце работает с очень большой внутренней устойчивостью и потому пульс устойчиво ритмичный – 72 удара в минуту. Все промежутки времени между ударами пульса точно одинаковы. Все удары пульса одинаковой болшой силы юного-здорового-богатырского сердца.

Юное-здоровое-богатырское сердце работает с очень большой, с огромной внутренней устойчивостью и потому непоколебимо сохраняется нормальное артериальное давление 120/80. Сквозь все трудности жизни, сквозь все неприятности непоколебимо сохраняется нормальное кровяное давление 120/80. Сквозь все подлости и предательства людей, сквозь все обиды непоколебимо сохраняется нормальное кровяное давление 120/80.

Я стараюсь как можно глубже осмыслить, о чем идет речь. Все нервные клетки и нервные центры головного-спинного мозга, управляющие всей сердечно-сосудистой системой, работают энергично с очень большой, с огромной внутренней устойчивостью и потому у меня непоколебимо сохраняется нормальное кровяное давление 120/80. Непоколебимо сохраняется устойчиво-ритмичный пульс 72 удара в минуту. Все нервные центры головного-спинного мозга, управляющие напряжением кровеносных сосудов, работают энергично, с огромной внутренней устойчивостью. Внутренняя устойчивость нервных центров головного-спинного мозга, которые управляют сердцем и кровеносными сосудами, в десять раз, в сто раз сильней всех вредных влияний внешней среды, всех подлостей и предательств людей. И потому сквозь все невзгоды жизни, сквозь все преграды, неприятности, обиды, оскорбления, подлости и предательства людей у меня непоколебимо сохраняется нормальное кровяное давление 120/80. Моя внутренняя устойчивость в сто раз сильней даже самых беспредельно беспощадных и беспредельно безжалостных подлостей и предательств людей. И потому я непоколебимо сохраняю веселое жизнерадостное настроение, прекрасное самочувствие сквозь все невзгоды жизни.

Головной-спинной мозг работает все более и более устойчиво. Все нервные клетки головного-спинного мозга непрерывно увеличивают свои энергетические ресурсы, увеличивают свои энергетические запасы, становятся все более и более энергичными. Мой юный-энергичный головной-спинной мозг энергично правильно управляет моим юным-быстроразвивающимся организмом. Все более сильной становится моя воля, я все ярче, отчетливей чувствую, что моя внутренняя устойчивость в десять раз сильней, в сто раз сильней всех вредных влияний внешней среды, всех неприятностей и невзгод жизни. И потому сквозь все невзгоды жизни головной-спинной мозг продолжает непоколебимо энергично правильно управлять моим юным-быстроразвивающимся организмом. И потому непоколебимо сохраняется нормальное кровяное давление 120/80. Что бы ни случилось, какие бы неприятности не возникли в семье или на работе, я все равно сохраняю прекрасное самочувствие, веселое, жизнерадостное настроение и непоколебимо сохраняется нормальное артериальное давление 120/80.

Все нервные центры головного-спинного мозга, управляющие кровеносными сосудами, работают энергично правильно, с очень большой, с огромной внутренней устойчивостью. И потому сквозь все невзгоды жизни все кровеносные сосуды постоянно-вечно полностью раскрыты, расширены по всей своей длине. Во всем теле от темени до кончиков пальцев рук и ног все кровеносные сосуды полностью раскрыты, расширены по всей своей длине. Во всем теле свободное, абсолютно свободное кровообращение. И моя вечно молодеющая юная-энергичная-здоровая кровь вечным быстрым свободным потоком течет по всем кровеносным сосудам моего тела и наполняет меня все новой и новой юной энергией жизни. Все клетки тела живут и дышат легко, свободно, все тело живет полнокровной, энергичной жизнью.

Юное-здоровое-богатырское сердце с молодецкой удалью гонит кровь по всему телу и наполняет меня все новой и новой энергией жизни. Здоровеет-крепнет сердце. Непрерывно увеличивается внутренняя устойчивость работы сердца. Непрерывно увеличивается внутренняя устойчивость работы сердца. Внутренняя устойчивость работы сердца в десять раз сильней, в сто раз сильней всех вредных влияний внешней среды, всех подлостей и предательств людей, всех влияний погоды и климата. И потому сквозь все вредные влияния внешней среды, сквозь все разрушающие организм вредоносные влияния внешней среды мое юное-богатырское сердце продолжает здороветь и крепнуть и повышать свою внутреннюю устойчивость.

Непоколебимо увеличивается внутренняя устойчивость работы сердца. Внутренняя устойчивость работы сердца в десять раз сильней, в сто раз сильней всех вредных влияний внешней среды и потому непоколебимо сквозь все невзгоды жизни сохраняется устойчиво ритмичный пульс 72 удара в минуту, нормальное кровяное давление 120/80.

Я сейчас постараюсь приложить все свои силы для того, чтобы начисто преодолеть абсолютно все свои сомнения в том, что сквозь все трудности, невзгоды жизни и неприятности в семье и на работе у меня непоколебимо сохраняется нормальное кровяное давление 120/80. Что бы ни случилось, у меня нормальное кровяное давление 120/80. Я это твердо знаю, как действительный факт. У меня в этом нет ни малейших сомнений. Я с беспредельной дерзновенностью верю в то, что сквозь все невзгоды жизни, что бы ни случилось, у меня непоколебимо будет сохраняться нормальное кровяное давление 120/80, пульс устойчиво ритмичный 72 удара в минуту.

Все нервные клетки головного-спинного мозга сквозь все невзгоды жизни продолжают увеличивать свои энергетические запасы. Головной-спинной мозг продолжает становиться все более и более энергичным и непрерывно, с каждой секундой, с каждым мгновением повышается устойчивость моей нервной системы.

Головной-спинной мозг все более и более устойчиво правильно управляет быстроразвивающимся организмом. Все нервные центры головного-спинного мозга, управляющие кровеносными сосудами, становятся все более энергичными, все более устойчивыми. Устойчивость нервных центров головного-спинного мозга, управляющих напряжением кровеносных сосудов, в десять раз сильней, в сто раз сильней всех невзгод жизни. И потому непоколебимо сохраняется нормальное артериальное давление 120/80, непоколебимо сохраняется свободное, абсолютно свободное кровообращение во всем теле от темени до кончиков пальцев рук и ног. Все тело живет и дышит легко, свободно. Все внутренние органы работают энергично-радостно, все тело живет юной-энергичной-радостной жизнью. Я весь наполняюсь радостным, победным торжеством юной жизни. Во мне рождается юная-энергичная жизнь. Я снова здоровый и крепкий и буду продолжать здороветь и крепнуть сквозь все трудности и невзгоды жизни.

Я начисто подавил абсолютно все свои сомнения в том, что теперь у меня артериальное давление постоянно-вечно будет сохраняться нормальное — 120/80 сквозь все невзгоды жизни. Я теперь беспредельно верю в то, что у меня непоколебимо будет сохраняться нормальное кровяное давление 120/80 сквозь все невзгоды жизни. Моя уверенность в том, что сквозь любые невзгоды жизни непоколебимо будет сохраняться нормальное артериальное давление 120/80, сильнее всего во всей Вселенной и потому никакие силы в мире не могут поколебать моей уверенности в том, что сквозь любые невзгоды жизни у меня будет непоколебимо сохраняться нормальное артериальное давление 120/80.

Я теперь твердо знаю, как действительный факт, что сквозь любые невзгоды жизни у меня непоколебимо сохраняется нормальное артериальное давление 120/80. И теперь все свои силы, все свои безграничные резервы мой организм мобилизует на то, чтобы сохранять нормальное артериальное давление 120/80 сквозь любые невзгоды жизни, сквозь любые даже самые беспредельно беспощадные и беспредельно безжалостные подлости и предательства людей, сквозь любые неприятности в семье и на работе. А внутренняя устойчивость моего организма в десять раз сильней, в сто раз сильней всех невзгод жизни, всех разрушающих организм вредоносных влияний внешней среды, всех вредных влияний погоды и климата. И потому у меня действительно теперь постоянно-вечно будет сохраняться нормальное артериальное давление 120/80. Головной-спинной мозг продолжает увеличивать свои энергетические ресурсы. С каждой секундой, с каждым мгновением увеличивается устойчивость моей нервной системы. Я это стараюсь как можно более твердо запомнить. С каждой секундой, с каждым мгновением увеличивается устойчивость моей нервной системы, здоровеют, крепнут мои нервы, все более устойчивой становится моя воля. Я все ярче, отчетливей чувствую себя сильней всех противодействующих сил жизни, сильней всех вредоносных влияний внешней среды, сильней всех неприятностей и невзгод жизни, какими бы неожиданными они ни были.

Я продолжаю здороветь и крепнуть, я продолжаю становиться все более и более устойчивым человеком в жизни. Продолжают становиться все более крепкими, все более устойчивыми мои нервы. Все нервы в области сердца устойчиво здоровы, прочно спокойны. Все нервы в области сердца энергично-устойчиво здоровы. В области сердца приятное чувство свободы и легкости, в голове светло, легко-легко. Голова легкая, как невесомая, все тело наполнено юной энергией, юной силой. Все тело наполнено юной энергией и силой. Все тело потому мне кажется легким, невесомым, походка быстрая, легкая, хожу, как на крыльях летаю, не чувствуя тяжести тела. Юная походка энергичная, юная походка энергичная-быстрая. Юная походка легкая-быстрая, хожу, как на крыльях летаю, не чувствуя тяжести тела. Я весь наполняюсь торжеством снова развивающейся во мне юной-энергичной жизни. Я весь наполняюсь радостным, победным торжеством рождающейся юной-энергичной жизни. Я весь молодею, здоровею, крепну и буду продолжать здороветь и крепнуть сквозь все невзгоды жизни. В течение долгих десятилетий до ста лет и больше, в течение всего того будущего времени, которое я способен представить, я буду продолжать здороветь и крепнуть сквозь все трудности жизни и становиться все более и более крепким, все более устойчивым, непоколебимым человеком. У меня сильная воля и твердый характер, я безгранично управляю деятельностью своего организма и поведением. Я безгранично управляю деятельностью своего организма и потому все обязательно, неизбежно будет так, как я говорю и у меня непоколебимо будет сохраняться нормальное кровяное давление 120/80 сквозь любые невзгоды жизни, сквозь любые трудности, сквозь любые неприятности в семье и на работе. Я становлюсь все более сильным человеком, я вижу себя как человека-гиганта, человека колоссальной воли.

2.32. Против аритмии сердца

Когда я говорю о себе, я ни в чем не сомневаюсь, я с беспредельной дерзновенностью верю в то, что говорю о себе, я всеми силами стараюсь начисто подавить абсолютно все свои сомнения в том, что говорю о себе, и ярко, отчетливо представлять уже реализованным то, что я говорю.

Так как я стараюсь настроить организм на непрерывное омоложение, непрерывное восстановление первозданной юной свежести, непрерывное восстановление молодости, юности, непрерывное восстановление юной красоты, то это совпадает с природным стремлением организма к жизни. И потому, когда я говорю о себе, весь мой организм мобилизует все свои безграничные резервы для быстрейшего и полного исполнения всего того, что я говорю. И потому все неизбежно, с железной необходимостью становится действительностью через то время, в течение которого успевают произойти определенные биологические изменения в организме. И потому я действительно, неизбежно, с железной необходимостью стану челове- ком молодым-юным-здоровым-крепким, полным сил и энергии и буду продолжать здороветь и крепнуть и будут продолжать развиваться все мои умственные и физические способности в течение долгих десятилетий, до ста лет и больше, в течение всего того будущего времени, которое я способен представить.

Сейчас я постараюсь как можно прочней усвоить представление о себе, как о молодом-здоровом человеке с очень здоровым-устройчивым-крепким сердцем. И весь мой организм сейчас будет мобилизовывать все свои силы, все свои безграничные резервы для того, чтобы привести сердце в полное соответствие с этим представлением.

Все нервные клетки головного-спинного мозга продолжают все быстрей и энергичней накапливать энергию, накапливать молодые-юные жизненные силы. Все нервные клетки головного-спинного мозга теперь постоянно-непрерывно будут увеличивать свои энергетические запасы, увеличивать свои энергетические ресурсы. Головной-спинной мозг будет работать все более и более устойчиво. Головной-спинной мозг будет все более устойчиво-правильно управлять жизнью всего тела. Головной-спинной мозг будет теперь все более и более устойчиво-правильно управлять сердцем и кровеносными сосудами. Головной-спинной мозг становится все более и более энергичным, непрерывно повышается внутренняя устойчивость всей нервной системы. Все более устойчивым становится мое веселое жизнерадостное настроение и прекрасное самочувствие. Все нервные клетки и нервные центры головного-спинного мозга, управляющие сердцем, работают все более и более устойчиво. Я стараюсь сейчас как можно ярче, отчетливей представить, о чем идет речь. Все нервные клетки и нервные центры головного-спинного мозга, управляющие сердцем и кровеносными сосудами, работают энергично, все более и более устойчиво. Головной-спинной мозг все более устойчиво-правильно управляет сердцем и кровеносными сосудами. Головной-спинной мозг все более и более энергично, все более устойчиво-правильно управляет сердцем и кровеносными сосудами. Головной мозг все энергичней-сильней не пропускает в сердце никаких вредных влияний внешней среды, никаких волнений. Сердце постоянно живет свободной-полнокровной жизнью под вечной надежной защитой головного мозга. Головной мозг все сильней-энергичней не пропускает в сердце никаких волнений, никаких вредных влияний внешней среды, и под защитой головного мозга мое сердце живет свободной, абсолютно свободной-полнокровной жизнью. А головной-спинной мозг с колоссальной внутренней устойчивостью управляет работой сердца и потому сердце работает очень устойчиво, пульс устойчиво ритмичный. Сквозь все трудности непоколебимо сохраняется устойчиво ритмичный пульс и все промежутки времени между ударами пульса остаются одинаковыми сквозь любую работу, сквозь любые трудности и невзгоды жизни.

Сердце работает непоколебимо устойчиво, непоколебимо правильно. Я стараюсь сейчас поучиться, искренне поучиться начисто преодолевать абсолютно все свои сомнения в том, что у меня сердце работает с колоссальной внутренней устойчивостью и все промежутки времени между ударами пульса непоколебимо остаются одинаковыми сквозь все трудности жизни.

Я сейчас стараюсь как можно ярче представить одинаковыми все промежутки времени между ударами пульса. Я стараюсь с беспредельной дерзновенностью непоколебимо верить в то, что у меня здоровое-сильное-устойчивое сердце. Сейчас весь мой организм мобилизует все свои силы, все свои безграничные резервы для быстрейшей реализации моего представления о молодом-здоровом-устойчивом сердце. И потому, буквально, как в сказке по щучьему велению, все будет точно так, как я говорю. У меня действительно молодое-здоровое-сильное сердце; мое сердце действительно работает с огромной, с колоссальной внутренней устойчивостью; у меня теперь действительно устойчивый-ритмичный пульс, все промежутки времени между ударами пульса точно одинаковы, все удары пульса одинаковой нормальной силы молодого-здорового сердца. Я сейчас стараюсь как можно ярче представить, о чем идет речь. Все промежутки времени между ударами пульса точно одинаковы. Сердце работает с огромной, с колоссальной внутренней устойчивостью. В течение всего дня, от пробуждения утром до отхода ко сну вечером все промежутки времени между ударами пульса точно одинаковы. В течение всего дня сквозь любую работу, сквозь любые трудности непоколебимо сохраняются одинаковыми все промежутки времени между ударами пульса. Все удары пульса одинаковы, нормальной силы молодого-здорового сердца. Все кровеносные сосуды внутри самого сердца вечно-постоянно полностью открыты по всей своей длине. Все кровеносные сосуды внутри сердца: и самые крупные кровеносные стволы, и средние, и тончайшие, микроскопически тонкие кровеносные сосуды — капилляры, по которым кровь доходит до каждой клетки сердца, до каждого мышечного волокна сердечной мышцы, — и эти тончайшие кровеносные сосуды, и средние, и самые крупные кровеносные стволы — все кровеносные сосуды внутри самого сердца вечно-постоянно полностью равномерно раскрыты по всей своей длине. Внутри сердца непоколебимо сохраняется свободное, абсолютно свободное кровообращение. И моя вечно молодеющая здоровая энергичная кровь вечным-быстрым-свободным, абсолютно свободным потоком течет по всем кровеносным сосудам внутри сердца и постоянно-непрерывно начисто промывает сердце. Моя вечно молодеющая юная-здоровая кровь постоянно-непрерывно начисто промывает сердце. Сердце первозданно чистое, сердце вечно новорожденно-чистое, кровь начисто промывает сердце и несет сердцу в избытке полноценное питание. Все, что сердцу нужно для жизни, работы и непрерывного омоложения, — все кровь несет ему в избытке, и непрерывно молодеет сердце, непрерывно восстанавливает сердце перво-зданную-юную свежесть и зреют в моем сердце могучие-молодые-юные силы, непрерывно увеличивается запасная резервная сила, и сердцу становится работать все легче и легче. Здоровое-сильное сердце легко, шутя, с молодецкой удалью гонит кровь по всему телу и наполняет меня все большей и большей молодой-юной энергией. Все внутренние органы работают энергично-радостно, все тело живет полнокровной-здоровой-радостной жизнью. Я весь живу молодой-юной-энергичной-радостной жизнью.

Здоровеет-крепнет сердце, румянец во все щеки становится все ярче и ярче. Я стараюсь как можно ярче представить, о чем идет речь. Здоровеет-крепнет сердце, молодой румянец во все щеки становится все ярче и ярче.

Сердце работает все более и более устойчиво, сердце работает все более и более устойчиво сквозь быстрый бег, сквозь быструю ходьбу, сквозь ходьбу по лестницам и вверх и вниз сердце продолжает работать непоколебимо устойчиво. Все промежутки времени между ударами пульса остаются точно одинаковыми, все удары пульса одинаковой нормальной силы. Головной-спинной мозг непрерывно оказывает могучее омолаживающее влияние на сердце. Все мои наследственные механизмы непрерывно омолаживают сердце. Моя вечно молодеющая-энергичная-здоровая кровь непрерывно омолаживает сердце. И потому сердце постоянно-непрерывно восстанавливает огромную юную силу, становится все более и более звонким; тоны сердца высокие-ясные-чистые. Тоны сердца высокие-ясные-чистые, пульс устойчиво ритмичный — 72 удара в минуту. Артериальное давление устойчиво-стабильно нормальное молодое — 120/80. У меня молодеющее-здоровеющее сердце. Все нервы в области сердца молодые-здоровые-крепкие. В области сердца все нервы устойчиво здоровы-прочно спокойны. В области сердца все нервы устойчиво здоровы-прочно спокойны. Сердце работает с очень большой внутренней устойчивостью. А головной-спинной мозг очень устойчиво-правильно управляет работой сердца. И потому непоколебимо сохраняются одинаковыми все промежутки времени между ударами пульса.

Я стараюсь как можно ярче представить одинаковыми все промежутки времени между ударами пульса. Сердце работает очень устойчиво. Головной-спинной мозг очень устойчиво-правильно управляет работой сердца. Сквозь все трудности непоколебимо сохраняются одинаковыми все промежутки времени между ударами пульса.

Я сейчас постараюсь упорнейшим образом поучиться представить, что абсолютно все промежутки времени между ударами пульса точно одинаковы. Я сейчас стараюсь приложить максимум усилий к тому, что бы подавить все свои сомнения в том, что у меня действительно все промежутки между ударами пульса точно одинаковы. Я стараюсь сейчас как можно отчетливей представить одинаковыми все промежутки времени между ударами пульса. Я сейчас совершенно точно знаю, что все промежутки времени между ударами пульса точно одинаковы.

У меня здоровое-устойчивое сердце, у меня молодое-здоровое-устойчивое сердце. Все промежутки времени между ударами пульса точно одинаковы. Все промежутки времени между ударами пульса точно одинаковы. Сердце работает устойчиво-одинаково. Устойчиво-одинаково работает сердце. Все промежутки времени между ударами пульса одинаковы, все удары пульса одинаковой нормальной силы молодого-здорового сердца, все удары пульса одинаковой нормальной силы молодого-здорового сердца. Все промежутки времени между ударами пульса точно одинаковы. У меня молодое-юное-здоровое-сильное сердце, у меня очень устойчиво-крепкое сердце. Пульс устойчиво-ритмичный – 72 удара в минуту. Все промежутки времени между ударами пульса точно одинаковы. Сердце продолжает здороветь и крепнуть. Непрерывно увеличивается запасная сила сердца. Непрерывно увеличивается резервная сила сердца. И при надобности сердце может работать с очень большой мощностью, непрерывно увеличивается запасная сила сердца, непрерывно увеличивается запасная сила сердца. Пульс устойчиво ритмичный – 72 удара в минуту, все промежутки времени между ударами пульса точно одинаковы. Все удары пульса одинаковой нормальной силы молодого-здорового сердца. У меня неутомимое-здоровое сердце, пульс полный сильного наполнения. Я стараюсь как можно ярче представить, о чем идет речь: у меня здоровое-молодое-юное сердце. Пульс полный сильного наполнения, пульс полный сильного наполнения. У меня здоровое-могучее сердце. Пульс полный сильного наполнения, пульс полный сильного наполнения. Все удары пульса одинаковой нормальной силы здорового сердца. Все промежутки времени между ударами пульса точно одинаковы. Сердце работает устойчиво, сердце работает устойчиво-правильно, сердце работает устойчиво-правильно, как у молодого-здорового человека.

У меня здоровое богатырское сердце. Богатырское сердце с молодецкой удалью гонит кровь по всему телу и наполняет меня ещё большей энергией. С каждым днем, с каждым часом я становлюсь все более энергичным человеком. Энергия бьет ключом. Походка легкая-быстрая. Хожу – как на крыльях летаю, не чувствуя тяжести тела.

2.33. На преодоление переедания

Вновь родившаяся: новая-новая животворящая новорожденная жизнь вливается в мою голову, новорожденная жизнь наполняет мою голову. Новорожденная жизнь животворит: навсегда рождает новую-новую здоровую крепкую голову и я раз навсегда отключаюсь от еды. Я раз навсегда забываю про еду. И как все другие люди ем, что попало, что придется, то и ем. Мне совершенно все равно, что поесть, лишь бы я была сыта. Я – человек здоровый и отношусь к еде, как здоровый человек. Мне совершенно все равно

302

что поесть, совершенно все равно. Я отношусь к еде, как к способу сохранить жизнь и больше ничего. И мне совершенно все равно что поесть. Я раз навсегда отключилась от еды, раз навсегда забыла про еду и ем только тогда, когда действительная потребность в еде, сильный аппетит говорит мне о том, что организм действительно нуждается в пище. Я – человек здоровый-абсолютно здоровый. У меня абсолютно здоровые мысли, абсолютно здоровые мысли.

В мою психику, в мои нервы вливается здоровая-здоровая крепость. И я думаю о еде не больше, чем все другие здоровые люди. Если захочется что-нибудь особенное покушать, ну я покушаю, но я не придаю этому никакого значения, абсолютно никакого значения.

Я навсегда-навсегда полностью отключилась от всех внутренних органов. Все внутренние органы работают независимо от меня, полностью автоматически, абсолютно автоматически, автономно работают все внутренние органы независимо от меня, самостоятельно, полностью автоматически. Я раз навсегда отключилась от всех внутренних органов. Я смело-уверенно раз навсегда отключилась от всех внутренних органов. Я смело-уверенно навсегда забыла про внутренние органы. Все внутренние органы перестали для меня существовать. Я раз навсегда забыла про внутренние органы. Полностью навсегда отключилась от внутренних органов. Все внутренние органы работают независимо от моей воли, независимо от меня, автоматически, полностью автоматически-самостоятельно работают все мои внутренние органы.

Я – человек здоровый, с крепкими здоровыми нервами. Я – человек здоровой крепкой психики. В мою психику – в нервы, в психику – в нервы вливается здоровая крепость. Здоровая новорожденная крепость вливается во все мои нервы. Я раз навсегда отключилась от еды, отключилась от всех внутренних органов, и думаю о еде не больше, чем все здоровые крепкие люди. Животворящая новорожденная жизнь вливается в мою голову, новорожденная жизнь рождает новую-новую здоровую крепкую голову, рождает новые здоровые мысли.

Я полностью подавляю ненавистную излишнюю потребность в еде. Я ем для того, чтобы жить, работать, здороветь и крепнуть, а лишней еды, отяжеляющей мое тело, мне вовсе не нужно. Как только я чувствую, что я уже съела достаточно, я тотчас же прекращаю еду. Я начисто подавляю излишнюю жажду к еде. Я беспощадно подавляю излишнюю жажду к еде. Излишнюю жажду к еде я ненавижу сильнейшей лютой злобной ненавистью. Я ненавижу излишнюю потребность в еде, ненавижу сильнейшей лютой злобной ненавистью излишнюю потребность в еде. Я полностью подавляю излишнюю потребность в еде. Я ем только для того, чтобы здороветь и крепнуть, весело жить и работать.

Вновь родившаяся: новая животворящая новорожденная жизнь вливается в мою голову, во все мозговые механизмы управления едой вливается новорожденная сила. Во все механизмы управления едой вливается новорожденная сила. Во все механизмы головного-спинного мозга вливается новорожденная сила. Все нервные механизмы головного мозга рождаются сильные-сильные: новорожденно-сильные, энергичные-сильные. Все нервные механизмы головного мозга, управляющие едой, управляющие потребностью в еде, рождаются энергичные-сильные, энергичные-сильные. Во все мозговые механизмы управления едой вливается новорожденная сила. Сила могучая новорожденная сила вливается во все нервные механизмы головного мозга, обеспечивающие нормальное питание. Как только я покушала, я сразу полностью отключаюсь от еды, сразу начисто забываю о еде до тех пор, пока меня не заставит вспомнить о еде сильный голод. Только сильный голод может заставить меня вспомнить о еде. Я стараюсь это до конца понять, до конца осмыслить: только сильный голод может заставить меня вспомнить о еде. Как покушала — сразу полностью отключаюсь от еды, начисто забываю о еде. Меня может заставить вспомнить о еде только сильный голод. Кушаю я столько, сколько требует организм для процесса оздоровления и энергичной работы. Как только я почувствовала, что я съела достаточно, я тотчас же прекращаю еду. Я способна прекратить еду даже самого вкусного варенья. Во все механизмы, связанные с управлением едой: в механизмы головного мозга вливается огромная могучая новорожденная сила. Сила-сила новорожденная вливается в мозговые механизмы управления едой. Сила новорожденная вливается во все нервные мозговые механизмы управления едой. Быстро-быстро развивается способность управлять потребностью в еде. Быстро развивается способность управлять своими мыслями о еде. Во все нервные механизмы головного мозга управления едой вливается огромная могучая новорожденная сила: быстро-быстро развивается способность управлять едой. Вспомнить о еде меня может заставить только сильный голод. Вспомнить о еде меня может заставить только сильный голод. Вспомнить о еде меня может заставить только сильный голод. Как покушала-полностью отключаюсь от еды, сразу полностью отключаюсь от еды, сразу начисто забываю про еду до тех пор, пока сильный голод не заставит меня подумать о том, что надо покушать. Я ем только для того, чтобы обеспечить здоровеющий развивающийся организм полноценным питанием. Как только я почувствовала, что я съела достаточно, я тут же сразу полностью отключаюсь от еды, прекращаю еду, полностью отключаюсь от еды, тут же начисто забываю про еду, пока сильный голод не заставит меня вспомнить о еде.

Я здоровею-крепну. В головной-спинной мозг – во все мои нервы вливается животворящая новорожденная сила. Огромная могучая новорожденная сила вливается в головной-спинной мозг – во все мои нервы. Быстрое-быстрое, новорожденное быстрое развитие вливается в мою голову. Во все нервные механизмы головного мозга вливается быстрое-быстрое, новорожденное быстрое развитие. Весь головной-спинной мозг становится сильней-энергичней, сильней-энергичней. Каждую секунду рождается новая запасная сила головного-спинного мозга. Каждую секунду рождается новая здоровая запасная сила головного-спинного мозга. Головной-спинной мозг может управлять деятельностью всего организма с большим-огромным запасом надежности-прочности. С каждой секундой увеличивается-увеличивается запасная сила головного-спинного мозга. Новорожденная жизнь рождает головной-спинной мозг огромной-колоссальной силы. Головной-спинной мозг с огромной—с колоссальной устойчивостью идеально правильно управляет работой всех внутренних органов. Все внутренние органы с огромным запасом надежности работают идеально правильно, идеально правильно выполняют в организме все свои функции. Во всем теле огромная сила жизни бьет ключом. Во всем моем молодом прекрасном теле огромная колоссальная сила жизни бьет ключом.

Быстро-быстро развивающаяся животворящая новорожденная жизнь вливается во все механизмы головного мозга. Быстро-быстро развивающаяся животворящая новорожденная жизнь вливается во все механизмы головного мозга. В нервные механизмы управления едой – в нервные механизмы управления едой-управления потребностью в еде-в нервные механизмы управления аппетитом, во все нервные механизмы головного мозга, обеспечивающие управление питанием, снабжения организма полноценным питанием вливается вновь родившаяся: новая-новая здоровая животворящая новорожденная жизнь. Во все механизмы управления снабжением организма полноценным питанием вливается новорожденная сила. Огромная могучая новорожденная сила вливается во все механизмы головного мозга, обеспечивающие нормальное здоровое снабжение организма полноценным питанием. Во все мозговые механизмы управления едой вливается огромная могучая новорожденная сила: быстро-быстро развивается способность управления мыслями о еде, быстро-быстро развивается способность управления мыслями о еде. Как поела, тут же сразу начисто забываю о еде, полностью отключаюсь от еды до тех пор, пока сильный голод не заставит меня вспомнить о еде. Только сильный голод может заставить меня вспомнить о еде. До тех пор пока не возникает сильного голода, я абсолютно равнодушно смотрю на все продукты питания, на продуктовые магазины. На самые вкусные вещи смотрю абсолютно равнодушно, вижу их, а о них совершенно не думаю, не имею о еде ни малейшей мысли. Только сильный голод может заставить меня вспомнить о еде. Как только я чувствую, что я покушала достаточно, что организм получил достаточно полноценного питания, – я тут же прекращаю еду, какой бы вкусной она ни казалась, тут же сразу полностью отключаюсь от еды и начисто забываю о еде, начисто выключаю из памяти еду, полностью отключаюсь от еды до тех пор, пока сильный голод не заставит меня вспомнить о еде. Только сильный голод только сильный голод может заставить меня вспомнить о еде. Все мозговые механизмы, связанные с обеспечением всего организма полноценным питанием, работают идеально правильно, абсолютно правильно. И потому я никогда не думаю о еде до тех пор, пока сильный голод не заставит меня вспомнить о еде. Я безгранично полностью управляю питанием, полностью управляю потребностью в еде и могу прекратить еду в любой момент, как только я почувствую, что съела достаточно и уже обеспечила организм полноценным питанием. Как только почувствую, что я уже обеспечила организм полноценным питанием, я тут же сразу прекращаю еду, какой бы вкусной она ни показалась. Даже самое вкусное варенье я в любой момент могу прекратить есть, как только почувствую, что организм уже получил достаточно питания. Я полностью безгранично управляю едой, управляю потребностью в еде. Все мозговые механизмы, связанные с обеспечением всего организма полноценным питанием, работают идеально правильно, энергично правильно, идеально правильно.

Вся система пищеварения работает идеально правильно, абсолютно правильно. Здоровый, сильный-энергичный желудок, энергичный-сильный крепкий кишечник. Поджелудочная железа работает энергично-правильно, идеально правильно выполняет в организме все свои функции. Новорожденно-чистая, энергичная-сильная печень идеально правильно выполняет в организме все свои функции. Вся система пищеварения работает идеально правильно, абсолютно правильно. Вся система пищеварения работает идеально правильно, абсолютно правильно. Головной-спинной мозг идеально правильно, с огромной-с колоссальной устойчивостью идеально-идеально правильно управляет работой всей системы пищеварения.

Быстро-энергично развивается способность управлять своим состоянием, управлять всем своим поведением. В механизмы воли, в механизмы управления своим состоянием вливается животворящая новорожденная сила. Огромная могучая животворящая новорожденная сила-сила-сила новорожденная вливается во все мозговые механизмы управления своим состоянием. Быстро-быстро развивается способность управлять своим состоянием, быстро развивается способность управлять своим состоянием.

Весь лишний жир во мне быстро-быстро сгорает-сгорает до полного исчезновения, рождается новорожденно-юная стройная легкая фигура, рождается тонкая юная девичья талия, рождается новорожденно-юное девичье телосложение. Рождается легкая-быстрая девичья походка, иду — как на крыльях лечу, не чувствуя тяжести тела.

По закону материализации усвоенного настроя я прихожу в полное соответствие с усвоенным настроем и потому и через тридцать лет и в сто лет у меня будет новорожденно-юное девичье телосложение, стройная юная фигура, тонкая юная талия. И это наполняет меня радостью жизни, рождаются веселые-веселые-счастливые глаза, вся душа поет от счастья, от радости жизни, а жизнь так изумительно прекрасна!

2.34. Против ожирения

В меня вливается животворящая новорожденная жизнь, в меня вливается огромная-колоссальная животворящая сила. Новорожденная жизнь животворит-животворит-животворит: рождает новорожденно-юное крепкое тело, рождает новорожденно-юное красивое телосложение, рождает легкую-гибкую фигуру, рождает красивую тонкую юную талию. Под колоссальной силой жизни во всем теле лишний жир быстро сгорает-сгорает-сгорает до полного исчезновения. Под колоссальной энергией жизни весь лишний жир области живота: и сверху на мышцах живота и внутри брюшной полости быстро-быстро сгорает-сгорает-сгорает-исчезает-исчезает-исчезает, новорожденная жизнь рождает новорожденно-юный тощий-впалый, тощий-впалый, тощий-впалый юный живот, рождается тонкая юная талия.

Лишний жир, отягчающий мое тело, портящий мою стройную юную фигуру, я ненавижу сильнейшей лютой ненавистью. Под моей лютой ненавистью весь лишний жир быстро сгорает-сгорает-сгорает до полного исчезновения. Рождается стройная гибкая юная фигура.

Я постоянно контролирую свою еду: я не позволяю себе есть лишнюю пищу, я кушаю не больше, чем нужно телу для поддержания интенсивной энергичной веселой жизни. Я сильнейшей лютой злобной ненавистью ненавижу переедание, я раз навсегда запретил себе есть лишнюю пищу, и никакая сила не может заставить меня есть то, что я считаю ненужным.

Мысленно я прикидываю, что мне нужно съесть для здоровой энергичной жизни, и не съем ни одной лишней ложки, ни одного лишнего кусочка.

Я настраиваюсь на стройную юную фигуру и сейчас и через тридцать лет, и через пятьдесят лет, и через сто лет. Я настраиваюсь на сохранение новорожденно-юного телосложения, на сохранение тонкой юной талии сквозь многие десятилетия, сквозь всю мою

жизнь. И весь мой организм безоговорочно-беспрекословно исполняет мою волю, мобилизует все свои
безграничные резервы для точного исполнения моего
желания всегда сохранять стройную юную фигуру,
тонкую юную талию, тощий-впалый юный живот.
И потому и сейчас, и через тридцать лет, и через
пятьдесят лет, и через сто лет у меня будет юная
стройная красивая фигура.

У меня сильная воля, я все смею, все могу и ничего
не боюсь, я всегда могу контролировать свою еду и не
кушать лишнего. Я обладаю сильнейшим самоконтролем. Ярко-твердо помню о том, что мне всегда надо
контролировать свою еду и ничего лишнего не кушать.

Я ярко-отчетливо чувствую потребности своего
организма, я всегда точно знаю сколько нужно
скушать для здоровой энергичной жизни.

2.35. Против отложения солей

Во мне расцветает юная-энергично развивающаяся
жизнь. Я весь наполняюсь юной жизнью, юной энергией. Во мне расцветает энергично развивающаяся
жизнь. Во мне будет продолжать расцветать юная-
энергично развивающаяся жизнь в течение долгих
десятилетий до ста лет и больше. Меня постоянно-
непрерывно омолаживают могучие силы: все наследственные механизмы, вечно молодеющая кровь, вечно
молодеющий головной-спинной мозг и благодаря
этому я постоянно-непрерывно-вечно прихожу в полное соответствие с юным 20-летним возрастом. И потому и через тридцать, и через пятьдесят, и через сто
лет я буду выглядеть так, как обычные люди могут
выглядеть только в 17—20 лет. Я постоянно здоровею,
во мне продолжает расцветать юная-энергично развивающаяся жизнь, во мне продолжает расцветать юная-
энергично развивающаяся жизнь. Костный мозг во
всех костях тела молодеет, работает все более и более
энергично, вырабатывает все более юную, все более
горячую-здоровую кровь. Я стараюсь сейчас представить как можно ярче, о чем идет речь. Костный мозг

во всех костях тела вечно молодеет, восстанавливает первозданно-юную свежесть, работает все более и более энергично, вырабатывает все большее количество эритроцитов, вырабатывает все более и более юную, все более энергичную-здоровую кровь. Молодеет костный мозг, молодеет кровь. Все мои наследственные механизмы превратились полностью в наследственные механизмы юного 18-летнего человека, которому по наследству передано постоянное-вечное-непрерывное омоложение, постоянное-вечное совершенствование и соответствие юному 18-летнему возрасту. Я постоянно-вечно молодею, здоровею и крепну. Я постоянно-вечно молодею, здоровею и крепну. Совершенствуются все системы организма, и в то же время я постоянно нахожусь в полном соответствии с юным 18-летним возрастом.

Мое кровообращение соответствует юному 18-летнему возрасту. Вечно молодеющая-юная-здоровая кровь свободно течет по всем кровеносным сосудам и постоянно-вечно омолаживает все кровеносные сосуды и сердце. Вечно молодеющая кровь постоянным-вечным-быстрым потоком течет по всем кровеносным сосудам и непрерывно омолаживает все кровеносные сосуды и сердце. Все кровеносные сосуды от сердца до кончиков пальцев рук и ног вечно-постоянно полностью открыты, по всей своей длине полностью открыты. В костном мозгу, во всех костях тела все кровеносные сосуды постоянно открыты. И во всех частях тела от темени до кончиков пальцев рук и ног все кровеносные сосуды вечно-постоянно полностью открыты по всей своей длине. И внутри всех суставов все кровеносные сосуды вечно-постоянно полностью открыты по всей своей длине.

Я сейчас стараюсь как можно ярче представить, о чем идет речь. Все кровеносные сосуды во всех суставах и во всех костях тела от сердца до кончиков пальцев рук и ног полностью открыты по всей своей длине. Внутри суставов и внутри всех костей тела постоянно-вечно сохраняется свободное, совершенно свободное-полное кровообращение, как в период роста костей, как в 14—16 лет. Я сейчас стараюсь как можно ярче представить, о чем идет речь, и глубже осмыслить. Все кровеносные сосуды от сердца до кончиков пальцев рук и ног полностью открыты во всех суставах и внутри всех костей. Внутри всех костей тела и внутри суставов свободное-полное, полное кровообращение, как в период самого энергичного роста костей, как в 14—16 лет. Я сейчас стараюсь как можно ярче представить, о чем идет речь, и глубже осмыслить. Все кровеносные сосуды от сердца до кончиков пальцев рук и ног полностью открыты во всех суставах и внутри всех костей тела. Внутри всех костей тела и внутри суставов свободное-полное, полное кровообращение, как в период самого энергичного роста костей, как в 14—16 лет.

Я сейчас это повторю и постараюсь как можно глубже это осмыслить, ярче запомнить и отчетливей представить. Кровообращение в суставах и во всех костях тела свободное-полное, полное, полное кровообращение, как в период самого энергичного роста костей, как в период самого энергичного развития костей, как в 14—16 лет. И постоянно-вечно сохраняется внутри костей и суставов полное, свободное кровообращение, как в период самого энергичного роста костей, как в 16, в 14 лет. Свободное-полное кровообращение будет постоянно-вечно сохраняться, как в период самого энергичного роста костей. Во мне будет продолжать расцветать юная жизнь. Во мне будет продолжать расцветать юная энергично развивающаяся жизнь, и во всех костях, во всех суставах тела будет продолжать расцветать юная жизнь. И кровообращение внутри костей и суставов будет вечно свободное, полное, полное кровообращение, как в период самого энергичного роста костей. И моя вечно молодеющая-юная-здоровая кровь вечным быстрым, быстрым потоком свободно течет по всем кровеносным сосудам внутри всех костей и суставов и постоянно-вечно несет в избытке полноценное питание всем костным клеткам, всем тканям суставов и постоянно-вечно омолаживает все суставы, омолаживает все кости, постоянно-вечно вымывает из суставов все продукты обмена и все лишние отложения солей. Постоянно-вечно сохраняется полная подвижность всех суставов. Постоянно-вечно сохраняется первозданная-юная свежесть всех костей тела. Я сейчас постараюсь еще ярче представить, еще глубже осмыслить то, о чем идет речь. Все кровеносные сосуды в костном мозгу, во всех костях тела, во всех суставах и внутри всех костей тела полностью открыты по всей своей длине.

Кроме того, сеть кровеносных сосудов внутри всех костей тела постоянно-вечно восстанавливается и сохраняется, как в период самого энергичного роста костей, как в 14—16 лет.

Сейчас, внутри всех моих костей тела, во всех костях тела, развивается кровообращение, развивается сеть кровеносных сосудов. Сеть кровеносных сосудов развивается, прорастают все новые и новые сосуды внутри костей, и кровь несет питание всем костным клеткам, всем костным клеткам, каждой костной клетке. Всем костным клеткам кровь несет в избытке полноценное питание. Таким образом, все кости тела постоянно-вечно живут здоровой-полнокровной жизнью. Постоянно-вечно живут здоровой-юной-полнокровной жизнью. Во всех костях тела продолжает расцветать энергично-развивающаяся жизнь. Во всех костях тела продолжает расцветать юная энергично-развивающаяся жизнь.

Внутри всех костей постоянно прорастают все новые и новые кровеносные сосуды. И благодаря этому каждый толчок сердца несет кровь всем клеткам во всех костях тела, всем костным клеткам во всех костях тела кровь несет при каждом сокращении сердца все новое и новое полноценное питание и начисто промывает все костные клетки. Моя вечно молодеющая-юная-здоровая кровь постоянно-вечно начисто вымывает из всех костей тела, из всех суставов все лишние отложения солей и постоянно восстанавливает первозданную, юную свежесть всех костей. Первозданную-юную упругость всех костей тела кровь постоянно-вечно восстанавливает. И потому и через сто, и через триста лет кости будут первозданной-юной свежести и будут сохранять способность к росту. Вечно молодеющая кровь начисто промывает кости, начисто промывает костные клетки во всех костях тела. Вымывает из всех костей тела все лишние отложения солей и постоянно восстанавливает первозданную-юную упругость всех костей тела. Поэтому и через тридцать, и через пятьдесят, и через сто лет все кости будут сохранять первозданную-юную упругость, будут способны к прогибу, будут способны к прогибу, будут сохранять упругость.

Я стараюсь сейчас как можно ярче представить эту чрезвычайно важную особенность развития всех костей тела. И через тридцать, и через пятьдесят, и через сто лет кости будут сохранять первозданную-юную упругость и хоть и в небольшой степени, но будут способны к прогибу с сохранением своей целостности как в юные 16 лет. Я стараюсь как можно ярче представить сейчас эту картину. И через тридцать лет и через сто лет кости будут сохранять способность к росту и сохранять юную упругость, как обычно в 16 лет.

Вечно молодеющая кровь постоянно-вечно начисто промывает кости и омолаживает их, начисто промывает все кости и омолаживает их, восстанавливает первозданную-юную свежесть всех костей тела, восстанавливает способность костей к росту. Кровь все лучше и лучше питает все кости, все лучше и лучше начисто вымывает из костей все лишние отложения солей и постоянно поддерживает способность костей к росту. Кровь постоянно поддерживает способность костей к росту.

Головной-спинной мозг очень энергично, как в период самого энергичного роста костей, регулирует жизнь всех костей тела. Костный мозг во всех костях тела очень энергично управляет жизнью всех костей тела и постоянно-вечно омолаживает все кости. Костный мозг во всех костях тела постоянно-вечно омолаживает кости, восстанавливает первозданную-юную свежесть костей тела и постоянно-вечно восстанавливает и сохраняет способность костей к росту. Головной-спинной мозг очень энергично регулирует работу всех желез внутренней секреции. Все железы внутренней секреции постоянно-вечно работают очень энергично и вырабатывают гормоны, которые стимулируют сохранение первозданной юной свежести костей, которые стимулируют сохранение первозданной юной свежести костей, которые стимулируют промывание костей. Все железы внутренней секреции постоянно вырабатывают гормоны, которые способствуют вымыванию из костей всех лишних отложений солей. Я сейчас стараюсь как можно ярче представить это и глубже осмыслить. Все железы внутренней секреции постоянно-вечно вырабатывают гормоны, которые способствуют промыванию костей, способствуют вымыванию из костей всех отложений солей. Кровь постоянно-вечно восстанавливает первозданно-юную свежесть всех костей тела, и все железы внутренней секреции содействуют этому процессу и вырабатывают гормоны, которые растворяют все отложения солей в суставах и во всех костях тела. И кровь вечным, быстрым потоком вымывает из всех костей тела и из всех суставов все отложения солей и почки выбрасывают их из организма. И благодаря этому кости вечно, постоянно восстанавливают первозданную, юную свежесть, сохраняют первозданную, юную свежесть, сохраняют первозданную юную упругость, сохраняют первозданную юную свежесть.

Все наследственные механизмы омолаживают кости. Все наследственные механизмы постоянно-вечно омолаживают все кости, восстанавливают первозданную-юную свежесть всех костей тела. Все наследственные механизмы постоянно-вечно восстанавливают первозданную-юную свежесть всех костей тела. Таким образом, кости непрерывно-постоянно омолаживаются всеми наследственными механизмами. Вечно молодеющий головной-спинной мозг, вечно молодеющая-юная кровь омолаживают кости постоянно-вечно, начисто кровь вымывает из костей все отложения солей. И благодаря этому все кости постоянно-вечно сохраняют первозданную-юную свежесть, первозданную-юную упругость и сохраняют способность к росту.

Все точки роста в костях сейчас оживают. Все точки роста в костях сейчас оживают. Кровь оживляет все точки роста, наследственные механизмы оживляют точки роста. Все железы внутренней секреции вырабатывают гормоны, которые оживляют и активизируют все точки роста в костях тела. И благодаря этому и через сто лет кости будут сохранять способность к росту. Кости будут сохранять способность к росту.

В костях челюстей постоянно-вечно, как в эмбриональном развитии зарождаются новые зубы. Этот процесс идет постоянно, непрерывно. Взамен утраченных зубов в костях челюстей зарождаются новые зубы. Я сейчас стараюсь как можно ярче представить эту картину, осмыслить чрезвычайно важную особенность развития, которая передалась мне по наследству. Как у обычных людей в эмбриональный период, у меня в костях челюстей зарождаются новые зубы взамен утраченных. Взамен утраченного зуба тотчас же зарождается новый, необычайно крепкий зуб. И потому всегда – и через сто лет у меня будут необычайно крепкие, красивые, белоснежно-светлые зубы, небычайно крепкие, светлые, белые зубы. Я еще раз сейчас повторю и постараюсь глубже осмыслить и представить, о чем идет речь. Мне по наследству передано постоянное-вечное восстановление зубов. Как у обычных людей в эмбриональном развитии, у меня взамен утраченных зубов в костях челюстей тотчас же зарождаются и прорастают новые, необычайно крепкие, красивые зубы. Эта особенность передана мне по наследству через прочнейшую точнейшую наследственность. И поэтому и через сто лет у меня будут всегда красивые, необычайно крепкие зубы.

В коже головы зарождаются, как в эмбриональный период, и прорастают все новые и новые волосы.

Таким образом, весь организм постоянно-вечно восстанавливает зубы и восстанавливает волосы, восстанавливает колоссальное первозданное число волос на голове.

Эти процессы у обычных людей идут только в эмбриональный период развития, а у меня в любом возрасте зарождаются новые волосы в коже головы, а в костях челюстей зарождаются новые зубы. Во мне расцветает юная энергично-развивающаяся жизнь. Мне по наследству передано постоянное-вечное, постоянное-вечное восстановление первозданной юной цельности всего организма, всего тела. Мне по наследству передано постоянное-вечное восстановление колоссального первозданного числа волос на голове и постоянное восстановление крепких здоровых зубов. И потому в коже головы постоянно-вечно зарождаются и прорастают все новые и новые волосы, а в костях челюстей зарождаются и прорастают новые, необычайно крепкие, здоровые зубы. Во мне происходят процессы, которые у обычных людей происходят только в период эмбрионального развития. Эта особенность передана мне по наследству. И потому и через сто лет у меня будут зарождаться в костях челюстей новые зубы взамен утраченных, а в коже головы будут зарождаться и быстро прорастать новые волосы. И потому и через сто лет у меня будут красивые, здоровые, крепкие зубы и густые, крепкие, крепкие волосы на голове.

Во мне расцветает юная жизнь, во мне расцветает юная красота, во мне расцветает юная энергия, во мне расцветает юная энергично развивающаяся жизнь. Мне по наследству передано постоянное-вечное восстановление полного кровообращения во всех костях тела. Восстановление самой густой сети кровеносных сосудов во всех костях тела, как бывает у обычных людей только в 14—16 лет, только в период самого энергичного роста костей. А у меня эта очень густая сеть кровеносных сосудов внутри всех костей тела и внутри всех суставов сохраняется постоянно-вечно. И сейчас весь организм с огромной мощностью восстанавливает эту очень густую первозданную юную сеть кровеносных сосудов внутри всех костей тела, как в период самого энергичного роста костей, как в 14—16 лет. Этот процесс идет постоянно-непрерывно. Эта особенность развития организма передана мне по наследству через прочнейшую, точнейшую наследственность. Особенно же энергично и быстро развивается сеть кровеносных сосудов внутри самого позвоночника. Внутри позвоночника энергично, быстро развивается сеть кровеносных сосудов. Кровеносные сосуды прорастают насквозь во всем позвоночнике, и кровообращение внутри костей позвоночника становится все более и более полным. Сеть кровеносных сосудов внутри каждого позвонка становится все более и более густой и кровь все быстрей и быстрей вымывает из всего позвоночника все отложения солей, и кровь все быстрей и быстрей вымывает из костей позвоночника все лишние отложения солей. Позвоночник быстрей других костей восстанавливает первозданную-юную свежесть и способность к дальнейшему росту. Эта особенность развития передана мне по наследству.

Головной-спинной мозг молодеет быстрее других систем. Процесс омоложения головного-спинного мозга идет быстрей других систем. А в костной системе позвоночник молодеет быстрей других костей. Это оказывает омолаживающее влияние на состояние всего скелета, всех костей в целом. Эта особенность развития скелета передалась мне по наследству. Головной-спинной мозг молодеет быстрей. Голова молодеет быстрей других частей тела, и позвоночник вместе со спинным мозгом в процессе омоложения опережает другие части тела, другие системы.

Моя вечно молодеющая-юная-здоровая кровь свободным, свободным-широким-быстрым потоком течет по всем кровеносным сосудам всего позвоночника, внутри всех позвонков и все быстрей и быстрей начисто вымывает из позвонков все отложения солей. Все железы внутренней секреции активизируют этот процесс, процесс восстановления первозданной-юной свежести позвоночника, процесс восстановления упругости всех костей тела. Моя вечно молодеющая-юная-здоровая кровь свободным, свободным-широким потоком быстро течет по всем кровеносным сосудам внутри позвоночника и несет в избытке полноценное питание всем костным клеткам, и начисто вымывает все костные клетки, и начисто вымывает все отложения солей, которые захламляют жизнь костной ткани. Вечно молодеющая-юная-здоровая кровь постоянно-вечно, начисто вымывает из костей все продукты обмена, все лишние отложения солей и омолаживает кости, омолаживает позвоночник. Поэтому постоянно, вечно восстанавливается полная свобода движения позвоночника, восстанавливаются все степени свободы движения позвоночника. Позвоночник как в юные 14—16 лет постоянно сохраняет способность к скручиванию, к сгибанию в сторону, к сгибанию вперед и назад. Все суставы сохраняют полную подвижность, и позвоночник постоянно-вечно сохраняет полную гибкость как в юные 14—16 лет. И через тридцать, и через сто лет позвоночник будет также гибок, как у людей обычно бывает в 14—16 лет. И на скручивание, и на сгибание во все стороны сохраняется полная подвижность, полная новорожденная гибкость позвоночника. Сейчас позвоночник у меня становится все более и более гибким. Гибкость позвоночника сейчас увеличивается с каждым днем. В позвоночнике, во всех костях тела расцветает юная, энергично-развивающаяся жизнь, все кости все быстрей и быстрей восстанавливают юную упругость, первозданную-юную свежесть, способность к росту. Все кости во всем теле все быстрей и быстрей восстанавливают свое состояние, в котором они были в 14—16 летнем возрасте. Этот процесс идет все быстрей и быстрей, идет непрерывно днем и ночью.

Моя вечно молодеющая-юная-здоровая кровь непрерывно днем и ночью начисто вымывает из костей все отложения солей. Моя вечно молодеющая-юная-здоровая кровь все быстрей и быстрей начисто вымывает из позвоночника все отложения солей, позвоночник все быстрей и быстрей восстанавливает полную гибкость, полную гибкость, полную свободу движений. И в области поясницы появляется приятное чувство легкости и покоя. Я могу хоть целый день, хоть сутками напролет работать согнувшись и при этом в области поясницы сохраняется приятное чувство легкости и покоя. Я могу сгибаться, долгое время сгибаться и разгибаться, сгибаться и разгибаться, и в области поясницы все равно сохраняется приятное чувство легкости и покоя.

Весь позвоночник сохраняет постоянно-вечно первозданную-юную свежесть. Весь спинной мозг восстанавливает первозданную юную свежесть, огромную юную энергию. Все нервы, выходящие из спинного мозга, здоровеют-крепнут. Все нервы в области поясницы здоровеют-крепнут. В области поясницы с каждым днем все более ярким, отчетливым становится чувство легкости и покоя, в области поясницы приятно, легко. Постоянно-вечно восстанавливается полная юная гибкость позвоночника, как в 14—16 лет. Этот процесс идет постоянно-непрерывно, днем и ночью. Все суставы постоянно восстанавливают полную новорожденно-юную подвижность. Позвоночник постоянно-вечно восстанавливает новорожденно-юную гибкость как в 14—16-летнем возрасте. И потому я очень легко могу сгибаться полностью. Например, я могу при прямых ногах свободно положить ладони на пол, я могу при прямых ногах свободно положить ладони на пол, я могу при полностью прямых ногах положить голову между коленями, т.е. я могу свободно, полностью складываться, как ребенок. У меня полная новорожденно-юная гибкость, полная свобода движений позвоночника, как в юные 14 лет. А моя вечно молодеющая-юная-здоровая кровь свободным, свободным-широким потоком быстро течет по всем кровеносным сосудам внутри всех костей тела и внутри костей черепа, и внутри позвоночника, внутри всех других костей тела и постоянно-вечно вымывает все отложения солей из костей и восстанавливает юную упругость всех костей тела. И внутри костей черепа постоянно-вечно сохраняется очень густая кровеносная система, очень густая сеть кровеносных сосудов. И моя вечно молодеющая-юная-здоровая кровь омолаживает кости черепа. Постоянно-вечно омолаживает кости черепа, вымывает из костей черепа все лишние отложения солей. Моя вечно молодеющая кровь вечным-быстрым-свободным потоком течет по всем кровеносным сосудам и постоянно-вечно начисто промывает все кровеносные сосуды, восстанавливает первозданную-юную свежесть всех кровеносных сосудов, омолаживает сердце. Идет полное сквозное омоложение всего тела. Во мне продолжает расцветать энергично-развивающаяся юная жизнь. Молодеют все кости. Позвоночник постоянно-вечно восстанавливает первозданную-юную свежесть. Кости черепа восстанавливает первозданную-юную свежесть и способность к росту. Самое главное: внутри всех костей тела постоянно-вечно сохраняется очень густая сеть кровеносных сосудов, как в период самого энергичного роста костей, как в 14—16 лет.

Я это стараюсь как можно ярче представить. И через тридцать и через сто лет внутри всех костей тела будет очень густая сеть кровеносных сосудов, как у обычных людей бывает только в период самого энергичного роста костей, как в 14 лет. Сейчас у меня система кровеносных сосудов внутри костей становится все более и более густой, все новые и новые кровеносные сосуды врастают в костную ткань, все новые и новые кровеносные сосуды врастают в костную ткань и во всех костях тела сеть кровеносных сосудов становится все более и более густой, все более густой. И кровь все лучше и лучше питает кости, и все более и более начисто вымывает из всех костей тела все лишние отложения солей, вымывает из суставов все лишние отложения солей и постоянно-вечно сохраняется полная подвижность всех суставов тела. И потому и через сто лет все кости у меня будут соответствовать юному 14—16-летнему возрасту, будут сохранять способность к росту, сохранять очень густую сеть кровеносных сосудов, как в период самого энергичного роста костей. Все точки роста в костях постоянно будут сохранять жизнеспособность, все точки роста в костях постоянно-вечно будут сохранять жизнеспособность.

Головной-спинной мозг все более и более энергично регулирует жизнь всех костей и суставов и постоянно-вечно омолаживает все кости, все суставы. Вся костная система постоянно-вечно-непрерывно молодеет, восстанавливает первозданную новорожденно-юную свежесть. Все кости постоянно-вечно восстанавливают первозданную-юную упругость и потому все кости упругие-крепкие-крепкие, первозданной новорожденно-юной свежести.

Во всех костях тела расцветает юная жизнь. Во всех костях тела расцветает юная жизнь. В позвоночнике расцветает юная жизнь. Все нервы здоровеют, крепнут. Во всем теле нервы здоровеют, крепнут. Все нервы в области поясницы здоровеют, крепнут, все нервы в области поясницы здоровеют, крепнут. В области поясницы все более ярким, отчетливым, все более приятным становится чувство легкости и покоя, все более и более ярким становится чувство легкости и покоя в области поясницы, все более и более ярким становится чувство легкости и покоя в области поясницы. Все нервы в области поясницы здоровеют, крепнут. Спинной мозг молодеет, восстанавливает первозданную-юную свежесть, работает все более и более энергично, все нервы здоровеют, крепнут. Все нервы и мышцы во всем теле становятся все более спокойными, все более прочно-спокойными. Непрерывно увеличивается гибкость всего позвоночника. С каждым днем я становлюсь человеком все более и более гибким. Весь организм непоколебимо восстанавливает юную стройную фигуру, юную стройную фигуру. Голова и шея полные, талия тонкая, резко впалый тощий живот, тонкая юная талия. Костный мозг во всех костях тела работает все более энергично и вырабатывает все более юную, все более горячую кровь. А вечно молодеющая-юная-здоровая кровь непрерывно омолаживает все кости и суставы, омолаживает мышцы, омолаживает все кровеносные сосуды и сердце, омолаживает головной-спинной мозг.

Все наследственные механизмы полностью превратились в наследственные механизмы юного-здорового 18-летнего человека, которому передано постоянно-вечное, полное анатомо-физиологическое соответствие юному 17—20-летнему возрасту. Передано по наследству также непрерывное развитие, непрерывное самосовершенствование. Во мне расцветает юная жизнь, во мне расцветает юная энергия, во мне расцветают все новые и новые юные силы. Все системы организма наполняются все новыми и новыми юными развивающимися силами, все системы организма наполняются все новой и новой энергией.

Все клетки тела живут и дышат легко-свободно. Все тело оживает. Я весь оживаю, я весь оживаю, я весь оживаю. Во мне расцветает новорожденно-юная энергично-развивающаяся жизнь, во мне расцветает юная энергично-развивающаяся жизнь. Развиваются все мои умственные и физические способности, совершенствуются все внутренние органы, все системы организма, совершенствуется кровообращение. Все кровеносные сосуды становятся все более эластичными, все более упругими. Все вены все с большей и с большей энергией и силой стремительным потоком гонят кровь к сердцу и благодаря этому кровообращение становится все более и более полным. Все более свободным становится кровообращение во всем теле от темени до кончиков пальцев рук и ног. И моя вечно молодеющая-юная-здоровая кровь постоянно-вечно-непрерывно омолаживает меня, приводит меня в полное соответствие с юным 18-летним возрастом. Я весь молодею, я постоянно-непрерывно прихожу в полное соответствие с юным 18-летним возрастом.

Здоровеют-крепнут нервы. Головной-спинной мозг все более и более энергично-правильно, как в юные 18 лет, регулирует жизнь всего тела. Все наследственные механизмы непрерывно омолаживают меня и постоянно-вечно восстанавливают первозданную новорожденно-юную цельность организма. И потому у меня постоянно-вечно зарождаются и быстро прорастают новые зубы взамен утраченных, новые волосы на голове. На всем теле волосы вянут, исчезают. Кожа на всем теле голая, волосы на голове становятся все гуще и гуще, все крепче и крепче. Вся энергия роста волос идет в голову. Все системы организма постоянно-вечно приходят в полное соответствие с юным 18-летним возрастом.

Идет непрерывное глубинное омоложение, непрерывное совершенствование всех систем организма. И весь этот процесс омоложения, процесс расцвета новорожденно-юной энергично развивающейся жизни наполняет все мое существо радостным, победным торжеством новорожденно юной жизни. Я весь наполнен радостным, победным торжеством юной жизни. Я вечно юный, вечно молодеющий-здоровый-крепкий. И потому я смотрю в будущее смело-уверенно и вижу в будущем радость и счастье великой-долголетней-юной жизни, и это все мое существо наполняет радостью жизни, все новой и новой юной энергией. Энергия бьет ключом, все время хочется что-нибудь делать, работать. С каждым днем я становлюсь все более юным, все более сильным, все более энергичным человеком. С каждым днем я становлюсь все более юным, все более совершенным, все более энергичным человеком.

2.36. На оздоровление пальцев рук

Во всем теле быстрое веселое кровообращение. Кровь веселым-радостным-стремительным потоком промывает-промывает-промывает все мои кости, смывает-смывает-смывает с костей все соли, все кости всегда новорожденно-чистые-новорожденно-чистые-новорожденно-чистые. Быстрая молодая кровь веселым-радостным-стремительным потоком промывает-промывает-промывает позвоночник, смывает-смывает-смывает с костей все соли, весь позвоночник всегда новорожденно-чистый-новорожденно-чистый новорожденно-чистый.

Быстрая молодая кровь стремительным потоком промывает-промывает-промывает все мои суставы, вымывает-вымывает-вымывает из суставов все соли, все шлаки, все суставы всегда новорожденно-чистые-новорожденно-чистые-новорожденно-чистые. Быстрая кровь стремительным потоком промывает-промывает-промывает тазобедренные суставы, из тазобедренных суставов вымывает-вымывает-вымывает все соли, все шлаки, тазобедренные суставы всегда новорожденно-чистые-новорожденно-чистые-новорожденно-чистые. Быстрая молодая кровь веселым-радостным-стремительным потоком промывает-промывает-промывает мои коленные суставы, из коленных суставов вымывает-вымывает-вымывает все соли, все шлаки, коленные суставы всегда новорожденно-чистые-новорожденно-чистые-новорожденно-чистые.

Молодая кровь веселым-радостным-стремительным потоком в пальцах моих рук все суставы промывает-промывает-промывает, из всех суставов пальцев рук вымывает-вымывает-вымывает все соли, все шлаки, все суставы пальцев рук всегда новорожденно-чистые-новорожденно-чистые-новорожденно-чистые. Сильное-могучее богатырское сердце с огромной силой гонит кровь сквозь пальцы моих рук: в кончиках пальцев моих рук пульс полный сильного наполнения.

Вновь родившаяся: новая-новая быстро-энергично развивающаяся огромной-колоссальной силы новорожденная жизнь вливается в пальцы моих рук. Новорожденная сила, сила, сила новорожденная, колоссальная новорожденная сила вливается в пальцы моих рук. Новорожденная жизнь рождает, сейчас-сейчас, в одно мгновение рождает пальцы моих рук новорожденно-здоровые, рождает все суставы пальцев рук новорожденно-здоровые-новорожденно-здоровые-новорожденно-здоровые, суставы пальцев рук сейчас-сейчас рождаются новорожденно-свежие-новорожденно-свежие-новорожденно-чистые-новорожденно-чистые.

Новорожденная колоссальная оздоравливающая

сила-оздоравливающая сила-оздоравливающая сила вливается-вливается в пальцы моих рук. Пальцы рук с каждой секундой здоровеют-здоровеют, все суставы пальцев рук с каждой секундой здоровеют-здоровеют. Колоссальной силы оздоравливающая новорожденная жизнь вливается в суставы пальцев рук, новорожденная жизнь рождает новорожденную полную подвижность во всех суставах пальцев моих рук, во всех суставах пальцев рук сейчас-сейчас, в одно мгновение, рождается новорожденная полная подвижность-новорожденная полная подвижность.

Колоссальной силы оздоравливающая новорожденная жизнь вливается во все мои суставы, все суставы рождаются новорожденно-свежие, новорожденно-здоровые, во всех суставах рождается новорожденная полная подвижность, во всех суставах сейчас-сейчас, в одно мгновение рождается новорожденная полная подвижность.

2.37. На восстановление чувствительности в пальцах рук

Огромной-колоссальной силы новорожденная жизнь вливается в мою голову, в мои руки. Огромной-колоссальной силы новорожденная жизнь вливается в мою голову, в мои руки. От головного-спинного мозга до кончиков пальцев обеих рук, до кончиков пальцев обеих рук здоровеют-крепнут молодые нервы. В мои плечи, в мои руки вливается огромная-колоссальная новорожденная сила. Огромная-колоссальная сила жизни вливается в мои плечи, мои руки. В нервы, в нервы плеч, рук, в нервы плеч, рук вливается стальная крепость, стальная крепость. В нервы, в нервы плеч, рук вливается стальная крепость, стальная крепость. В нервы, в нервы плеч, рук вливается стальная крепость, стальная крепость. В плечах-руках здоровеют-крепнут, здоровеют-крепнут нервы. Оживают-оживают-оживают мои пальцы. Оживают-оживают-оживают мои пальцы. Яркая чувствительность рождается в моих пальцах. Яркая чувствительность рождается в моих пальцах. В нервы, в нервы пальцев вливается стальная крепость-стальная крепость-стальная крепость вливается в нервы пальцев. В пальцах здоровеют-крепнут, здоровеют-крепнут нервы. А сильное могучее молодое сердце с огромной силой стремительным потоком гонит кровь, гонит кровь в мои руки. В кончиках пальцев обеих рук рождается пульс полный, пульс полный сильного наполнения. В кончиках пальцев обеих рук рождается пульс полный, пульс полный сильного наполнения. Новорожденное полное кровообращение рождается в моих руках. Новорожденное полное кровообращение рождается в пальцах рук. В кончиках пальцев обеих рук пульс полный, пульс полный сильного наполнения. В нервы, в нервы пальцев-стальная крепость, стальная крепость вливается в нервы пальцев. Огромная-колоссальная сила жизни вливается в мои плечи, в мои руки. Богатырская молодость рождается в моих плечах, в моих руках. Оживают-оживают мои пальцы. Здоровеют-крепнут, здоровеют-крепнут мои пальцы. Оживают-оживают мои пальцы. Яркая-яркая чувствительность рождается в моих пальцах. А новорожденная жизнь, огромной-колоссальной силы новорожденная жизнь вливается в мою голову и мои руки. Огромная-колоссальная сила жизни вливается в мою голову, в мои руки. Голова все более энергично, все более энергично активизирует-активизирует жизнь пальцев. Голова все более энергично, все более энергично активизирует-активизирует жизнь моих пальцев. Пальцы весело-радостно оживают, оживают. Пальцы рук весело-радостно, весело-радостно оживают-оживают, здоровеют-крепнут. В нервы пальцев, в нервы пальцев вливается стальная крепость, стальная крепость, стальная крепость вливается в нервы пальцев. В пальцах рук рождается новорожденно-полное, новорожденно-полное, новорожденно-свободное кровообращение. А сильное могучее богатырское могучее молодое сердце стремительным потоком гонит кровь, гонит кровь в мои руки. В моих руках быстрое, новорожденно-быстрое, новорожденно-быстрое веселое

кровообращение. В пальцах рук рождается новорожденно-быстрое, новорожденно-быстрое, быстрое веселое кровообращение. Пальцы рук весело оживают-
оживают-оживают. Яркая чувствительность рождается в моих пальцах. Яркая чувствительность рождается в моих пальцах.

Огромной колоссальной силы новорожденная жизнь
вливается в мою голову, в мои руки. Огромной колоссальной силы новорожденная жизнь вливается в мою
голову, в мои руки. Огромная колоссальная энергия,
колоссальная энергия развития, энергия развития
вливается в мою голову, в мои руки. Колоссальная
энергия-энергия развития вливается в мою голову, в
мои руки. Оживают-оживают-оживают мои руки,
оживают-оживают пальцы рук. В пальцах рук рождается яркая-новорожденная, яркая чувствительность. В пальцах рук рождается новорожденная-новорожденная яркая чувствительность рождается в моих
пальцах.

2.38. На оздоровление желудка

Я – молодой-здоровый-энергичный человек. Я – молодой-здоровый-энергичный человек. Молодой-здоровый
головной-спинной мозг энергично-правильно управляет жизнью всего тела, всеми внутренними органами.

Я стараюсь как можно ярче это представить. Молодой-здоровый головной-спинной мозг энергично-правильно, с огромной, с колоссальной внутренней устойчивостью правильно управляет жизнью всего тела,
работой всех внутренних органов. И потому все системы
организма работают энергично-правильно. Все внутренние
органы работают энергично-радостно, как у молодого-здо-
рового-энергичного человека.

Все нервные клетки и нервные центры головного-
спинного мозга, управляющие всей пищеварительной
системой, работают энергично, с огромной, с колоссальной внутренней устойчивостью.

Я стараюсь как можно глубже это осмыслить. Все

328

нервные клетки и нервные центры головного-спинного мозга, управляющие работой всей пищеварительной системы, работают энергично, с огромной, с колоссальной внутренней устойчивостью. Сквозь все вредные влияния внешней среды головной-спинной мозг продолжает непоколебимо-правильно управлять работой всей пищеварительной системы. Сквозь все вредные влияния внешней среды головной-спинной мозг продолжает непоколебимо-правильно, с колоссальной внутренней устойчивостью управлять работой всей пищеварительной системы в целом. Что бы я ни покушал, я продолжаю сохранять прекрасное самочувствие. У меня здоровый-крепкий желудок. Все нервы в области желудка устойчиво-здоровы, крепко-здоровы. Молодой желудок здоровый-крепкий. Молодой желудок здоровый-крепкий. Здоровеют-крепнут все нервы в области желудка.

Все нервные клетки и нервные центры головного-спинного мозга, управляющие всей пищеварительной системой, работают энергично, с колоссальной внутренней устойчивостью. И потому сквозь все вредные влияния внешней среды головной-спинной мозг продолжает непоколебимо-правильно управлять всей пищеварительной системой, продолжает непоколебимо-правильно управлять работой желудка.

Молодой-энергичный головной-спинной мозг оказывает непрерывное-постоянное омолаживающее влияние на всю пищеварительную систему. Вся пищеварительная система: желудко-кишечник, поджелудочная железа, печень, вся пищеварительная система в целом продолжает постоянно-непрерывно восстанавливать первозданную-юную свежесть, огромную молодую энергию и продолжает работать энергично-правильно, как у молодого-юного-здорового-крепкого человека.

Язык всегда красный-чистый. Язык всегда красный-чистый. Желудок здоровый-крепкий, складки слизистой желудка гладкие, ровные, тонкие: толщиной 2—2,5 миллиметра. Язык красный-чистый. Желудок здоровый-крепкий, складки слизистой желудка гладкие, ровные, тонкие: толщиной 2–2,5 миллиметра, как у здорового-молодого человека. Кишечник здоровый-крепкий. Головной-спинной мозг энергично-правильно управляет работой желудка-кишечника. И потому у меня всегда, постоянно, непоколебимо сохраняется нормальная кислотность желудочного сока – 40–45 условных единиц.

Что бы я ни покушал, головной-спинной мозг продолжает энергично-правильно управлять работой желудка. Чтобы я ни покушал, непоколебимо сохраняется нормальная кислотность желудочного сока – 40–45 условных единиц. Что бы я ни покушал – устойчиво сохраняется прекрасное самочувствие и в области желудка приятная легкость и спокойствие. Что бы я ни покушал, в области желудка непоколебимо сохраняется приятная легкость и спокойствие. В области желудка всегда легко-спокойно. Что бы я ни покушал, в области желудка всегда легко-спокойно. Желудок – здоровый-крепкий. Желудок работает с огромной, с колоссальной внутренней устойчивостью. И потому, что бы я ни покушал, я непоколебимо сохраняю прекрасное самочувствие.

Язык – красный-чистый. Желудок – здоровый-крепкий. Кишечник – здоровый-крепкий. Молодые нервы в области желудка здоровые-крепкие. Все нервы в области желудка молодые-здоровые-прочно-устойчивые. Вся пищеварительная система постояно-непрерывно восстанавливает первозданную-юную свежесть, первозданную-юную цельность. Вся пищеварительная система работает энергично, с колоссальной внутренней устойчивостью, как у молодого-здорового человека. Вся пищеварительная система работает с колоссальной внутренней устойчивостью, как у человека первозданного-несокрушимого-нетронутого здоровья.

Все нервные клетки и нервные центры головного-спинного мозга, управляющие всей пищеварительной системой, работают с колоссальной внутренней устойчивостью. И потому, что бы я ни покушал, я сохраняю прекрасное самочувствие, что бы я ни покушал, в области желудка всегда легко-спокойно.

Головной мозг все сильней и энергичней не пропускает в желудок никаких вредных влияний внешней среды. Я стараюсь как можно ярче это представить. Головной-спинной мозг энергично-правильно управляет работой всей пищеварительной системы. Головной мозг все сильней и энергичней не пропускает в желудок никаких вредных влияний внешней среды. Сквозь все трудности и невзгоды жизни, сквозь все неприятности головной-спинной мозг продолжает непоколебимо-правильно управлять всей пищеварительной системой. Что бы ни случилось, головной мозг продолжает энергично, с огромной силой не пропускать в желудок никаких вредных влияний внешней среды. Что бы ни случилось, желудок продолжает работать непоколебимо-правильно, нормально, как у человека первозданного-несокрушимого-нетронутого здоровья.

Непрерывно здоровеет – крепнет желудок. Непрерывно повышается внутренняя устойчивость работы желудка. Все нервные клетки и нервные центры головного-спинного мозга, управляющие желудком, работают все более и более устойчиво, все более и более устойчиво-правильно управляют работой желудка.

Головной-спинной мозг энергично-правильно управляет жизнью печени. В области печени все нервы устойчиво-здоровы. В области печени всегда приятная легкость и спокойствие. Головной-спинной мозг постоянно-непрерывно оказывает могучее омолаживающее влияние на печень. Печень постоянно-непрерывно восстанавливает первозданную-юную свежесть. Печень постоянно-непрерывно восстанавливает первозданную-юную свежесть. Печень всегда первозданной-юной свежести. Печень живет энергичной-здоровой-полнокровной жизнью. Молодая-здоровая печень живет энергичной-полнокровной-молодой жизнью. Головной-спинной мозг энергично-правильно, управляет жизнью печени. Молодой-энергичный головной-спинной мозг энергично-правильно, с колоссальной внутренней устойчивостью управляет работой печени. Печень постоянно-непрерывно восстанавливает первозданную-юную свежесть. Печень постоянно-непрерывно восстанавливает первозданную-юную цельность. Печень постоянно восстанавливает первозданную-юную свежесть. Молодая-юная-энергичная печень. Все нервы в области печени устойчиво-здоровы. Все нервы в области печени устойчиво-здоровы. Головной-спинной мозг энергично-правильно, с колоссальной внутренни устойчивостью управляет жизнью и работой печени, как у человека первозданного-несокрушимого здоровья.

Вся пищеварительная система в целом постоянно-непрерывно восстанавливает первозданную-юную свежесть, восстанавливает первозданную-юную цельность и работает энергично-радостно, работает с колоссальной внутренней устойчивостью, как у очень крепкого-здорового молодого человека. Головной-спинной мозг все сильней-энергичней не пропускает в пищеварительную систему никаких вредных влияний внешней среды. Сквозь все трудности и невзгоды жизни здоровеет-крепнет желудок, здоровеет-крепнет кишечник, вся пищеварительная система восстанавливает первозданную-юную свежесть, первозданную-юную цельность. Во всей пищеварительной системе в целом продолжает развиваться молодая-юная-энергичная жизнь.

Все нервные клетки и нервные центры головного-спинного мозга, управляющие пищеварительной системой, работают энергично все более и более устойчиво. Головной мозг все сильней-энергичней не пропускает в желудок никаких вредных влияний внешней среды. Желудок живет и работает под вечной защитой головного мозга. Желудок живет и работает под вечной защитой головного мозга. Молодой-здоровый-крепкий желудок живет здоровой-полнокровной-энергичной жизнью. Все нервы в области желудка устойчиво-здоровы.

Поджелудочная железа работает энергично-правильно, с колоссальной внутренней устойчивостью. У меня непоколебимо сохраняется устойчиво-нормальная кислотность желудочного сока – 40—45 условных

332

единиц. Что бы я ни покушал, я непоколебимо сохраняю прекрасное самочувствие и жизнерадостное настроение. У меня здоровый-крепкий желудок, у меня здоровый-крепкий кишечник.

Вся пищеварительная система молодая-юная-энергичная. И потому у меня всегда хороший аппетит. У меня хороший аппетит. Пищеварительная система обеспечивает весь организм полноценным питанием. И потому все тело живет энергичной-радостной-молодой жизнью. Все тело живет и дышит легко-свободно, живет здоровой-полнокровной жизнью.

Головной-спинной мозг энергично-правильно управляет работой всей пищеварительной системы. Молодой-энергичный головной-спинной мозг правильно управляет работой всей пищеварительной системы и оказывает могучее омолаживающее влияние на всю пищеварительную систему. Головной-спинной мозг постоянно-непрерывно омолаживает всю пищеварительную систему и приводит ее в полное соответствие с юным 17—20-летним возрастом. И потому вся пищеварительная система постоянно-непрерывно восстанавливает первозданную-юную свежесть, первозданную-юную цельность, здоровеет-крепнет вся пищеварительная система. С каждым днем все более устойчиво работает вся пищеварительная система. Что бы я ни покушал, я продолжаю сохранять прекрасное самочувствие и веселое жизнерадостное настроение.

Молодой-энергичный головной-спинной мозг все энергичней-сильней не пропускает в пищеварительную систему никаких вредных влияний внешней среды. И потому вся пищеварительная система живет здоровой-полнокровной жизнью сквозь все невзгоды жизни, сквозь все трудности и неприятности, сквозь все вредные влияния внешней среды молодеет-здоровеет-крепнет вся пищеварительная система.

Все нервные клетки и нервные центры головного-спинного мозга, управляющие пищеварительной системой, энергично-правильно управляют жизнью всей пищеварительной системы. Все более устойчиво-правильно управляют пищеварительной системой все нервные клетки и нервные центры головного-спинного мозга. Все более устойчиво-правильно головной-спинной мозг управляет жизнью и работой всей пищеварительной системы. И потому непрерывно возрастает внутренняя устойчивость деятельности всей пищеварительной системы в целом. Непрерывно возрастает внутренняя устойчивость правильной работы желудка и кишечника. Что бы я ни покушал, желудок продолжает работать устойчиво-правильно. Что бы я ни покушал, непоколебимо продолжает сохраняться нормальная кислотность желудочного сока – 40–45 условных единиц. Что бы я ни покушал, в области желудка сохраняется приятная легкость и спокойствие.

Здоровеет-крепнет желудок. Все более устойчиво-здоровой становится вся пищеварительная система. Все более устойчиво-здоровой становится вся пищеварительная система. Молодая-энергичная пищеварительная система первозданной-юной свежести, первозданной-юной цельности.

Головной-спинной мозг постоянно, непрерывно оказывает мощное омолаживающее влияние на желудок, кишечник, печень, поджелудочную железу, на всю пищеварительную систему. Вся пищеварительная система непрерывно восстанавливает первозданную-юную свежесть, наполняется все большей и большей молодой энергией.

2.39. На оздоровление желудка при язвенной болезни

Животворящая новорожденная жизнь вливается в желудок. Животворящая новорожденная сила-новорожденная сила вливается в желудок. Все ткани желудка быстро-быстро рождаются новорожденно-цельные, новорожденно-цельные. Быстро-весело заживает-заживает-заживает, рождается новорожденная цельность-новорожденная цельность -новорожденная цельность.

В нервы желудка, в нервы- в нервы вливается стальная крепость-стальная крепость-стальная крепость вливается в нервы желудка. Во всей области желудка здоровеют-крепнут, здоровеют-крепнут нервы. В области желудка легко-спокойно, легко-спокойно, легко-спокойно в области желудка.

Во все ткани желудка вливается бурно-бурно развивающаяся животворящая новорожденная жизнь. Новорожденная жизнь все ткани желудка рождает новорожденно-цельные, новорожденно-цельные, новорожденно-цельные. Быстро-весело заживает-заживает-заживает. В области желудка легко-спокойно, легко-спокойно, легко-спокойно в области желудка.

Огромная-колоссальная новорожденная сила-новорожденная сила, животворящая новорожденная сила вливается в желудок, весь желудок сейчас-сейчас в одно мгновение рождается новорожденно-цельный, новорожденно-цельный, идеально исправный, абсолютно исправный рождается желудок.

Новорожденное бурное развитие вливается в желудок. Во все ткани желудка вливается бурное-бурное новорожденное бурное развитие вливается во все ткани желудка. Все ткани желудка быстро-весело заживают-заживают-заживают.

Радость-веселье вливаются в желудок, быстро-весело желудок оживает-оживает-оживает. Рождается веселый-веселый радостный желудок.

Энергия развития-энергия развития вливается в желудок. Энергичный-сильный, энергичный-сильный рождается желудок.

Здоровеет-крепнет, здоровеет-крепнет молодой желудок. Рождается энергичный-сильный здоровый желудок, рождается энергичный сильный здоровый желудок.

Новорожденная жизнь вливается в желудок, животворящая новорожденная жизнь вливается в желудок, новорожденная жизнь животворит-животворит-животворит: рождает новорожденно-цельный, новорожденно-цельный, нетронутый желудок, рождает все ткани желудка новорожденно-цельные, новорожденно-цельные, новорожденно-свежие нетронутые ткани. Новорожденная жизнь рождает энергичный-сильный, энергичный-сильный здоровый желудок.

2.40. Против диабета

Бурно-бурно развивающаяся новорожденная жизнь вливается в желудок, в поджелудочную железу. Огромной-колоссальной силы новорожденная жизнь вливается в желудок, в поджелудочную железу. Огромная-колоссальная сила вливается в желудок, в поджелудочную железу. Новорожденная, быстро-энергично развивающаяся, новорожденная жизнь вливается в желудок, в поджелудочную железу. Новорожденное развитие, быстрое-энергичное развитие вливается в поджелудочную железу. Новорожденное развитие, быстрое-быстрое-бурное новорожденное развитие вливается в поджелудочную железу. Вся поджелудочная железа сейчас рождается новорожденно-развивающаяся, новорожденно быстро-быстро развивающаяся. Энергия развития, энергия развития вливается в поджелудочную железу. Колоссальная сила жизни вливается в поджелудочную железу. Богатырское могучее молодое сердце стремительным потоком гонит кровь, гонит кровь сквозь поджелудочную железу. Молодая кровь веселым-радостным-стремительным потоком всю насквозь промывает-промывает поджелудочную железу. Всю насквозь промывает-промывает-промывает поджелудочную железу. Кровь несет поджелудочной железе в избытке прекрасное полноценное питание.

Энергия жизни, энергия жизни вливается в поджелудочную железу. Поджелудочная железа весело-радостно оживает, весело-радостно оживает. Новорожденная жизнь рождает полнокровную радостную жизнь поджелудочной железы. Поджелудочная железа живет энергично-весело, энергично-весело, энергично-радостно. Поджелудочная железа весело-радостно оживает, оживает. Колоссальная энергия вливается в поджелудочную железу. Новорожденная жизнь сейчас-сейчас рождает поджелудочную железу новорожденно исправную, идеально исправную, энергичную-сильную, энергично-сильную. А быстрая веселая молодая кровь промывает-промывает поджелудочную железу, вымывает-вымывает из нее все соли, все шлаки, все продукты обмена. Поджелудочная железа вся насквозь, вся насквозь сейчас рождается новорожденно-чистая, новорожденно-чистая, новорожденно-свежая, новорожденно-свежая. Колоссальная энергия жизни вливается в поджелудочную железу. Поджелудочная железа работает веселей-энергичней, веселей-энергичней. Поджелудочная железа работает веселей-энергичней. Желудок работает веселей-энергичней, веселей-энергичней. Рождается энергичный-сильный здоровый желудок, энергичный-сильный здоровый желудок. Рождается энергичная-сильная поджелудочная железа. Поджелудочная железа работает веселей-энергичней, веселей-энергичней. Поджелудочная железа рождается энергичная-сильная, энергичная-сильная. Поджелудочная железа идеально правильно, идеально правильно выполняет в организме все свои функции. Весь организм живет здоровой-здоровой, идеально здоровой жизнью. Поджелудочная железа идеально правильно, идеально правильно выполняет в организме все свои функции. А голова, голова все более энергично, все более энергично активизирует-активизирует работу поджелудочной железы. А голова, голова все более энергично, все более энергично активизирует-активизирует работу поджелудочной железы. Поджелудочная железа оживает-оживает, работает веселей-энергичней, веселей-энергичней. Поджелудочная железа идеально правильно, идеально правильно выполняет в организме все свои функции. Поджелудочная железа весело-радостно, весело-радостно, идеально правильно выполняет в организме все свои функции. Поджелудочная железа работает с молодецкой удалью, с молодецкой удалью выполняет в организме все свои функции. Поджелудочная железа энергичная-сильная, энергичная-сильная, энергичная-сильная. В нервы желудка, поджелудочной железы вливается несокрушимая новорожденная крепость. В желудке, поджелудочной железе здоровеют-крепнут, здоровеют-крепнут молодые нервы, здоровеют-крепнут, здоровеют-крепную молодые нервы.

Бурно развивающаяся новорожденная жизнь вливается в желудок, кишечник. Все ткани желудка, кишечника рождаются новорожденно-свежие, новорожденно-цельные. Рождаются энергичный сильный, здоровый желудок, энергичный, сильный, крепкий кишечник. Во все внутренние органы брюшной полости вливается огромная колоссальная сила жизни. Все внутренние органы брюшной полости работают энергично-весело, энергично-весело. Все внутренние органы брюшной полости энергично-весело, идеально-правильно, идеально правильно, с молодецкой удалью выполняют в организме все свои функции. Все внутренние органы работают энергично-весело, с молодецкой удалью выполняют в организме все свои функции. Все тело живет веселой-радостной здоровой жизнью. Во всем теле колоссальная сила жизни бьет ключом, во всем теле колоссальная сила жизни бьет ключом. Богатырская сила молодости, богатырская сила молодости бьет ключом во всем моем молодом здоровом теле. Все тело живет веселой-радостной здоровой жизнью.

Новорожденная жизнь рождает быстро-энергично развивающиеся чувства. Все тело живет веселей-жизнерадостней. Все внутренние органы работают веселей-энергичней. Все тело живет веселой-радостной здоровой жизнью. Поджелудочная железа живет веселой-радостной, веселой-радостной здоровой жизнью. Новорожденная жизнь рождает полнокровную-полнокровную здоровую-здоровую радостную жизнь поджелудочной железы. Поджелудочная железа живет веселой-радостной здоровой жизнью. Поджелудочная железа работает энергично-весело, энергично-весело. Поджелудочная железа с молодецкой удалью выполняет в организме все свои функ-

338

ции. Поджелудочная железа работает энергично-весело.

А голова, голова все более энергично, все более энергично активизирует-активизирует работу поджелудочной железы. В поджелудочной железе здоровеют-крепнут, здоровеют-крепнут молодые нервы. Поджелудочная железа работает веселей-энергичней, веселей-энергичней, с молодецкой удалью выполняет в организме все своим функции, с молодецкой удалью выполняет в организме все свои функции.

2.41. На оздоровление печени

Головной-спинной мозг с каждым мгновением увеличивает энергетические ресурсы, восстанавливает колоссальный первозданный запас жизненной энергии. Повышается устойчивость всей нервной системы. Здоровеют-крепнут нервы во всем теле. Головной-спинной мозг восстанавливает первозданную-юную свежесть, с каждым мгновением рождается молодым-неутомимым, с каждым мгновением головной-спинной мозг восстанавливает первозданную-юную свежесть, рождается молодым неутомимым. Здоровеют-крепнут нервы во всем теле. Здоровеют-крепнут нервы в обеих руках. Увеличивается запасная резервная работоспособность всего мозга. С каждым мгновением весь мозг рождается молодым-неутомимым, мозг все более энергично управляет жизнью тела.

С каждым мгновением головной-спинной мозг все более энергично управляет жизнью всего тела. Головной-спинной мозг увеличивает энергетические запасы, восстанавливает первозданную-юную свежесть, восстанавливает колоссальный первозданный запас жизненной энергии. Повышается устойчивость нервной системы, здоровеют-крепнут нервы во всем теле, развиваются все мои умственные способности. Все органы чувств наполняются огромной энергией юности. С каждым мгновением во мне рождается все более энергичная молодая жизнь. Во мне расцветает юная жизнь. Во мне расцветает юная красота. Я с каждым мгновением здоровею и крепну.

Головной-спинной мозг все более энергично управляет жизнью и работой всей пищеварительной системы. Головной-спинной мозг становится все более энергичным. Головной-спинной мозг с каждым мгновением рождается молодым-неутомимым и все более энергично-правильно, как в юные 17–20 лет, управляет работой, жизнью всей пищеварительной системы. Весь мозг оказывает могучее омолаживающее влияние на всю пищеварительную систему. Вся пищеварительная система восстанавливает первозданную юную свежесть, огромную-молодую энергию и работает все более и более энергично. Вся пищеварительная система молодая-энергичная. Язык красный, чистый. Молодой желудок здоровый-крепкий. Молодые нервы в области желудка прочно спокойны. Молодой-энергичный кишечник, все нервы в области кишечника прочно здоровы. На протяжении всей своей длины кишечник абсолютно свободно проходим. Молодой-энергичный-здоровый кишечник.

У меня здоровый-крепкий желудок. Складки слизистой гладкие, ровные, тонкие, толщиной всего 2–2,5 мм. Молодой-энергичный-здоровый желудок. Все нервы в области желудка прочно спокойны. Молодые нервы в области желудка прочно здоровы. Желудок здоровый-крепкий. Вся пищеварительная система прочно здорова. Молодые нервы в области желудка прочно здоровы. Желудок здоровый-крепкий. Вся пищеварительная система работает энергично, с каждым днем возрастает у меня аппетит. С каждым днем возрастает аппетит, и я кушаю с каждым днем все больше и больше. Молодая-энергичная абсолютно здоровая пищеварительная система обеспечивает весь организм полноценным питанием. Молодая-энергичная пищеварительная система полностью обеспечивает весь быстро развивающийся молодой организм полноценным питанием.

Желудок все более активное участие принимает в кроветворении. Благодаря этому все более энергично работает вся система кроветворения и вырабатывает все больше и больше молодой-энергичной-здоровой крови. Я с каждым днем рождаюсь молодым-полнокровным-розовым-румяным-молодым-энергичным человеком. С каждым мгновением в моем теле становится все больше и больше молодой-энергичной-здоровой крови. Желудок принимает все более активное участие в кроветворении. А печень все более энергично сохраняет эритроциты.

Все кровеносные сосуды в области печени вечно-постоянно равномерно раскрыты по всей своей длине.

Мое абсолютно здоровое-молодое сердце с огромной силой гонит кровь сквозь печень. Мое молодое, абсолютно здоровое сердце с молодецкой удалью гонит кровь сквозь печень, и моя молодая-энергичная-здоровая кровь постоянно-непрерывно начисто очищает печень. Моя молодая-энергичная-здоровая кровь начисто очищает печень. Печень – первозданно-чистая. У меня печень новорожденно-чистая печень. Молодая-энергичная-абсолютно здоровая печень. Кровь начисто промывает печень. Печень новорожденно-чистая. Абсолютно здоровая, новорожденно-чистая печень все более энергично сохраняет эритроциты.

Селезенка все более энергично увеличивает долговечность эритроцитов, благодаря чему все эритроциты живут в моем организме не меньше полгода. Костный мозг во всех костях тела вырабатывает все больше и больше эритроцитов. Селезенка все более энергично увеличивает продолжительность жизни эритроцитов, а печень все более энергично сохраняет эритроциты. Печень все более энергично сохраняет эритроциты. Внутри печени эритроциты становятся более энергичными, еще более полными, еще более энергичными становятся эритроциты внутри печени.

У меня молодая-абсолютно здоровая-новорожденно-чистая печень. Молодое-здоровое сердце с молодецкой удалью гонит кровь сквозь печень. Моя вечно-молодеющая, энергичная-здоровая кровь постоянно-непрерывно начисто промывает печень, начисто

341

вымывает из печени все вредные вещества, все продукты обмена. Моя молодая-энергичная-здоровая кровь постоянно начисто очищает печень. Новорожденно-чистая абсолютно здоровая печень.

Весь организм работает с огромной мощностью для полного абсолютного оздоровления печени. Кровь начисто промывает печень. Кровь все лучше и лучше питает и омолаживает печень. Вся печень новорожденно-чистая. Вся печень эластичная-упругая. Вся печень молодая-новорожденно чистая, эластичная-упругая. С каждым мгновением печень восстанавливает первозданную юную свежесть. Кровь начисто промывает и омолаживает печень. Вся печень оживает. Вся печень живет молодой-энергичной жизнью и с молодецкой удалью выполняет все свои многочисленные функции в организме. У меня молодая-энергичная абсолютно здоровая печень с молодецкой удалью выполняет все свои многочисленные функции в организме и все более энергично сохраняет эритроциты.

Внутри печени эритроциты становятся еще более энергичными, еще более полными, еще более энергичными становятся эритроциты внутри печени. Печень все более энергично сохраняет эритроциты. Печень создает благоприятные условия для эритроцитов. Селезенка все более энергично увеличивает долговечность эритроцитов. Печень все более энергично сохраняет эритроциты, а костный мозг во всех костях тела работает все более и более энергично и с каждым мгновением вырабатывает все больше и больше эритроцитов.

С каждым мгновением в моем теле эритроцитов становится все больше и больше. Я уже ярко-отчетливо вижу, что в ближайшее же время число эритроцитов увеличивается вдвое и достигнет шести миллионов в одном кубическом миллиметре. Количество гемоглобина возрастет вдвое, превысит 90 условных единиц. Я с каждым мгновением рождаюсь все более и более полнокровным-розовым-румяным-молодым человеком.

Я с каждым мгновением рождаюсь молодым-энергичным человеком огромной мужской силы. Я с каждым мгновением рождаюсь молодым-энергичным человеком огромной мужской силы. С каждым мгновением в моем теле становится все больше и больше молодой-энергичной-здоровой крови. С каждым мгновением краснеют губы, розовеет все тело, румянец во все щеки становится все ярче и ярче. Я стараюсь как можно отчетливее увидеть свои губы ярко красными, как кровь, ярко красными, как маки, как у юного ребенка.

С каждым мгновением розовеет все тело. Розовеет-крепнет лицо под глазами. Краснеют губы, молодой-розовый румянец во все щеки становится все ярче и ярче. С каждым мгновением я рождаюсь все более полнокровным, абсолютно здоровым-энергичным-молодым-юным мужчиной огромной мужской силы.

Головной-спинной мозг непрерывно днем и ночью, с каждым мгновением восстанавливает свой колоссальный первозданный запас энергии. Весь мозг с каждым мгновением рождается молодым-неутомимым. С каждым мгновением в головном-спинном мозгу рождается все более энергичная-молодая жизнь. Вся нервная система становится все более и более устойчивой. Здоровеют-крепнут нервы во всем теле. Молодой энергичный головной-спинной мозг все более энергично усиливает все системы организма. Во всем моем теле зреют могучие силы для новой молодой-энергичной жизни.

Во всем моем теле, во всех внутренних органах зреют могучие силы для новой энергичной-молодой жизни. Молодой-энергичный головной-спинной мозг оказывает могучие омолаживающие влияния на все тело, на все внутренние органы. Молодой-энергичный головной-спинной мозг все более энергично управляет жизнью всего тела, управляет работой всех внутренних органов. Все внутренние органы работают энергично-радостно, живут здоровой-полнокровной-молодой жизнью, с молодецкой удалью выполняют все свои функции в организме.

Головной-спинной мозг все более энергично-правильно, как в юные 17—20 лет, управляет работой всей пищеварительной системы. Вся пищеварительная система молодеет, восстанавливает первозданную-юную свежесть. Восстанавливает первозданную-юную свежесть печень. Головной-спинной мозг оказывает могучее омолаживающее влияние на печень. С каждым мгновением молодеет печень, восстанавливает первозданную-юную свежесть, первозданную-юную упругость. Печень эластичная-упругая, как у абсолютно здорового-молодого-крепкого человека.

Вся печень абсолютно здорова. Полностью здорова моя печень. Молодая-энергичная кровь начисто промывает печень и все лучше и лучше питает печень. Вечно-молодеющая кровь непрерывно омолаживает печень. Вечно-молодеющий головной-спинной мозг оказывает могучее омолаживающее влияние на печень. Все мои наследственные механизмы омолаживают все тело и приводят меня в полное соответствие с юным 17—20-летним возрастом. Все мои наследственные механизмы непрырывно приводят в полное соответствие с юным 17—20-летним возрастом мою печень. Под влиянием этих трех могучих сил: омолаживающего влияния головного мозга, омолаживающего влияния крови, омолаживающего влияния всех наследственных механизмов молодеет-здоровеет печень.

Все системы организма работают с молодецкой удалью, с огромной мощностью для полного-абсолютного оздоровления печени. Кровь начисто промывает печень. Здоровеет печень. С каждым мгновением печень рождается молодой-энергичной, как у юного 17—20-летнего здорового человека. В печени рождается все более энергичная-молодая жизнь. Активизируется моя печень. С каждым мгновением печень восстанавливает первозданную-юную свежесть. Восстанавливает первозданную-юную эластичность, первозданную-юную упругость. Молодая-здоровая печень эластичная-упругая. Вся печень первозданной-юной свежести, вся печень новорожденно-чистая, абсолютно-здоровая, новорожденно-чистая печень.

Молодое-здоровое сердце с молодецкой удалью гонит кровь сквозь печень. Молодое-здоровое сердце с молодецкой удалью гонит кровь сквозь печень, и моя вечно-молодеющая-энергичная-здоровая кровь начисто промывает печень. Печень новорожденно-чистая, эластичная-упругая, печень первозданной-юной свежести. У меня абсолютно-здоровая, молодая-энергичная печень. Весь организм находит все новые и новые возможности для постоянного непрерывно-абсолютного оздоровления печени.

Селезенка принимает все более и более активное участие в полном-абсолютном оздоровлении печени. Селезенка с каждым мгновением активизируется и принимает все более и более активное участие в полном оздоровлении печени. Головной-спинной мозг энергично-правильно управляет жизнью печени. Весь организм работает с огромной мощностью для полного-абсолютного оздоровления печени. Вся печень первозданной-юной свежести, новорожденно-чистая, молодая абсолютно здоровая печень. Все внутренние органы постоянно-вечно твердо знают, что у меня абсолютно здоровая-энергичная-молодая печень.

Костный мозг во всех костях тела твердо знает, что у меня абсолютно здоровая, молодая-энергичная печень. Головной-спинной мозг постоянно-непрерывно твердо знает, что у меня абсолютно-здоровая, молодая-энергичная печень. Я сам всегда, в каждый момент в жизни твердо знаю, что у меня абсолютно-здоровая молодая-энергичная печень, что у меня печень первозданной-юной свежести, абсолютно-здоровая-энергичная печень.

Половые железы яички вырабатывают все больше и больше гормонов, которые активизируют печень. Костный мозг во всех костях тела вырабатывает все больше и больше гормонов, которые активизируют печень. Головной-спинной мозг все более энергично управляет молодой-здоровой печенью. И с каждым мгновением печень рождается абсолютной здоровой, абсолютно здоровой, полностью здоровой с каждым мгновением в печени рождается все более энергичная-молодая жизнь. С каждым мгновением печень рождается абсолютной здоровой, абсолютно здоровой, полностью здоровой с каждым мгновением рождается печень. Во всей области печени свободное, абсолютно свободное кровообращение. Внутри самой печени все кровеносные сосуды вечно-постоянно полностью раскрыты по всей своей длине. Внутри самой печени свободное, абсолютно свободное кровообращение и мое молодое, абсолютно здоровое сердце с молодецкой удалью гонит кровь сквозь печень. И моя молодая-энергичная-здоровая кровь начисто промывает печень и все лучше и лучше питает печень и восстанавливает первозданную-юную свежесть печени.

Молодая-энергичная печень создает благоприятнейшие условия для эритроцитов. Внутри печени эритроциты чувствуют себя прекрасно, становятся еще более энергичными, еще более полными становятся эритроциты внутри печени. Селезенка все более энергично увеличивает долговечность эритроцитов. Все эритроциты живут в моем теле не меньше полугода, а костный мозг во всех костях тела продолжает вырабатывать все больше и больше эритроцитов. С каждым мгновением красной крови в моем теле становится все больше и больше. Розовеет все тело, краснеют губы, молодой-здоровый румянец во все щеки разгорается все ярче и ярче. Розовеет вся голова, розовеет все тело. Я с каждым мгновением рождаюсь розовым-румяным молодым-юным-энергичным человеком огромной мужской силы.

Активизируется половая система. Головной-спинной мозг более энергично омолаживает половую систему. Я с каждым мгновением рождаюсь молодым-энергичным мужчиной огромной мужской силы. Все внутренние органы живут молодой радостной жизнью. Все органы живут полнокровной радостной жизнью. Все внутренние органы работают с молодецкой удалью. Все внутренние органы с молдецкой удалью выполняют все свои многочисленные функции в организме, и все мое тело живет полнокровной-радостной жизнью. Все клетки тела живут и дышат легко-свободно. Во всем теле абсолютно свободное кровообращение. Все системы организма работают энергично-правильно. Все тело живет молодой-энергичной-радостной жизнью, и я весь наполняюсь солнечной, радостной улыбкой жизни. Во мне расцветает юная жизнь, во мне расцветает юная красота, я с каждым мгновением рождаюсь молодым-юным, розовым-румяным, абсолютно здоровым-энергичным человеком. С каждым мгновением во мне рождается все более энергичная-молодая-юная жизнь. С каждым мгновением я становлюсь все более и более энергичным-неутомимым человеком, энергия бьет ключом, все время хочется что-нибудь делать, выполнять физические упражнения. Быстро развивающаяся мускулатура, здоровеющее-крепнущее сердце требует физических упражнений, требует быстрых движений. Молодая-юная походка энергичная-быстрая, хожу как на крыльях летаю, не чувствуя тяжести тела. Молодая походка энергичная-быстрая, хожу как на крыльях летаю, не чувствую тяжести тела. С каждым днем увеличивается потребность в физических упражнениях, в быстрых движениях. Я с удовольствием быстро бегаю, быстро плаваю в бассейне. Энергичная-юная-быстрая-волевая походка. Хожу, как на крыльях летаю, не чувствуя тяжести тела.

С каждым мгновением рождается юная стройная фигура. Резко-впалый тощий-юный живот, тонкая-юная талия. Талия тонкая, лицо полное. Щеки полные скруглые с ярким здоровым красивым румянцем. Губы ярко-красные, как маки. Ресницы черные, черные. Брови черные, черные. Густые, вьющиеся курчавые волосы на голове стеной стоят. Черные ресницы, черные брови, черные волосы на голове создают резкий, красивый рисунок молодого лица. Губы ярко-красные, как маки. Ресницы, брови и волосы на голове черные, черные. Молодой-здоровый-красивый румянец во все щеки становится все ярче и ярче. Разглаживается, молодеет лицо, крепнет, становится все более упругим. Все более крепким становится все тело, как из сплошной резины, все тело крепкое-упругое не ущипнешь, в складку не соберешь. Я ярко-отчетливо чувствую, как во мне с каждым мгновением рождается все более энергичная-молодая жизнь, и это наполняет все мое существо счастьем, счастьем и радостью молодой-юной жизни.

В моей душе цветет весна и солнечная радостная улыбка жизни наполняет все мое существо без остатка.

Все клетки тела живут и дышат легко-свободно. Все тело живет молодой-энергичной-радостной жизнью. Все внутренние органы работают с молодецкой удалью. С каждым мгновением усиливается вся система кроветворения. Головной-спинной мозг все более энергично усиливает всю систему кроветворения. С каждым мгновением в моем теле становится все больше и больше молодой-здоровой крови. С каждым мгновением розовеет все тело, румянец во все щеки становится все ярче и ярче. Краснеют губы. Я с каждым мгновением рождаюсь молодым-юным-энергичным мужчиной огромной мужской силы.

2.42. На оздоровление почек

Бурно-бурно развивающаяся новорожденная жизнь вливается в мои почки. Бурно-бурно развивающаяся новорожденная жизнь вливается в мои почки. Новорожденная жизнь наполняет мои почки. Огромная-колоссальная новорожденная сила, новорожденная сила вливается в мои·почки. С каждой секундой активизируется-активизируется работа почек. В почках здоровеют-крепнут, здоровеют-крепнут нервы. А голова все более энергично, все более энергично активизирует-активизирует работу почек. С каждой секундой почки работают веселей-энергичней, веселей-энергичней работают почки. А молодое сердце-богатырское могучее молодое сердце стремительным потоком гонит кровь сквозь почки. Молодая кровь стремительным потоком насквозь-насквозь промывает-промывает-промывает молодые почки. Новорожденно-чистые, новорожденно-чистые рождаются почки. А голова все более энергично, все более энергично активизирует-активизирует работу почек. С каждой секундой почки работают веселей-энергичней, веселей-энергичней. Во всей обширной области почек здоровеют-крепнут, здоровеют-крепнут нервы.

Во всю область поясницы вливается огромной колоссальной силы новорожденная жизнь. Вся область поясницы, вся насквозь рождается новорожденно-здоровая, первозданно-здоровая. Во всей области почек все тело рождается новорожденно-свежее, новорожденно-здоровое, новорожденно-здоровое, нетронутое тело. Огромная-колоссальная сила жизни вливается в мои почки. С каждой секундой почки работают веселей-энергичней, веселей-энергичней. Молодые почки с молодецкой удалью выполняют в организме все свои функции. Почки все более энергично, все более энергично очищают-очищают молодую кровь. Почки работает все более энергично, все более энергично. А голова все более энергично, все более энергично активизирует-активизирует работу почек. Огромная-колоссальная энергия вливается в мои почки. С каждой секундой почки становятся веселей-энергичней, веселей-энергичней. С каждой секундой здоровеют-крепнут, здоровеют-крепнут почки. С каждой секундой оживают-оживают, здоровеют-крепнут здоровеют-крепнут почки. С каждой секундой почки работают веселей-энергичней, веселей-энергичней. Во всей области поясницы рождается легкость-легкость-легкость-спокойствие. Вся область поясницы рождается легкая-легкая, легкая-невесомая, как будто вся область поясницы исчезла в пространстве.

2.43. На преодоление ночного недержания мочи у детей

Я – мальчик смелый. Я – мальчик смелый, ничего не боюсь и все, что захочу, всегда могу сделать, всегда могу добиться своего. Я – мальчик смелый и всегда могу добиться того, что хочу. Вот я хочу стать мальчиком здоровым, крепко-здоровым. Я хочу всегда, каждое утро просыпаться обязательно на сухой постельке, на сухой. Я очень хочу, очень хочу просыпаться на сухой постельке. И потому я теперь буду всегда, когда ложусь спать, ярко-твердо помнить, что ночью, во время сна, я сразу почувствую, вот почувствую, отчетливо почувствую, когда мне надо пойти помочиться. Я стараюсь это сейчас как можно более ярко запомнить. Ночью, во время сна я теперь буду ярко-отчетливо чувствовать, когда мне надо помочиться и пойти в туалет. Когда мне надо будет помочиться, здесь, в этом месте, возникнет очень сильная, очень сильная боль, которая меня сразу же разбудит. Здесь, у меня в теле есть такой крепкий-крепкий замочек, который мочу в моем теле крепко-крепко закрывает, крепко-накрепко закрывает. И ни одной капли мочи на постель теперь вытечь не может, не может. Я – мальчик умный и стараюсь это сейчас до конца понять, до конца понять: ночью, во время сна, запор в моем теле крепко-накрепко закрывает мочу и ни одной капли мочи вытечь во время сна не может. Теперь этот запор в моем теле, который закрывает мочу, будет открываться только тогда, когда я сам этого захочу. До тех пор, пока я сам не разрешу моче вытекать из моего тела, запор будет крепко-накрепко, крепко-накрепко закрывать в теле мочу и ни одной капли мочи вытечь не может из моего тела. Только, когда я проснусь, приду в туалет и сам прикажу моче вытекать из моего тела, только по моему собственному приказу запор откроется и моча свободным широким потоком вся, до последней капли, из моего тела вытечет. После этого я спокойно опять засну и буду продолжать чувствовать во время сна, когда мне надо будет помочиться. Я до конца понял, что теперь во время ночного сна моча крепко-накрепко, крепко-накрепко заперта в моем теле и без моего разрешения моча не может вытекать из организма. Ни одной капли мочи из моего тела вытечь не может. Только когда я проснусь, приду в туалет и сам прикажу запорам: "Откройтесь! Выпустите мочу!" – только по моему собственному приказу запоры откроются и моча свободным, широким потоком вся, до последней капли, вытечет из моего тела. После этого я опять лягу спать и буду спокойно спать. И всегда во время сна я теперь буду ярко-отчетливо чувствовать во время сна-во время сна буду ярко-отчетливо чувствовать, когда мне надо помочиться. Я это стараюсь как можно более ярко, крепко запомнить: я всегда во время сна ярко-твердо, ярко-твердо чувствую, когда надо помочиться. Когда надо помочиться, в этом месте возникает сильная боль и я сразу легко-легко-быстро-легко просыпаюсь. Я теперь всегда, когда нужно, просыпаюсь быстро-легко, быстро-легко. Я это ярко-твердо запомнил: когда мне надо проснуться, я всегда просыпаюсь быстро-легко, легкое-быстрое пробуждение, легкое-быстрое пробуждение. И когда мне во время ночного сна надо будет помочиться, здесь возникает, в этом месте, сильная-сильная боль, и я легко-быстро сразу же проснусь и пойду в туалет. Прикажу запорам: "Открывайтесь, мочу выпускайте!" – И моча вся, до последней капли, свободным потоком вытечет из моего тела. А утром я проснусь веселым-веселым мальчиком на сухой постели. Утром я проснусь на сухой постельке веселым-веселым мальчиком, и буду чувствовать себя очень хорошо, и весь день буду веселый-веселый. Я – мальчик смелый, твердо уверенный в себе. Я все могу. И все будет точно так, как я сейчас сам себе сказал. И просыпаться я теперь буду утром всегда на сухой-на сухой постельке.

Я теперь никогда не буду засыпать так крепко, чтоб не чувствовать, когда мне надо пойти в туалет. Я теперь буду одним глазом спать, один глаз спит, а другой глаз, как часовой на посту стоит, караулит, когда надо пойти в туалет. И я всегда теперь ярко-отчетливо чувствую, когда мне надо пойти в туалет. Я это стараюсь как можно более крепко запомнить. Я ярко-отчетливо чувствую во время сна, когда мне надо пойти в туалет. Один глаз спит, другой глаз, как часовой на посту стоит, караулит, когда надо пойти в туалет. Я теперь во время сна ярко-отчетливо чувствую, ярко-отчетливо чувствую, когда надо пойти в туалет. Когда надо пойти в туалет, я ярко-отчетливо чувствую. Я теперь сплю здоровым-здоровым сном, как все здоровые дети, чувствую во время сна, когда надо пойти в туалет. Я ярко-отчетливо чувствую во время сна, когда надо пойти в туалет. Когда надо пойти в туалет, я сразу просыпаюсь. Я до конца понял, что, если я проснусь ночью, схожу в туалет, так ведь это значит я проснусь на сухой постельке и буду мальчиком веселым-жизнерадостным-счастливым. И потому я просыпаюсь с радостью, мне очень приятно ночью проснуться. Я легко-быстро, с радостью просыпаюсь, ведь раз я проснусь ночью, значит я встану утром на сухой постельке и буду мальчиком веселым-жизнерадостным-счастливым. Я до конца понял, что мне очень важно, очень важно — обязательно надо проснуться, когда надо пойти в туалет. И я стараюсь во что бы то ни стало обязательно проснуться, когда надо пойти в туалет. Я просыпаюсь быстро-легко, быстро-легко, весело-радостно просыпаюсь и иду в туалет. Если я проснусь ночью, значит я встану утром на сухой постельке, встану мальчиком веселым-жизнерадостным-счастливым. Я очень хорошо понял, что мне важно проснуться, обязательно проснуться, во что бы то ни стало проснуться, когда надо пойти в туалет. А просыпаться мне легко, потому что я сплю вполглаза: один глаз спит, а другой глаз, как часовой на посту стоит, и потому проснуться мне легко. И просыпаюсь я легко-легко — быстро-весело просыпаюсь. Я теперь ярко-твердо запомнил, ярко-твердо запомнил: когда мне надо пойти в туалет ночью, во время сна, я сразу просыпаюсь, легко-быстро — весело просыпаюсь, сразу просыпаюсь, обязательно просыпаюсь. Когда ночью надо пойти в туалет, я обязательно проснусь, обязательно проснусь. Я очень хорошо запомнил, что, когда ночью надо пойти в туалет, я сразу проснусь, обязательно проснусь, и пойду в туалет. Раз я проснулся — значит встану на сухой постельке мальчиком веселым-веселым-жизнерадостным-счастливым. Мне очень важно обязательно проснуться ночью, когда надо пойти в туалет. Я сплю теперь всегда, как все другие люди здоровым сном-здоровым сном. Во время сна ярко-отчетливо чувствую, когда надо пойти в туалет. Я сплю вполглаза: один глаз спит, другой глаз, как часовой на посту стоит: когда надо пойти в туалет. И когда надо пойти в туалет, я сразу просыпаюсь, обязательно просыпаюсь, легко-быстро просыпаюсь и иду в туалет. А встаю всегда на сухой постельке. Теперь всегда-всегда я буду просыпаться на сухой постельке. И целый день буду мальчиком веселым-веселым-жизнерадостным-веселым-веселым-счастливым-жизнерадостным-веселым.

2.44. На уничтожение организмом всех инфекций и абсолютное оздоровление

Я молодой-здоровый человек. У меня первозданное несокрушимое здоровье. Головной-спинной мозг продолжает энергично-правильно управлять жизнью всего тела. Сквозь все вредные влияния внешней среды я продолжаю здороветь и крепнуть. Сквозь все вредные влияния внешней среды мое здоровье становится все более и более устойчивым. Я продолжаю здороветь и крепнуть сквозь все вредные влияния внешней среды, сквозь все подлости и предательства.

Мой организм продолжает работать все лучше и лучше. Головной-спинной мозг с огромной, с колоссальной внутренней устойчивостью управляет жизнью всего тела. Непрерывно возрастает внутренняя устойчивость работы головного-спинного мозга.

Я стараюсь как можно глубже осмыслить этот процесс. Непрерывно увеличивается внутренняя устойчивость головного-спинного мозга. Непоколебимо устойчиво-правильно головной-спинной мозг управляет жизнью всего тела. Сквозь все вредные влияния внешней среды, сквозь все трудности и невзгоды жизни головной-спинной мозг продолжает все более и более устойчиво-правильно управлять жизнью всего тела. Молодой-здоровый-энергичный головной-спинной мозг энергично правильно управляет жизнью молодого-здорового тела. Сквозь все вредные влияния внешней среды головной-спинной мозг продолжает энергично правильно управлять всей системой кроветворения.

Головной-спинной мозг мобилизует все свои силы, все свои резервы на полное уничтожение всех инфекций, на полное очищение организма, на абсолютное оздоровление. Молодой-энергичный головной-спинной мозг все более энергично оздоравливает всю систему кроветворения. Вся система кроветворения абсолютно здорова. Весь молодой-энергичный-здоровый организм мобилизует все свои силы на полное оздоровление всей системы кроветворения. Вся система кроветворения абсолютно здорова. Весь организм всеми силами усиливает кроветворение. Головной-спинной мозг все более энергично-правильно управляет кроветворением. Организм вырабатывает молодую-здоровую-полноценную кровь. Все кроветворение усилилось в десять раз. Я все быстрей и быстрей рождаюсь полнокровным-розовым-румяным-молодым человеком.

Селезенка с молодецкой удалью выполняет все свои многочисленные функции и все больше и больше вырабатывает крови. Селезенка снова родилась молодой-энергичной-абсолютно здоровой.

Селезенка все более активно увеличивает продолжительность жизни эритроцитов. А костный мозг вырабатывает в десять раз больше, в сто раз больше эритроцитов. Уже в ближайшие дни эритроцитов станет вдвое больше, число эритроцитов уже в ближайшие дни достигнет 5—6 миллионов в 1 мм^3.

Количество гемоглобина уже в ближайшие дни дойдет до 80—90 условных единиц. Я отчетливо чувствую, что становлюсь все более и более полнокровным. Я все быстрей и быстрей рождаюсь полнокровным-розовым-румяным.

Печень с молодецкой удалью выполняет свои многочисленные функции. Молодая-энергичная печень все более активно участвует в кроветворении. Костный мозг снова родился молодым-энергичным. Костный мозг работает все более энергично и вырабатывает в сто раз больше эритроцитов. Вся система кроветворения усилилась в десять раз и вырабатывает все больше и больше полноценной энергичной крови. Я все быстрей и быстрей рождаюсь полнокровным энергичным человеком.

Вся система кроветворения абсолютно здорова. Головной-спинной мозг правильно управляет кроветворением. Я весь насквозь абсолютно здоров, я — молодой-энергичный-полнокровный, я — человек несокрушимого здоровья.

Головной-спинной мозг постоянно-вечно сохраняет полную боевую готовность к мобилизации всех сил организма на уничтожение инфекций. Я сохраняю полную боевую готовность к подавлению всех вредных влияний. Я стараюсь мобилизовать все силы организма на постоянное-вечное, полно-абсолютное оздоровление.

Я мобилизую все силы организма на абсолютное оздоровление системы кроветворения. Весь организм постоянно мобилизует все свои силы на абсолютное очищение от инфекций всей системы кроветворения. Вся система кроветворения первозданно чистая, новорожденно-чистая. Вся система кроветворения абсолютно здорова. У меня абсолютно здоровая полноценная кровь. Вся система кроветворения продолжает усиливаться днем и ночью, я все быстрей и быстрей рождаюсь полнокровным-розовым-румяным.

Мое здоровье становится все более и более устойчивым.

Система кроветворения усилилась в десять раз. Пищеварительная система работает энергично и полностью удовлетворяет кроветворение полноценным питанием. Желудок принимает активное участие в кроветворении, желудок с молодецкой удалью выполняет все свои многочисленные функции, желудок активно способствует усилению кроветворения, желудок активно способствует быстрому увеличению в крови количества гемоглобина.

При попадании в организм различных инфекций весь организм мобилизует все свои силы, все свои безграничные резервы для быстрого их уничтожения. И потому я постоянно продолжаю сохранять прекрасное самочувствие, веселое жизнерадостное настроение и продолжаю здороветь и крепнуть.

Я стараюсь как можно ярче представить, о чем идет речь. Когда в мой организм попадают различные инфекции, весь организм мобилизует все свои силы, все свои безграничные резервы для быстрого уничтожения любой инфекции, которая попала в организм. Я продолжаю сохранять прекрасное самочувствие и продолжаю здороветь и крепнуть, несмотря на попадание в организм различных инфекций. Я продолжаю здороветь и крепнуть сквозь болезни окружающих людей, сквозь различные разговоры о болезнях я продолжаю здороветь и крепнуть. Весь мой организм постоянно-непрерывно поддерживает полную боевую готовность к преодолению всех вредных влияний внешней среды, к уничтожению всех инфекций, попадающих в организм.

Я стараюсь как можно глубже понять, как можно глубже осмыслить этот процесс. Сквозь попадания в организм различных инфекций я продолжаю здороветь и крепнуть. Сквозь длительное пребывание среди больных людей я продолжаю здороветь и крепнуть. Сквозь длительное пребывание среди больных людей, сквозь различные разговоры людей о болезнях я продолжаю здороветь и крепнуть, потому что весь мой организм постоянно-непрерывно поддерживает полную боевую готовность к преодолению всех вредных и вредоносных влияний внешней среды. Сквозь длительное пребывание в таких тяжелых условиях, в которых обычные люди простужаются и заболевают, я не только сохраняю свое непоколебимое, несокрушимое здоровье, но продолжаю здороветь и крепнуть и становиться еще более здоровым, еще более крепким человеком.

У меня первозданное несокрушимое здоровье. Все вредные влияния внешней среды, все вредоносные воздействия внешней среды на мой организм абсолютно бессильны перед моим первозданным несокрушимым здоровьем.

При длительных вредоносных воздействиях внешней среды на мой организм, сквозь длительное пребывание на сильном морозе, на сильном ветру, на сквозняках, при сырой холодной погоде я продолжаю здороветь и крепнуть.

Все мои умственные и физические способности продолжают непрерывно развиваться. Я становлюсь все более развитым, физически все более сильным, все более выносливым человеком. Непрерывно увеличивается внутренняя устойчивость деятельности моего организма. Все системы организма работают нормально, как у очень крепкого, здорового человека. Крепнут мои духовные силы, здоровеют мои нервы, я становлюсь все более крепким, все более выносливым человеком.

Сквозь трудную умственную и физическую работу я продолжаю здороветь и крепнуть. В течение всего рабочего дня продолжают развиваться все мои умственные и физические способности. Я продолжаю здороветь и крепнуть сквозь любую тяжелую физическую и умственную работу. Мое непоколебимое, несокрушимое здоровье в десять раз сильней, в сто раз сильней всех вредоносных воздействий внешней среды. Я стараюсь это как можно глубже понять и осмыслить. Все вредоносные воздействия внешней среды на мой организм абсолютно бессильны, абсолютно ничтожны против моего первозданного несокрушимого здоровья. Я продолжаю здороветь и крепнуть сквозь все вредоносные влияния внешней среды, сквозь попадания любых инфекций в мой организм я продолжаю здороветь и крепнуть сквозь все вредоносные влияния внешней среды, сквозь попадания любых инфекций в мой организм я продолжаю здороветь и крепнуть. Весь мой организм постоянно-непрерывно поддерживает полную боевую готовность к преодолению всех вредных влияний внешней среды, всех трудностей и невзгод жизни.

Все противодействующие силы жизни против меня абсолютно бессильны, абсолютно ничтожны. Все, даже самые беспредельно-беспощадные и беспредельно-безжалостные подлости и предательства людей против меня абсолютно бессильны, абсолютно ничтожны. Сквозь все подлости и предательства людей я продолжаю здороветь и крепнуть. Все противодействующие силы против меня абсолютно бессильны, абсолютно ничтожны. Крепнут мои духовные силы, здоровеют мои нервы. Молодые нервы устойчиво здоровы, прочно спокойны. Непрерывно возрастает внутренняя устойчивость деятельности головного-спинного мозга. Все нервные клетки головного-спинного мозга непрерывно увеличивают свои энергетические ресурсы, увеличивают свои энергетические запасы. Непрерывно повышается устойчивость нервной системы, здоровеют, крепнут нервы во всем.теле. Непрерывно повышается устойчивость всей нервной системы, непрерывно повышается устойчивость моего крепкого здоровья, непрерывно повышается устойчивость моего крепкого здоровья.

Сквозь все вредные влияния внешней среды головной-спинной мозг непоколебимо правильно управляет жизнью всего тела. Сквозь все вредные влияния внешней среды все тело продолжает жить здоровой-полнокровной жизнью. Сквозь длительное пребывание в холодном помещении, на сильном морозе я продолжаю здороветь и крепнуть. Все тело продолжает жить полнокровной-здоровой-энергичной-молодой жизнью. Сквозь длительные вредоносные воздействия внешней среды все мое тело продолжает жить здоровой-полнокровной-энергичной-молодой жизнью.

Я продолжаю здороветь и крепнуть сквозь вредные влияния внешней среды. Я постоянно поддерживаю полную боевую готовность к преодолению всех вредных влияний разговоров людей о болезнях и смерти. Сквозь болезни и смерть окружающих людей я продолжаю здороветь и крепнуть. Мое здоровье продолжает непрерывно укрепляться. Все системы организма продолжают работать все более и более устойчиво. Головной мозг все более энергично, со все большей силой не пропускает во внутреннюю среду организма никаких вредных влияний внешней среды, никаких волнений.

Головной мозг очень энергично, с огромной силой не пропускает в сердце никаких вредных влияний, никаких волнений. Сердце живет и работает под вечной защитой головного мозга. Все мое тело живет здоровой-полнокровной жизнью под вечной защитой головного мозга. Я постоянно-непрерывно поддерживаю полную боевую готовность к преодолению всех вредных влияний внешней среды.

Сквозь длительное пребывание среди больных людей, сквозь многочисленные разговоры людей о болезнях и смерти я продолжаю здороветь и крепнуть. Весь мой организм постоянно-непрерывно поддерживает полную боевую готовность к преодолению всех вредоносных влияний внешней среды. Сквозь длительное пребывание на сырой холодной погоде, на сильном ветру головной-спинной мозг продолжает энергично-правильно управлять жизнью всего тела. Все тело продолжает жить молодой-энергичной-полнокровной-здоровой жизнью сквозь все вредные влияния внешней среды, сквозь все вредные влияния плохой погоды и сильной жары. Я продолжаю здороветь и крепнуть сквозь все вредные влияния плохой погоды, я продолжаю здороветь и крепнуть сквозь все вредные влияния внешней среды.

Мое первозданное несокрушимое здоровье сильней всех вредных влияний внешней среды. Мое первозданное несокрушимое здоровье в десят раз сильней, в сто раз сильней всех вредных влияний внешней среды, всех подлостей и предательств. Все подлости и предательства против меня абсолютно бессильны, абсолютно ничтожны. Я продолжаю сохранять прекрасное самочувствие, веселое жизнерадостное настроение, продолжаю здороветь и крепнуть сквозь все, даже самые беспредельно-беспощадные и беспредельно-безжалостные подлости и предательства людей я продолжаю здороветь и крепнуть.

Я с каждым днем все ярче и отчетливей чувствую себя в десять раз сильней, в сто раз сильней всех противодействующих сил жизни, всех вредоносных влияний внешней среды. С каждым днем я все ярче и отчетливей чувствую, что все вредные влияния внешней среды против меня абсолютно бессильны, абсолютно ничтожны.

Я молодой-здоровый-энергичный человек. Я продолжаю здороветь и крепнуть сквозь все вредные влияния внешней среды. Весь мой организм продолжает работать все более и более устойчиво. Головной-спинной мозг продолжает со все большей и большей внутренней устойчивостью правильно управлять жизнью молодого энергичного тела. Все нервные клетки головного-спинного мозга сквозь любую напряженную работу продолжают накапливать энергию, увеличивать свои энергетические ресурсы, увеличивать свои энергетические запасы. Головной-спинной мозг продолжает сквозь любую напряженную работу энергично правильно управлять жизнью молодого-здорового тела. И потому я продолжаю здороветь и крепнуть сквозь любую напряженную работу.

Во время самой работы весь мой организм продолжает восстанавливать свои силы, как во время ночного сна. И потому моя умственная и физическая работоспособность практически совершенно безгранична. В конце рабочего дня я чувствую себя полным сил и энергии, молодым-энергичным-здоровым человеком, как утром при пробуждении, как и тогда, когда я весь день отдыхал и накапливал силы.

Я продолжаю здороветь и крепнуть сквозь все трудности жизни, сквозь все вредные влияния климатических условий, сквозь все вредные влияния любой плохой погоды, сквозь любую плохую погоду я продолжаю сохранять прекрасное самочувствие и веселое жизнерадостное настроение. При любой плохой погоде я ярко, отчетливо чувствую все тело

360

невесомым, легким, походка легкая, быстрая, при любой плохой погоде походка легкая, быстрая, хожу, как на крыльях летаю, не чувствуя тяжести тела.

Сквозь любую плохую погоду в голове светло, легко-легко, голова легкая, как невесомая. Сквозь любую плохую погоду я сохраняю прекрасное самочувствие и веселое жизнерадостное настроение. Сквозь все вредные влияния внешней среды, сквозь попадания любых инфекций в организм я продолжаю здороветь и крепнуть. Весь мой организм постоянно-непрерывно поддерживает полную боевую готовность к преодолению всех вредных влияний внешней среды, поддерживает полную боевую готовность к уничтожению всех инфекций, попадающих в организм. И потому я сквозь все трудности жизни, сквозь все вредоносные влияния внешней среды, сквозь попадание инфекций в организм продолжаю здороветь и крепнуть.

Я становлюсь все более здоровым, все более крепким, все более энергичным человеком. Сквозь все вредные влияния внешней среды я становлюсь все более крепким, все более здоровым, все более энергичным человеком.

Я стараюсь как можно глубже понять, как можно глубже осмыслить, о чем идет речь. Сквозь все вредные влияния внешней среды, сквозь любую плохую погоду, сквозь длительное пребывание в холодном помещении, сквозь длительное пребывание на жаре, на солнцепеке, сквозь длительное пребывание среди больных людей, сквозь разговоры людей о болезни и смерти я продолжаю здороветь и крепнуть, сохранять прекрасное самочувствие, весело жизнерадостное настроение; все более устойчивым становится мое первозданное несокрушимое здоровье.

Я живу все более энергичной, все более полнокровной-здоровой жизнью. И продолжаю здороветь и крепнуть. В течение долгих лет, в течение долгих десятилетий, до ста лет и больше я буду продолжать здороветь и крепнуть сквозь все трудности, невзгоды жизни, сквозь все вредные влияния внешней среды.

Я с каждым днем становлюсь все более здоровым, все более крепким, физически все более сильным, все более выносливым человеком. Я непрерывно здоровеющий-крепнущий человек. Я — молодой-энергичный-здоровый, полный сил и энергии, у меня первозданное-несокрушимое здоровье. Я полностью здоров, я абсолютно здоров. Я весь наполнен первозданным несокрушимым здоровьем.

2.45. На смелое поведение
и высокую работоспособность

Я – человек смелый, твердо уверенный в себе. Я все смею, все могу и ничего не боюсь. С каждым днем моя воля становится все сильней и сильней. Все быстрей и быстрей развиваются мои способности к самоуправлению, я безгранично управляю деятельностью своего организма и поведением. Я – человек смелый, твердо уверенный в себе, я все смею, все могу и ничего не боюсь. Я с беспредельной дерзновенностью верю в свои безграничные возможности. Я способен с горем в пиру, быть с веселым лицом, моя воля сильнее всех трудностей жизни.

Я твердо знаю, что если все трудности обрушатся на меня сразу неожиданно, им все равно не сокрушить моей могучей воли. И потому я ничего не боюсь и смотрю миру в лицо, ничего не боясь, и среди всех житейских ураганов и бурь непоколебимо стою, как скала, о которую все сокрушается. С каждым днем я становлюсь человеком все более и более смелым, все более уверенным в себе. Я постоянно сохраняю полную боевую готовность к преодолению всех трудностей и препятствий, я постоянно-непрерывно сохраняю полную боевую готовность к преодолению всех противодействующих сил жизни. Я постоянно-непрерывно поддерживаю полную боевую готовность к преодолению всех противодействующих сил жизни. Весь мой организм постоянно-непрерывно поддерживает полную боевую готовность к преодолению всех вредных влияний внешней среды, к преодолению всех вредочосных влияний внешней среды. Сквозь любую не-частную погоду, сквозь любые перепады атмосфер-ного давления организм продолжает работать и жить энергично-радостно. Все тело продолжает жить энер-гичной-радостной жизнью. И я непоколебимо сохра-няю прекрасное самочувствие. Я систематически, упорнейшим образом учусь чувствовать себя в десять раз сильней, в сто раз сильней всех противодействую-щих сил. жизни. Я упорнейшим образом учусь ярко чувствовать, что все противодействующие силы про-тив меня абсолютно бессильны.

Я способен преодолевать все трудности и препят-ствия, встречающиеся в ходе выполнения работы. Я твердо знаю, что если возникнут непредвиденно большие трудности, им все равно не сокрушить моей могучей воли.

Моя внутренняя устойчивость, сила моей воли в десять раз сильней, в сто раз сильней всех трудностей. Моя внутренняя устойчивость в жизни в десять раз сильней, в сто раз сильней всех трудностей и препят-ствий, которые мне могут встретиться в процессе работы.

Я с каждым днем становлюсь человеком все более и более смелым, все более уверенным в себе. С каждым днем все более сильной становится моя воля. Крепнут мои духовные силы, здоровеют мои нервы. Я станов-люсь все более здоровым, более крепким человеком. Весь мой организм постоянно-непрерывно поддержи-вает полную боевую готовность к преодолению всех вредных влияний внешней среды. И потому я посто-янно начисто подавляю все вредные влияния разго-воров людей о болезнях и продолжаю здороветь и крепнуть сквозь болезни окружающих людей и сквозь все другие вредные влияния внешней среды я про-должаю здороветь и крепнуть. С каждым днем я становлюсь человеком со все более и более твердым характером, со все более и более сильной волей. Все более устойчивым становится мое жизнерадостное настроение, все более устойчивым становится мое прекрасное самочувствие. Я весь наполняюсь радостным-победным торжеством молодой-юной силы. Я продолжаю здороветь и крепнуть сквозь все трудности, сквозь все невзгоды жизни, сквозь все вредные влияния внешней среды.

Я постоянно, систематически упражняюсь в преодолении трудностей, которые встречаются в жизни, я упорнейшим образом стараюсь преодолеть все трудности, которые встречаются в жизни. И стараюсь не откладывать того, что могу сделать сейчас. Я постоянно одерживаю победы над всеми трудностями и препятствиями. И потому я постоянно наполнен радостью побед над всеми противодействующими силами жизни. И все тело живет и дышит легко, свободно живет здоровой-полнокровной жизнью. Я весь живу радостной-полнокровной жизнью. Я весь живу беспредельно-безгранично свободной жизнью. Я продолжаю здороветь и крепнуть сквозь все вредные влияния внешней среды.

Систематическое упражнение в преодолении всех трудностей, препятствий, которые непрерывно встречаются в быту и на работе, быстро развивает мою волю. Я становлюсь человеком непреклонной воли. Я чувствую себя человеком-гигантом, человеком огромного калибра, способным преодолевать все трудности и препятствия, способным преодолевать все противодействующие силы жизни.

Я все ярче и отчетливей чувствую, что все противодействующие силы жизни против меня абсолютно бессильны. Крепнут мои духовные силы, здоровеют мои нервы, я становлюсь все более крепким, все более здоровым человеком.

Все быстрей развиваются мои умственные способности, мое мышление становится все более быстрым, все более активным. Память становится все более яркой и твердой. Внимание становится все более сильным, все более устойчивым становится мое внимание. И я постоянно-непрерывно контролирую каждый свой поступок, каждое свое движение. Я безгранично управляю своим поведением и всей деятельностью организма. Весь мой организм мобилизует все вои силы, все свои безграничные резервы для быстрой реализации всего того, что я говорю о себе.

Во время трудовой деятельности весь организм восстанавливает свои силы. Все нервные клетки головного мозга во время самой работы накапливают молодую энергию, увеличивают свои энергетические ресурсы. Весь головной мозг во время работы увеличивает свои энергетические запасы. И потому во время самой работы продолжают энергично развиваться мои умственные способности. И моя работоспособность становится практически безграничной. Все мое тело, все мои внутренние органы во время работы продолжают накапливать молодую энергию. И к концу рабочего дня я чувствую себя свежим, полным сил и энергии, как будто бы я отдыхал и накапливал силы. Отработав смену, я чувствую себя таким же свежим, полным сил и энергии, как утром при пробуждении, как будто я и не работал совсем.

Крепнут мои духовные силы, здоровеют мои нервы, все более сильной становится моя воля и непрерывно увеличиваются мои возможности. То, что раньше для меня было непосильным, недостижимым, становится ниже моих реальных возможностей. Те трудности и препятствия, которые казались мне раньше непреодолимыми, я теперь преодолеваю смело, уверенно, и одерживаю над ними одну победу за другой. Я становлюсь человеком все более сильным и смелым, все более устойчивым становится мое прекрасное самочувствие и жизнерадостное настроение.

Сквозь все невзгоды, сквозь все болезни окружающих меня людей я продолжаю здороветь и крепнуть. Я становлюсь физически все более и более сильным, все более выносливым человеком. Крепнут мои духовные силы, здоровеют мои нервы. Я с беспредельной дерзновенностью верю в то, что я все могу. Для меня нет ничего невозможного.

В конце рабочего дня я чувствую себя полным сил и энергии, работаю с вдохновением, с энтузиазмом, на уровне своих лучших возможностей, весь мой организм во время работы непрерывно накапливает молодую энергию. Я стараюсь как можно глубже осмыслить и до конца понять, о чем идет речь. Весь мой организм во время работы продолжает накапливать молодую энергию. Я становлюсь все более сильным, все более энергичным человеком в процессе самой работы. Отработав смену, я чувствую себя полным сил и энергии, как будто я не работал, а отдыхал и накапливал силы.

Весь мой организм мобилизует все свои силы, все свои безграничные возможности для энергичного развития умственных и физических способностей, для накапливания молодой энергии во время самой работы. И во время самой работы я продолжаю здороветь и крепнуть. Во время работы все нервы и мышцы устойчиво здоровы-прочно спокойно. Непрерывно увеличивается запас прочности спокойствия всех нервов и мышц во время работы. Я становлюсь человеком все более сильным и физически и духовно. Все быстрей и быстрей развивается моя воля и крепнет мой характер. Я становлюсь человеком несгибаемой воли, я становлюсь человеком с непоколебимо твердым характером. И никакие силы в мире не могут сбить меня с толку и заставить меня отказаться от достижения намеченной цели.

Я ярко, отчетливо чувствую, что все противодействующие силы жизни против меня абсолютно бессильны. Я чувствую себя в десять раз сильней, в сто раз сильней всех противодействующих сил жизни. С каждым днем я становлюсь все более смелым, все более уверенным в себе человеком. Все энергичней и быстрей развиваются все мои умственные и физические силы. Я становлюсь все более здоровым, все более крепким, все более высоко работоспособным человеком. Это наполняет все мое существо радостным-победным торжеством над всеми трудностями и препятствиями. Я весь наполняюсь радостью постоянных побед, которые я одерживаю ежедневно на работе и в жизни.

Я – человек смелый, твердо уверенный в себе, я все смею, все могу и ничего не боюсь. Я действительно ничего не боюсь и смотрю миру в лицо, ничего не боясь, и среди всех житейских ураганов и бурь непоколебимо стою, как скала, о которую все сокрушается.

2.46. На восстановление работоспособности во время работы

Я способен преодолевать все трудности и препятствия, встречающиеся в ходе выполнения работы. Я твердо знаю, что если возникнут непредвиденно большие трудности, им все равно не сокрушить моей могучей воли.

Моя внутренняя устойчивость в жизни в десять раз сильней, в сто раз сильней всех трудностей и препятствий, которые мне могут встретиться в процессе работы.

Я с каждым днем становлюсь человеком все более и более смелым, все более уверенным в себе. С каждым днем все более сильной становится моя воля. Крепнут мои духовные силы, здоровеют мои нервы. Я становлюсь все более здоровым, более крепким человеком. Весь мой организм постоянно-непрерывно поддерживает полную боевую готовность к преодолению всех вредных влияний внешней среды. Я все ярче и отчетливей чувствую, что противодействующие силы жизни против меня абсолютно бессильны. Крепнут мои духовные силы, здоровеют мои нервы, я становлюсь все более крепким, все более здоровым человеком.

Все быстрей развиваются все мои умственные способности, мое мышление становится все более быстрым, все более активным. Память становится все более яркой и твердой. Внимание становится все более сильным, все более устойчивым становится мое внимание. И я постоянно-непрерывно контролирую каждый свой поступок, каждое свое движение. Я абсолютно безгранично управляю своим поведением и всей деятельностью организма. Весь мой организм мобилизует все свои силы, все свои безграничные резервы для быстрой реализации всего того, что я говорю о себе.

Во время трудовой деятельности весь организм восстанавливает свои силы. Все нервные клетки головного мозга во время самой работы накапливают молодую энергию, увеличивают свои энергетические ресурсы. Весь головной мозг во время работы увеличивает свои энергетические запасы. И потому во время самой работы продолжают энергично развиваться мои умственные способности. И моя работоспособность становится безграничной. Все мое тело, все мои внутренние органы во время работы продолжают накапливать молодую энергию.

Во время самой работы весь мой организм восстанавливает свои силы как раньше во время ночного сна. Головной-спинной мозг непрерывно увеличивает свои энергетические запасы, повышается устойчивость всей нервной системы, здоровеют-крепнут нервы во всем теле. Я всеми силами стараюсь как можно отчетливей почувствовать этот процесс. С каждой секундой мозг увеличивает свои энергетические ресурсы, повышается устойчивость всей нервной системы, здоровеют-крепнут нервы во всем теле. Я всеми силами стараюсь почувствовать энергичные-здоровые молодые нервы во всем теле.

Всеми силами я стараюсь ярко чувствовать себя бодрым-энергичным после работы. После работы я чувствую бодрость, молодую энергию во всем теле.

Во время работы печень и почки энергично очищают кровь, после работы кровь первозданно чистая, как утром после длительного здорового ночного сна.

Я сейчас всеми силами постараюсь подавить абсолютно все свои сомнения в том, что после работы я буду полон молодых сил и энергии, как после полного отдыха. Я стараюсь с беспредельной дерзновенностью, наперекор всему, твердо верить в то, что после работы я буду полон молодой энергии, как после отдыха.

Я всеми силами стараюсь верить в то, что во время самой работы весь организм накапливает силы, мозг увеличивает свои энергетические запасы, печень и почки начисто очищают кровь. Я стараюсь подавить все сомнения в том, что во время работы организм полностью восстанавливает работоспособность. У меня безграничная работоспособность.

Во время работы здоровеют-крепнут нервы, во время работы повышается устойчивость нервной системы, во время работы мозг увеличивает энергетические запасы.

На протяжении рабочей смены весь организм живет одинаково молодой энергичной жизнью. На протяжении всей смены я все делаю одинаково энергично, с энтузиазмом, с вдохновением, на уровне своих лучших возможностей.

На протяжении всей работы электрический потенциал головного мозга непоколебимо остается одинаково высоким – 30–35 микровольт. Весь организм в течение всей рабочей смены живет одинаково высокоэнергичной молодой-юной жизнью. На протяжении восьмичасовой непрерывной работы я сохраняю одинаковое прекрасное самочувствие и жизнерадостное настроение.

Я полон сил и энергии, я готов продолжать работу на уровне своих лучших возможностей, энергично, внимательно, с вдохновением. Я полон сил и энергии, у меня энергичные-здоровые-молодые нервы, у меня неутомимое молодое-богатырское сердце.

Во время самой работы весь мой организм восстанавливает свои силы как раньше во время ночного сна. Головной-спинной мозг непрерывно увеличивает свои энергетические запасы, повышается устойчивость всей нервной системы, здоровеют-крепнут нервы во всем теле. Я всеми силами стараюсь как можно отчетливей почувствовать этот процесс. С каждой секундой мозг увеличивает свои энергетические ресурсы, повышается устойчивость всей нервной системы, здоровеют-крепнут нервы во всем теле. Я всеми силами стараюсь почувствовать энергичные здоровые-молодые нервы во всем теле.

Всеми силами я стараюсь ярко чувствовать себя бодрым-энергичным после работы. После работы я чувствую бодрость, молодую энергию во всем теле.

Во время работы печень и почки энергично очищают кровь, после работы кровь первозданно-чистая, как утром после длительного здорового ночного сна.

Я сейчас всеми силами постараюсь подавить абсолютно все свои сомнения в том, что после работы я буду полон молодых сил и энергии, как после полного отдыха. Я стараюсь с беспредельной дерзновенностью, наперекор всему, твердо верить в то, что после работы я буду полон молодой энергии, как после отдыха.

Я всеми силами стараюсь верить в то, что во время работы весь организм накапливает силы, мозг увеличивает свои энергетические запасы, печень и почки начисто очищают кровь. Я стараюсь подавить все сомнения в том, что во время работы организм полностью восстанавливает работоспособность. У меня безграничная работоспособность.

Во время работы здоровеют-крепнут нервы, во время работы повышается устойчивость нервной системы, во время работы мозг увеличивает энергетические запасы.

На протяжении непрерывной длительной работы весь организм живет одинаково энергичной молодой жизнью. На протяжении всей рабочей смены я все делаю одинаково энергично, с энтузиазмом, с вдохновением, на уровне своих лучших возможностей.

На протяжении всей смены электрический потенциал головного мозга непоколебимо остается одинаково высоким – 30–35 микровольт. Весь организм в течение длительной работы живет одинаково высокоэнергичной молодой-юной жизнью. На протяжении всех часов непрерывной работы я сохраняю одинаковое прекрасное самочувствие и жизнерадостное настроение.

Я полон сил и энергии, я готов продолжать работу на уровне своих лучших возможностей, энергично, внимательно, с вдохновением. Я полон сил и энергии, у меня энергичные здоровые-молодые нервы. У меня неутомимое молодое-богатырское сердце.

Весь мой организм мобилизует все силы, все резервы, все возможности для полного восстановления сил во время самой работы. Организм находит все новые и новые пути полного восстановления сил во время работы и потому все обязательно, закономерно будет так, как я сказал: после рабочей смены я буду полон молодых сил и энергии, как после длительного отдыха, как после полного восстановления всех своих сил.

2.47. На работу[1]

Все мышцы на лице расслабились, все лицо разгладилось, я весь успокоился, я весь насквозь абсолютно спокоен, как зеркальная гладь озера. Я весь насквозь абсолютно спокоен. Во всем теле полностью раскрылись все кровеносные сосуды, во всем теле свободное, абсолютно свободное кровообращение. И моя молодая-здоровая-энергичная кровь свободным быстрым потоком течет по всем кровеносным сосудам тела и все лучше и лучше питает все нервные клетки головного-спинного мозга, все лучше и лучше питает сердце и наполняет меня все большей и большей молодой энергией. Головной мозг накапливает молодую энергию.

Я стараюсь как можно ярче представить процесс, о котором я говорю. Все нервные клетки головного мозга все быстрей и быстрей накапливают молодую энергию. Головной мозг накапливает молодые силы, молодой головной мозг накапливает силы. А кровь свободным быстрым потоком течет по всем кровеносным сосудам моего тела и несет в избытке полноценное питание всем органам и тканям. Все тело оживает, накапливает молодую энергию. Головной мозг все быстрей и быстрей накапливает молодую энергию и все сильней и энергичней приказывает всему телу, всем внутренним органам накапливать молодую энергию, накапливать молодые силы.

Я весь наполняюсь все большей и большей молодой энергией. Я весь наполняюсь радостной энергией

---

[1]Настрой рекомендуется усваивать в процессе работы.

весеннего солнца, я весь наполняюсь радостной энергией весеннего солнца. В моей душе цветет весна и солнечная радостная улыбка наполняет все мое существо без остатка. Во всем теле все нервы и мышцы прочно спокойны, во всем теле все нервы и мышцы устойчиво здоровы, прочно спокойны.

Я стараюсь ярко, отчетливо представить, о чем идет речь. Во время работы все нервы и мышцы во всем теле устойчиво здоровы, прочно спокойны. Самые здоровые, самые крепкие нервы в области головы, самые здоровые, самые крепкие молодые нервы в области головы. Глаза здоровые, спокойные, глаза здоровые, спокойные. В конце рабочего дня в области глаз приятная легкость и спокойствие, в конце рабочего дня в области глаз приятная легкость и спокойствие. Все мое тело продолжает все быстрей и быстрей накапливать молодую энергию. Весь организм во время работы продолжает восстанавливать свои силы, как во время ночного сна. Я стараюсь как можно глубже понять и осмыслить, о чем идет речь. Мой организм во время работы восстанавливает свои силы как во время ночного сна. У меня практически безграничная работоспособность. И потому в конце рабочего дня я чувствую себя таким же свежим, полным сил и энергии, как утром при пробуждении, как будто бы я весь день отдыхал и накапливал силы.

Я стараюсь ярко почувствовать как мой организм во время работы, как во время ночного сна, продолжает накапливать силы. У меня практически безграничная работоспособность. Я могу работать сутками напролет без признаков утомления. До последних минут рабочего дня я продолжаю работать на уровне своих лучших возможностей и сохраняю прекрасное самочувствие. В конце рабочего дня я себя чувствую таким же свежим, полным сил и энергии, как утром при пробуждении, и до последней минуты рабочего дня я работаю на уровне своих лучших возможностей, работаю с энтузиазмом, с вдохновением и продолжаю здороветь и крепнуть. Во всем теле все нервы и мышцы устойчиво здоровы, прочно спокойны.

Я полон сил и энергии. Все мое тело продолжает накапливать молодую энергию. Во время самой работы здоровеют, крепнут все нервы и мышцы. Во всем теле все нервы и мышцы устойчиво здоровы, прочно спокойны. Я весь насквозь абсолютно спокоен, как зеркальная гладь озера. Я полон сил и энергии. У меня прекрасное самочувствие и жизнерадостное настроение. Я весь наполнен радостной энергией юного весеннего солнца. Я полон сил и энергии. Я весь наполнен радостной энергией весеннего солнца. В моей душе цветет весна и солнечная радостная улыбка жизни наполняет все мое существо без остатка.

2.48. На долголетие (первый вариант)

Я – человек молодой-здоровый-энергичный, я продолжаю здороветь, молодеть и крепнуть сквозь все трудности жизни. Все мои наследственные механизмы полностью превратились в наследственные механизмы молодого-здорового человека, которому по наследству передано постоянное-непрерывное омоложение, постоянное-непрерывное полное соответствие юному 17–20-летнему возрасту. И все мои наследственные механизмы непрерывно омолаживают меня и приводят меня в полное соответствие с юным 17–20-летним возрастом.

Все кровеносные сосуды от темени до кончиков пальцев рук и ног во всем теле равномерно, постоянно раскрыты, полностью раскрыты по всей своей длине, во всем теле свободное, абсолютно свободное кровообращение. И все кровеносные сосуды в костном мозгу во всех костях тела вечно полностью открыты по всей своей длине. В костном мозгу во всех костях тела свободное, абсолютно свободное кровообращение. И моя здоровая-молодая кровь вечным, быстрым потоком свободно течет по всем кровеносным сосудам внутри костного мозга во всех костях тела и постоянно-непрерывно промывает костный мозг во всех костях тела.

Моя молодая-здоровая кровь все лучше и лучше

питает костный мозг во всех костях тела и наполняет костный мозг все большей и большей молодой энергией, и восстанавливает первозданную-юную свежесть костного мозга во всех костях тела. Постоянно-непрерывно, днем и ночью молодеет костный мозг во всех костях тела, восстанавливает свою первозданную-юную свежесть, наполняется все большей и большей молодой энергией, работает все более и более энергично и вырабатывает все более молодую, все более энергичную-здоровую кровь.

Образно говоря, костный мозг вырабатывает все более молодую-юную, все более энергичную-здоровую, горячую кровь.

Молодеет костный мозг во всех костях тела и вырабатывает все более энергичную, все более молодую-здоровую-юную кровь.

А вечно молодеющая юная-здоровая кровь вечным-быстрым-непрерывным потоком свободно течет по всем кровеносным сосудам моего тела и непрерывно омолаживает все кровеносные сосуды и само сердце, омолаживает все тело и постоянно-непрерывно приводит меня в полное соответствие с юным 17—20-летним возрастом.

Головной-спинной мозг молодеет быстрей других систем организма. Эта особенность развития также передана мне по наследству. Головной-спинной мозг непрерывно, все быстрей и быстрей накапливает молодую жизненную энергию и все сильней и энергичней приказывает всему телу, всем внутренним органам накапливать молодую жизненную энергию, молодеет головной-спинной мозг и оказывает могучее омолаживающее влияние на все органы, на все ткани, на все мое тело.

Таким образом, меня постоянно-непрерывно омолаживают могучие силы: все наследственные механизмы, вечно молодеющая кровь и вечно молодеющий головной-спинной мозг. Эти три могучие силы постоянно-непрерывно приводят меня в полное соответствие с юным 17—20-летним возрастом, и поэтому и через десять лет, и через тридцать лет, и через пятьдесят лет я внешне буду выглядеть так, как обычные люди могут выглядеть только в 17—20 юных лет.

Я стараюсь как можно ярче представить, о чем идет речь. И через двадцать, и через пятьдесят лет я внешне буду выглядеть так, как обычные люди могу выглядеть только в 17—20 юных лет.

Мне по наследству передано постоянное-непрерывное омоложение, постоянное-непрерывное соответствие с юным 17—20-летним возрастом. Это постоянное-непрерывное самосовершенствование, омоложение и развитие всех умственных и физических сил будет продолжаться постоянно-непрерывно днем и ночью, в течение долгих десятилетий до ста лет и больше, в течение долгих столетий дальше и дальше.

Я стараюсь как можно ярче представить, о чем идет речь. Меня постоянно-непрерывно омолаживают три мощных силы: наследственные механизмы, вечно молодеющая кровь и вечно молодеющий головной-спинной мозг. Эти могучие омолаживающие меня силы в десять раз сильней, в сто раз сильней всех вредных влияний внешней среды и потому сквозь все вредные влияния внешней среды, сквозь все разговоры людей о болезнях, сквозь болезни и смерть окружающих людей я буду продолжать здороветь и крепнуть. Сквозь многочисленные поколения собственного потомства я буду продолжать здороветь, молодеть и крепнуть.

Я теперь твердо знаю, что все рассуждения людей о кратковременности человеческой жизни и смерти не имеют ко мне никакого отношения. Людям еще ничего не известно о закономерностях развития и долголетии человека, который упорнейшим образом настраивает себя на долголетнюю жизнь. И потому все рассуждения людей о кратковременности человеческой жизни по отношению ко мне совершенно ложны, не соответствуют действительности. Я буду упорнейшим образом настраивать организм на все более и более долголетнюю жизнь, на непрерывное омоложение, на непрерывное развитие всех умственных и физических способностей.

В силу своей природы организм стремится к жизни, к здоровью. И потому моя работа над собой полностью совпадает со стремлением организма, с природным стремлением организма к жизни, здоровью. И потому весь организм будет постоянно мобилизовывать все свои силы, все свои безграничные резервы для быстрого и точного исполнения всего того, что я буду говорить о себе. И потому все, что я буду говорить о себе, будет обязательно, неизбежно, с железной необходимостью реализовываться в жизни. Все будет как в сказке "По щучьему велению" превращаться в действительность.

Я упорнейшим образом усваиваю представление о себе, как о человеке вечно молодом, вечно юном, как о человеке, который постоянно-непрерывно совершенствуется, как о человеке, у которого непрерывно развиваются все умственные и физические способности.

По закону материализации представления человека о себе – это представление неизбежно, с железной необходимостью будет реализовываться, и я действительно буду превращаться в молодого-юного-энергичного человека и внешне буду выглядеть так, как обычно люди могут выглядеть только в 17–20 лет.

Я буду упорнейшим образом учиться подавлять все свои сомнения в том, что я действительно молодею, здоровею и крепну сквозь все трудности жизни.

Чтобы организм понял, что я от него требую, я стараюсь как можно ярче представить себя молодым-юным, полным сил и энергии, таким, как обычные люди бывают в 17–20 лет.

Молодое-юное тело белоснежно-светлое, с ярким здоровым румянцем, губы ярко-красные, как маки, щеки полные, круглые с ярким здоровым румянцем, молодые-юные глаза, юные-волевые глаза, белки глаз ярко-светлые, блестящие, глаза блестящие, лучистые, красивые юные глаза. Волосы на голове густые, густые, крепкие, крепкие, волосы на голове красивого природного цвета стеной стоят на голове. Все тело крепкое, упругое, как из сплошной резины, не ущипнешь, в складку не соберешь. Все тело гладкое, отшлифованное, молодое-юное тело с красивым розовым оттенком.

Я полнокровный энергичный молодой человек и внешне выгляжу так, как обычные люди могут выглядеть только в 17—20 юных лет.

Весь мой организм постоянно-непрерывно поддерживает полную боевую готовность к преодолению всех вредных влияний внешней среды. Внутренняя устойчивость в деятельности организма в десять раз сильней, в сто раз сильней всех вредных влияний внешней среды. И потому сквозь все вредные влияния внешней среды я буду здороветь,молодеть и крепнуть.

Все кровеносные сосуды внутри головного мозга, в коже головы, лица и шеи, в костях черепа, во всей голове насквозь, все кровеносные сосуды вечно-постоянно полностью раскрыты по всей своей длине. Во всей голове насквозь свободное, абсолютно свободное кровообращение. И моя вечно молодеющая-юная-здоровая кровь вечным-быстрым-свободным потоком течет по всем кровеносным сосудам головы и постоянно-вечно начисто промывает головной мозг и все лучше и лучше питает все ткани головы. Моя вечно молодеющая, юная-здоровая кровь несет в избытке полноценное питание всем тканям головы и омолаживает всю голову. Кровь все лучше, лучше питает кожу головы, лица и шеи. Кожа на голове становится все более эластичной и упругой. Кожа на голове оживает и оживляет волосы. Все волосы на голове оживают, непрерывно-постоянно восстанавливают свой красивый природный цвет. Волосы на голове густые, густые, крепкие, крепкие, красивого природного цвета. Кожа на лице и шее белоснежно-светлая с ярким здоровым румянцем. Лицо гладкое, отшлифованное, лицо гладкое, отшлифованное. На подбородке, на горле кожа крепко спаяна с упругим телом. Кожа с телом монолитна. Все тело на лице, на шее крепкое-упругое, не ущипнешь, в складку не соберешь. Румянец во все щеки с каждым днем становится все ярче и ярче. Все тело молодое, юное, белоснежно-светлое, с красивым здоровым румянцем.

Все кровеносные сосуды внутри головного мозга полностью раскрыты по всей своей длине. И моя вечно молодеющая-юная-здоровая кровь вечным-быстрым-свободным потоком течет по всем кровеносным сосудам внутри головного мозга и постоянно-вечно начисто промывает головной мозг, восстанавливает первозданную-юную свежесть головного мозга, омолаживает головной мозг, наполняет все нервные клетки головного мозга всей большей и большей молодой жизненной энергией. Молодеет головной мозг. Все нервные клетки головного мозга непрерывно увеличивают свои энергетические ресурсы и мои умственные способности продолжают все быстрей и быстрей развиваться. Мое мышление становится все более быстрым, все более активным. Память становится все более яркой и твердой. Внимание становится все более сильным, все более устойчивым. Я постоянно-непрерывно контролирую каждый свой поступок, каждое свое движение и все ярко, твердо запоминаю и никогда ничего не ищу, как многие другие люди. Все мои музыкальные способности продолжают энергично быстро развиваться. Все органы чувств наполняются все большей и большей молодой жизненной силой. Зрение становится все более сильным и острым. Я могу читать книжный текст целыми часами напролет и в области глаз сохраняется приятная легкость и спокойствие.Слух становится все более и более тонким. С каждым днем улучшается слух на высокие звуки, с каждым днем я слышу все более и более высокие звуки. Зрение становится все более сильным, все более острым. Слух становится все более тонким. Все органы чувств наполняются все большей и большей молодой жизненной энергией. Все мои умственные способности продолжают энергично быстро развиваться и будут продолжать развиваться в течение долгих десятилетий, в течение долгих столетий до трехсот лет и больше.

Все кровеносные сосуды внутри самого сердца вечно-постоянно полностью раскрыты по всей своей длине. И моя вечно молодеющая юная-здоровая кровь вечным-быстрым-свободным потоком течет по всем кровеносным сосудам внутри самого сердца и постоянно-вечно, начисто промывает сердце, и все лучше и лучше питает сердце, и сердце нежится в чистоте и довольстве, отдыхает молодое сердце. Все мышцы сердца становятся все более и более сильными, все более звонкими. И потому тоны сердца молодые-юные, чистые, нормальной высоты, нормальной громкости.

Молодое-юное, здоровое, крепнущее сердце. У меня молодое-здоровое, богатырское сердце. А вечно молодеющая кровь непрерывно омолаживает сердце, восстанавливает первозданную-юную свежесть сердца. В сердце рождается юная-энергичная жизнь. Развиваются в моем сердце все новые молодые-юные силы. С каждым днем, с каждым часом здоровеет-крепнет сердце.

Здоровый румянец во все щеки становится все ярче и ярче. Молодеющее-здоровеющее-крепнущее сердце. У меня богатырское молодое сердце. Молодое-богатырское-здоровое сердце с огромной силой гонит кровь по всему телу и наполняет меня все новой и новой молодой жизненной энергией.

Все тело кажется легким, невесомым, походка легкая, быстрая. Хожу как на крыльях летаю, не чувствуя тяжести тела. Я весь наполняюсь все новыми и новыми молодыми жизненными силами, все новой и новой молодой жизненной энергией. Все нервные клетки головного-спинного мозга все быстрей и быстрей увеличивают свои энергетические ресурсы, непрерывно увеличивается устойчивость всей нервной системы. Головной-спинной мозг все более энергично управляет жизнью молодого-здорового тела. Головной-спинной мозг накапливает молодую жизненную энергию. Все мои наследственные механизмы непрерывно омолаживают и приводят меня в полное соответствие с юным 17—20-летним возрастом. Непрерывно молодеющий головной мозг оказывает могучее омолаживающее влияние на все тело. Головной-спинной мозг молодеет быстрей всех других систем организма и оказывает могучее омолаживающее влияние на все тело, на все внутренние органы.

Молодеет-здоровеет кровь. Костный мозг во всех костях тела вырабатывает все более энергичную, все более молодую-здоровую кровь. Вечно молодеющая юная-здоровая кровь вечным-быстрым-свободным потоком течет по всем кровеносным сосудам моего тела от темени до кончиков пальцев рук и ног и непрерывно омолаживает меня. И все эти три могучие силы: наследственные механизмы, молодеющий головной-спинной мозг и молодеющая кровь — непрерывно приводят меня в полное соответствие с юным 17—20-летним возрастом. И потому и через пять, и через десять, и через двадцать лет я буду выглядеть так, как обычные люди могут выглядеть только в 17—20 юных лет.

Я стараюсь как можно ярче представить, о чем идет речь. Я постоянно-непрерывно молодею, здоровею и крепну и прихожу в полное соответствие с юным 17—20-летним возрастом и потому через десять и через двадцать лет я буду выглядеть так, как обычные люди могут выглядеть только в 17—20 юных лет. Я сейчас постараюсь упорнейшим образом научиться преодолевать все свои сомнения в том, что и через десять, и через двадцать лет я внешне буду выглядеть так, как обычные люди могут выглядеть только в 17—20 юных лет. Я сейчас постараюсь как можно ярче представить, о чем идет речь. И через десять, и через двадцать лет я буду выглядеть так, как обычные люди могут выглядеть только в 17—20 юных лет. И сейчас постараюсь еще упорней, искренней научиться полностью преодолевать абсолютно все свои сомнения в том, что и через десять, и через двадцать лет я буду выглядеть так, как обычные люди могут выглядеть только в 17—20 юных лет. Непрерывно, днем и ночью я здоровею, молодею и крепну. Здоровеет, крепнет мое сердце. Румянец во все щеки становится все ярче и ярче, непрерывно увеличивается запасная энергия, увеличивается запасная мощностью сердца и при надобности сердце может работать с огромной мощностью. И потому я, сохраняя усиленное, но ровное дыхание, могу бежать или быстрым шагом идти целыми часами напролет. И могу целыми часами напролет выполнять тяжелейшую физическую работу, сохраняя прекрасное самочувствие, веселое жизнерадостное настроение и нормальный устойчиво-ритмичный пульс.

Здоровеет, крепнет сердце, непрерывно увеличивается запасная резервная мощность сердца. Румянец во все щеки становится все ярче и ярче, молодое-богатырское-здоровое сердце легко-шутя с молодецкой удалью, с огромной силой гонит кровь по всему телу и наполняет меня все новой и новой молодой энергией. Головной-спинной мозг все сильней и энергичней управляет жизнью тела, все энергичней усиливает все системы организма. Я весь наполняюсь радостной энергией весеннего солнца. Все тело живет и дышит легко-свободно, живет радостной-полнокровной жизнью. Все внутренние органы работают энергично-радостно. Все тело живет и дышит легко-свободно, все тело живет все более и более энергичной-молодой жизнью. Я весь наполняюсь все большей и большей молодой жизненной энергией. Энергия бьет ключом, все время хочется что-нибудь делать, работать. Непрерывно повышается внутренняя устойчивость деятельности всего организма, непрерывно повышается внутренняя устойчивость деятельности всего организма.

Непрерывно повышается устойчивость всей нервной системы. И благодаря этому все более устойчивым становится мое прекрасное самочувствие, все более устойчивым становится мое прекрасное-веселое-жизнерадостное настроение. Я вновь наполняюсь радостью жизни. С каждым днем я становлюсь человеком все более веселым, все более жизнерадостным. Непрерывно развивается моя воля, крепнут мои духовные силы. С каждым днем я становлюсь человеком все более и более сильной воли. И те трудности и препятствия, которые раньше мне казались непреодолимыми, теперь кажутся мне вполне посильными.

Я становлюсь способным преодолевать самые большие трудности и препятствия в жизни, которые раньше мне казались непосильными.

Непрерывно усиливается моя воля, растут мои возможности. Все энергичней и быстрей развиваются все мои умственные и физические способности. Все органы чувств наполняются все большей и большей молодой-юной энергией. Я весь здоровею и крепну. Я все ярче и отчетливей чувствую, что я весь здоровею, молодею и крепну, и это наполняет все мое существо торжеством молодой-юной жизни. Я весь наполняюсь радостным, победным торжеством молодой-юной жизни. В моей душе цветет весна и солнечная радостная улыбка жизни наполняет всю мою душу.

Я весь здоровею, молодею и крепну. Я молодой и сильный, здоровый и крепкий; непрерывно увеличивается моя умственная и физическая работоспособность. Я становлюсь все более здоровым и все более долголетним человеком.

2.49. На долголетие (второй вариант)

Сейчас я постараюсь усвоить, очень ярко и твердо усвоить представление о себе, как о человеке вечно юном-молодом, вечно энергично развивающемся.

Я сейчас постараюсь упорнейшим образом учиться подавлять, начисто подавлять абсолютно все свои сомнения в том, что я буду развиваться в течение всего того времени, в которое я могу проникнуть своей мыслью, и буду продолжать здороветь, молодеть и крепнуть в течение долгих десятилетий до ста лет и больше, в течение долгих столетий до трехсот лет и больше. Я буду стараться как можно ярче представлять, о чем идет речь, как можно глубже вникать в сущность омоложения и не допущу ни одной посторонней мысли во время усвоения представления о себе, как о человеке вечно молодом, вечно юном. Сейчас весь организм мобилизует все свои силы, все свои безграничные резервы для быстрого и точного исполнения нового представления о себе, всего того, что я сейчас буду говорить. Мое стремление к вечной молодости, вечной юности совпадает со стремлением организма к жизни. Поэтому организм будет сейчас мобилизовывать все свои силы, все свои безграничные резервы для максимально быстрого, полного исполнения всего того, что я буду говорить о себе. И потому все обязательно, неизбежно будет точно так, как я говорю. И усвоенное мной представление о себе, как о человеке вечно молодом, вечно юном, вечно развивающемся, материализуется. Я действительно буду продолжать здороветь, молодеть и крепнуть в течение долгих десятилетий до ста лет и больше, в течение долгих столетий до трехсот лет и больше.

Сейчас я стараюсь как можно ярче представлять, о чем идет речь. Все мои наследственные механизмы полностью превратились в наследственные механизмы молодого-юного 17-летнего здорового человека, которому по наследству передано вечное соответствие тому состоянию, в котором обычные люди бывают только в 17 юных лет. Все мои наследственные механизмы во всех системах организма, во всех органах, во всех клетках тела полностью превратились в наследственные механизмы молодого-юного 17-летнего человека, которому по наследству передано вечное развитие, вечное совершенствование, вечная юность, вечное соответствие юному 17-летнему возрасту. Я буду продолжать совершенствоваться, буду продолжать совершенствовать все телосложение, буду развивать все умственные и физические силы. Я буду становиться все более умным, все более знающим, все более мудрым человеком и в то же время я буду становиться все более юным, все более красивым, все более прекрасным молодым человеком. Практически это — то же самое, как если бы все люди в моем роду в течение многих миллионов лет обладали вечной молодостью, вечной юностью, вечным самосовершенствованием и развитием. Эта особенность развития передалась мне по наследству через прочнейшую, точнейшую наследственность.

Если людей в моем роду поставить рядом: одному 17

лет, другому 80, третьему 200, четвертому – 300 и т.д. и понимающего в этом человека спросить: "Кому из них 17 лет?" – то этот человек скажет, что 17 лет как раз тому, кому на самом деле больше всего лет, потому что он выглядит более юным, более красивым, прекрасным, с более красивой юношеской фигурой.

Все мои наследственные механизмы полностью превратились в наследственные механизмы юного прекрасного 17-летнего здорового человека, которому по наследству передана вечная молодость, вечная юность, вечное совершенствование, вечное развитие. И все наследственные механизмы теперь постоянно-вечно омолаживают меня и приводят меня в полное соответствие с тем состоянием, в котором обычные люди бывают только в 17 юных лет.

Мне по наследству передано более быстрое омоложение головного-спинного мозга по сравнению со всеми другими системами организма. Головной-спинной мозг молодеет быстрей всех других систем организма и потому оказывает могучее омолаживающее влияние на все тело, на все внутренние органы, на все другие системы организма. Мне передано по наследству также более быстрое омоложение всей головы в целом по сравнению с другими частями тела. И потому лицо, вся голова в целом у меня молодеет быстрей других частей тела и выглядит всегда моложе остального тела.

Костный мозг постоянно-вечно молодеет, восстанавливает первозданную-юную свежесть и вырабатывает все больше и больше эритроцитов, вырабатывает все более энергичную, все более горячую-здоровую юную кровь. Идет непрерывное-вечное омоложение костного мозга и крови. А вечно молодеющая-здоровая кровь вечным быстрым-непрерывным потоком течет по всем кровеносным сосудам от темени до кончиков пальцев рук и ног и постоянно-вечно омолаживает все тело и приводит меня в полное соответствие с юным 17-летним возрастом.

Таким образом, меня постоянно-непрерывно, днем и ночью омолаживают три могучие силы: наследственные механизмы, головной-спинной мозг и вечно молодеющая-здоровая кровь. Эти могучие силы в десять раз сильней, в сто раз сильней всех вредоносных влияний внешней среды, всех трудностей и невзгод жизни. И потому сквозь все вредные влияния внешней среды, сквозь все трудности и невзгоды жизни я буду продолжать все более быстро, все более энергично здороветь, молодеть и крепнуть и все более энергично будет продолжать развиваться во мне молодая-юная-энергичная жизнь. Сквозь все трудности и невзгоды жизни, сквозь все вредоносные влияния внешней среды я буду продолжать здороветь, молодеть и будут продолжать развиваться все мои умственные и физические способности.

Все кровеносные сосуды от темени до кончиков пальцев рук и ног вечно-постоянно полностью открыты по всей своей длине. И моя вечно молодеющая-юная-здоровая кровь вечным-быстрым-непрерывным потоком наполняет все тело все новой и новой энергией. Все кровеносные сосуды в костном мозгу, во всех костях тела также постоянно-вечно-полностью открыты по всей своей длине. И моя вечно молодеющая-юная-здоровая кровь вечным-быстрым-непрерывным потоком свободно течет по все кровеносным сосудам внутри костного мозга во всех костях тела и постоянно-вечно начисто промывает костный мозг во всех костях тела, наполняет костный мозг все новой и новой юной энергией. Я стараюсь как можно ярче представить, о чем идет речь. Все кровеносные сосуды внутри костного мозга во всех костях тела вечно-постоянно полностью открыты по всей своей длине. В костном мозгу во всех костях тела вечно свободное, абсолютно свободное кровообращение. И моя вечно молодеющая-юная-здоровая кровь вечным-быстрым-непрерывным потоком свободно течет по всем кровеносным сосудам внутри костного мозга во всех костях тела и постоянно-вечно начисто промывает костный мозг и все лучше и лучше его питает и наполняет костный мозг все новой и новой юной энергией жизни. Костный мозг непрерывно молодеет, восстанавливает первозданную-юную свежесть, наполняется энергией солнца и работает все более и более энергично и вырабатывает все больше и больше эритроцитов, работает все более и более энергично и вырабатывает все больше и больше эритроцитов, вырабатывает все более юную, все более энергичную-здоровую кровь. В костном мозгу рождается новорожденная-первозданная юная-здоровая жизнь колоссальной жизненной энергии. Весь организм работает с огромной мощностью для обеспечения энергичной работы костного мозга. Все эндокринные железы вырабатывают все больше и больше гормонов, которые активизируют работу костного мозга.

Головной-спинной мозг все энергичней и сильней управляет работой костного мозга. И костный мозг работает все более и более энергично и все более энергично и быстро вырабатывает все большее и большее количесто эритроцитов. Сказочно быстро повышается количество гемоглобина в моей крови. Кровь становится все более энергичной, наполненной все большей и большей жизненной энергией, жизненной силой и все быстрей и быстрей омолаживает все тело и все быстрей и быстрей приводит меня в полное соответствие с юным 17-летним возрастом.

Головной-спинной мозг все сильней и энергичней управляет работой костного мозга. Головной-спинной мозг накапливает могучие силы для более сильного управления, более энергичного управления работой костного мозга. Непрерывно, днем и ночью головной-спинной мозг все сильней и энергичней управляет работой костного мозга. Все железы внутренней секреции, вся эндокринная система вырабатывает все больше и больше гормонов, которые активизируют работу костного мозга. Костный мозг наполняется все большей и большей юной энергией. Во всех костях тела в костном мозгу рождается новорожденная-юная жизнь колоссальной жизненной энергии. Костный мозг все быстрей и энергичней вырабатывает эритроциты. Вместо одного эритроцита, который он вырабатывал раньше, он теперь вырабатывает десять эритроцитов, сто эритроцитов и работает в сто раз энергичней, чем раньше. Сказочно быстро увеличивается количество гемоглобина в моей крови. Я становлюсь с каждой секундой, с каждым мгновением все более и более полнокровным человеком. Губы становятся все более и более яркими, как маки. Все тело становится все более и более ярко-розовым, как у ребенка. Я становлюсь все более энергичным, все более сильным человеком. Этот процесс омоложения костного мозга и крови идет все быстрей и энергичней. Все кровеносные сосуды от темени до кончиков пальцев рук и ног внутри костей и суставов также полностью открыты по всей своей длине. Внутри всех костей тела свободное-полное кровообращение, как в период самого энергичного роста костей 11–16 лет.

Я стараюсь как можно ярче представить, о чем идет речь. Во всех костях тела фантастически быстро восстанавливается густая сеть кровеносных сосудов. Все кровеносные сосуды внутри всех костей тела вечно-постоянно полностью открыты по всей длине. И моя вечно молодеющая-юная-здоровая кровь вечным-быстрым-свободным потоком течет по всем кровеносным сосудам внутри всех костей тела и постоянно-вечно начисто промывает все кости и суставы, вымывает из костей и суставов все отложения солей, восстанавливает первозданную-юную свежесть всех костей и суставов, омолаживает все кости и суставы и во всех костях тела восстанавливаются и энергично функционируют все точки роста. Постоянно-вечно поддерживается способность костей к росту. Так что при желании я могу в любой момент продолжать расти и стать человеком более высокого роста. Все кости постоянно-вечно восстанавливают первозданную-юную свежесть, юную упругость. Все суставы постоянно-вечно первозданно чистые. Во всех суставах постоянно-вечно сохраняется первозданная полная подвижность. Молодеет костный мозг во всех костях тела, молодеют кости, молодеют все суставы. Идет вечное-непрерывное глубинное омоложение всего тела, всего моего организма.

Моя вечно молодеющая-юная-здоровая кровь вечным-быстрым потоком течет по всем кровеносным сосудам от темени до кончиков пальцев рук и ног и постоянно-вечно начисто промывает все кровеносные сосуды. Моя вечно молодеющая-юная-здоровая кровь постоянно-вечно начисто промывает все кровеносные сосуды, смывает со стенок кровеносных сосудов все отложения солей, все продукты обмена. И потому все кровеносные сосуды во всем теле первозданно-чистые. А вечно молодеющая-юная-здоровая кровь начисто промывает все кровеносные сосуды и омолаживает их, наполняет все кровеносные сосуды все новой и новой энергией. Все кровеносные сосуды вечно юные, эластичные гладкие упругие как резина, упругие как резиновые трубки из хорошей резины. Все кровеносные сосуды вечно первозданной-юной свежести, ровные, гладкие, упругие; постоянно-вечно увеличивается упругость всех кровеносных сосудов и вены с каждым днем все сильнее проталкивают кровь к сердцу и улучшают общее кровообращение. Моя вечно молодеющая-юная-здоровая кровь вечным-быстрым-непрерывным потоком течет ко всем кровеносным сосудам тела и постоянно-вечно омолаживает все кровеносные сосуды, омолаживает и само сердце. Вся сердечно-сосудистая система постоянно-вечно молодеет, восстанавливает первозданную-юную свежесть и становится все более энергичной.

Все кровеносные сосуды внутри всей головы в целом вечно-постоянно полностью открыты по всей своей длине. И в коже головы, лица и шеи, и в мышцах головы, лица и шеи, и в костях черепа, и внутри головного мозга насквозь во всей голове в целом все кровеносные сосуды вечно-постоянно полностью открыты по всей своей длине. И моя вечно молодеющая-юная-здоровая кровь вечным-быстрым-непрерывным потоком течет по всем кровеносным сосудам головы и постоянно-вечно-начисто промывает все кровеносные сосуды головы, все ткани, кожу головы, лица и шеи, кости черепа, все мышцы головы, лица и шеи, и головной мозг. Вечно молодеющая-юная-здоровая кровь постоянно-вечно омолаживает всю голову, и голова молодеет быстрей других частей тела. Лицо все быстрей и быстрей восстанавливает первозданную-юную свежесть, все тело головы, лица и шеи полное, юная полная голова и шея. Голова и шея полные, талия тонкая. Губы ярко-красные как маки, белки глаз ярко-светлые, блестящие. Прекрасные юные глаза. Умные волевые юные глаза. Все тело головы, лица и шеи гладкое-отшлифованное, упругое, как из сплошной резины, не ущипнешь, в складку не соберешь. На лице, на подбородке, на горле кожа все крепче и крепче спаивается с крепким телом. Кожа на голове, лице и шее с телом монолитна, на лице, на подбородке, на горле кожа с телом монолитна как сплошная резина, не ущипнешь, в складку не соберешь. Все лицо первозданной-юной свежести, щеки полные-круглые с красивым-здоровым румянцем. Все лицо молодеет, все быстрей и быстрей становится все более прекрасным, все более юным, все более красивым. В моем лице все быстрей и быстрей расцветает юная красота. Губы становятся все более и более ярко-красными, как маки, румянец во все щеки становится все более и более ярким. Глаза становятся больше, выразительней, белки глаз с каждым днем становятся все более и более ярко-светлыми блестящими. Глаза становятся все более и более выразительными. Умные-юные прекрасные глаза.

А моя вечно молодеющая-юная-здоровая кровь вечным-быстрым непрерывным потоком течет по всем кровеносным сосудам кожи головы, лица и шеи и омолаживает кожу. Вся кожа на голове, лице и шее становится более упругой, более толстой, плотной, более упругой, молодой-юной. Кожа на голове, шее и лице белоснежно-светлая с красивым-здоровым румянцем. Кожа эластичная-упругая как натянутый барабан, не ущипнешь, в складку на соберешь. Кожа гладкая, отшлифованная, белоснежная-светлая с красивым-здоровым румянцем.

Кожа на голове оживает и оживляет волосы. А моя вечно молодеющая-юная-здоровая кровь все лучше и лучше питает волосы на голове и оживляет волосы. Все волосы на голове растут все более и более энергично-радостно. Все волосы на голове живут полнокровной, радостной жизнью, становятся толще, грубей, волосы на голове становятся толще, грубей, волосы на голове становятся все более и более густыми, все более крепкими. Костный мозг во всех костях тела вырабатывает все больше и больше красивой природной краски для волос. И моя вечно молодеющая-юная-здоровая кровь все лучше и лучше питает волосы и наполняет волосы красивой природной краской. Фантастически быстро все волосы на голове темнеют, восстанавливают свой красивый природный цвет. На правом виске волосы темные-темные красивого природного цвета. На левом виске волосы темные-темные красивого природного цвета. И впереди надо лбом волосы черные-черные, и по бокам надо лбом волосы черные-черные. На всей большой первозданной поверхности волосистой части головы волосы густые-густые, черные-черные. Черные-длинные-загнутые-красивые-густые ресницы, черные брови, черные, как смоль, волосы на голове создают резкий, красивый рисунок лица. Костный мозг вырабатывает все большее и большее количество гормонов, которые активизируют зарождение и рост волос на голове. Все железы внутренней секреции, вся эндокринная система в целом вырабатывает все большее и большее количество гормонов, которые активизируют, ускоряют зарождение волос на голове. Печень принимает активное участие в зарождении новых волос на голове. Весь организм работает с огромной мощностью для восстановления колоссального первозданного числа волос на голове. В десять раз быстрей, чем в эмбриональном периоде на всей большой первозданной площади волосистой части головы зарождается колоссальное первозданное число волос. Весь организм активизирует зарождение волос на голове. Головной-спинной мозг все энергичней и сильней управляет зарождением колоссального первозданного числа волос на голове. Волосы на руках, на ногах, на туловище вянут, исчезают. Вся энергия роста волос идет в кожу головы, вся энергия роста волос концентрируется в коже головы. На всей большой первозданной площади волосистой части головы зарождаются фантастически быстро, в десять раз быстрей, чем в эмбриональном периоде, густым-густые, крепкие-крепкие волосы. Весь организм работает с огромной мощностью для зарождения, энергичного развития, роста волос на голове. Фантастически быстро в волосистой части кожи головы зарождается колоссальное первозданное число волос. Волосы на голове оживают, растут энергично-радостно. Все волосы на голове становятся толще, грубей, все быстрей и быстрей восстанавливают свой красивый природный цвет. Я стараюсь как можно ярче представить себя с густыми-густыми крепкими волосами на голове. На всей большой первозданной площади волосистой части головы одинаково густые, густые-густые, крепкие-крепкие, красивые, густые, вьющиеся-курчавые волосы стеной стоят. Густые-густые, красивые-вьющиеся-курчавые волосы на голове стеной стоят. Волосы на всей большой-первозданной площади волосистой части головы одинаково густые-густые, крепкие-крепкие.

Также энергично, с огромной энергией весь организм работает для зарождения в костях челюстей необычайно крепких зубов взамен утраченных. В костях челюстей в десять раз быстрее, чем в эмбриональном периоде, зарождаются новые-необычайно крепкие зубы. И так будет всегда-постоянно. Взамен утраченных будут зарождаться и энергично-быстро расти новые, белоснежные, необычайно-крепкие зубы.

Весь организм все энергичней и быстрей рождает новорожденную юную жизнь колоссальной жизненной энергии. Костный мозг вырабатывает все больше и больше эритроцитов, фантастически быстро увеличивается количество гемоглобина в крови. И так будет продолжаться до тех пор пока количество гемоглобина не увеличится до девяносто условных единиц.

В коже головы зарождаются и радостно-энергично-быстро растут новые крепкие-крепкие, густые-густые волосы. Весь организм постоянно-вечно восстанавливает первозданную-новорожденную-юную цельность.

Я стараюсь как можно ярче представить, о чем идет речь. Весь организм постоянно-вечно восстанавливает первозданную-новорожденную-юную цельность. Все кровеносные сосуды внутри головного мозга полностью открыты по всей своей длине. И внутри спинного мозга все кровеносные сосуды открыты по всей своей длине. Внутри головного-спинного мозга вечно свободное, абсолютно свободное кровообращение. В области головы приятное чувство свободы и легкости. В области головы безграничная свобода, беспредельная свобода и легкость. В голове светло, легко-легко, голова легкая, как невесомая, голова легкая, как невесомая.

Все кровеносные сосуды внутри головного-спинного мозга вечно-постоянно-полностью открыты по всей своей длине. И моя вечно молодеющая-юная-здоровая кровь вечным-быстрым-непрерывным потоком течет по всем кровеносным сосудам внутри головного-спинного мозга и постоянно-вечно начисто промывает головной-спинной мозг. Головной-спинной мозг постоянно-вечно сохраняет первозданную новорожденную чистоту, головной-спинной мозг первозданно-чистый, головной-спинной мозг первозданно-чистый, а моя вечно-молодеющая-юная-здоровая кровь постоянно-вечно начисто промывает головной-спинной мозг и все лучше и лучше питает головной-спинной мозг, омолаживает и наполняет головной-спинной мозг все новой и новой юной энергией. Во всех нервных клетках головного-спинного мозга рождаются новорожденная-юная жизнь, рождается колоссальная новорожденная энергия. Головной-спинной мозг восстанавливает первозданную-юную свежесть, колоссальную энергию новорожденной жизни.

Энергично быстро продолжают развиваться все мои умственные способности. С каждым днем все быстрей и энергичней развиваются все мои умственные способности. Мышление становится все более активным, все более быстрым. Мышление становится все более активным, все более быстрым, память становится все более яркой и твердой, непрерывно увеличивается объем памяти. С каждым днем я могу легко запоминать все больший и больший по объему материал. Внимание становится все более и более устойчивым. Я легко запоминаю все, что делаю, постоянно слежу за каждым своим движением, контролирую каждое свое действие и всегда точно знаю, куда и что положил и ничего не ищу, как многие другие люди.

Все мои способности в области физики, в области математики, в области литературы продолжают энергично быстро развиваться. Все быстрей и энергичней развиваются мои музыкальные способности, все более яркой и твердой становится музыкальная память. Достаточно мне один раз прослушать сложную музыкальную мелодию, как я сразу же ее запоминаю во всех подробностях, во всех деталях. Все более тонким становится музыкальный слух, все быстрей и энергичней развивается абсолютный слух. Зрение становится все более сильным и острым, все органы чувств наполняются огромной новорожденной энергией. Все мои органы чувств наполняются огромной энергией новорожденной жизни. Зрение становится все более сильным и острым. Все нервные клетки головного мозга в затылочной области, обеспечивающие зрение, наполняются все большей и большей юной энергией, работают все более и более энергично и с каждым днем, с каждым часом зрением становится все более сильным и острым. С каждым днем я вижу все лучше и лучше.

Все нервные клетки в височных областях головного мозга наполняются все новой и новой юной энергией и работают все более и более энергично. Слух становится все более и более тонким. С каждым днем улучшается слух на высокие звуки. Все органы чувств все быстрей и энергичней наполняются все новой и новой энергией юности. Все органы чувств работают энергично, как в юные 17 лет, зрение острое, слух тонкий. Все мои умственные и физические способ-

393

ности продолжают развиваться все быстрей и энергичней. Все быстрей и энергичней развивается моя воля. С каждым днем я становлюсь человеком все более и более сильной воли.

Все нервные клетки головного мозга в области лба, все нервные клетки в лобных долях головного мозга молодеют, восстанавливают первозданную юную свежесть, наполняются все большей и большей юной энергией и работают все более и более энергично. С каждым днем, с каждым часом усиливается управление головным мозгом жизнью всего тела. С каждым часом все энергичней и сильней становятся нервные клетки лобных долей головного мозга. С каждым днем становится все более и более сильной моя воля, и мне становится все легче и легче управлять всей деятельностью своего организма и всем своим внешним поведением.

Все энергичней и быстрей продолжают развиваться все мои умственные и физические способности. Головной-спинной мозг все энергичней и сильней управляет развитием всей мускулатуры тела. Все быстрей и энергичней развиваются мои мышцы. Рельеф мышц становится все более красивым.

Я стараюсь как можно ярче представить, о чем идет речь. Головной-спинной мозг все энергичней и сильней управляет развитием всех мышц тела. Все быстрее и энергичнее развивается вся мускулатура тела. Рельеф мышц на всем теле становится все более и более ярко выраженным. Все быстре и быстрее увеличивается объем мышечной массы. Все мышцы тела становятся все более и более плотными. Все мышцы тела становятся все более и более плотными, все мышцы тела наполняются все новой и новой юной энергией.

С каждым днем, с каждым часом я становлюсь физически все более и более сильным человеком, физически все более и более выносливым человеком. Все железы внутренней секреции вырабатывают все больше и больше гормонов, которые активизируют развитие мускулатуры. Костный мозг во всех костях тела вырабатывает все больше и больше веществ, которые стимулируют развитие всех мышц тела. Головной-спинной мозг все энергичней и сильней управляет развитием всей мускулатуры тела.

Я постоянно-непрерывно становлюсь все более и более физически сильным человеком. Все телосложение приобретает все более ярко выраженный мужской характер. Талия тонкая, резко впалый, тощий-юный живот, тонкая-юная талия. Красивый рельеф сильно развитых мышц на всем теле. Под энергичной жизнью и развитием весь лишний жир на мышцах туловища, рук и ног, на мышцах брюшного пресса и внутри брюшной полости все быстрее и быстрее сгорает, превращаясь в энергию, как снег стаивает под жарким солнцем. Фигура становится все более и более легкой. Красивое мужское телосложение становится все более и более ярко выраженным. Все мои физические способности продолжают развиваться все быстрее и энергичнее.

Все кровеносные сосуды внутри самого сердца также постоянно-вечно полностью раскрыты по всей своей длине. И самые крупные кровеносные стволы и средние кровеносные сосуды, и мелкие, и тончайшие кровеносные сосуды-капилляры, микроскопически-тонкие кровеносные сосуды также полностью открыты по всей своей длине. И моя вечно молодеющая-юная-здоровая кровь вечным-быстрым-непрерывным потоком свободно течет по всем кровеносным сосудам внутри самого сердца и постоянно-вечно начисто промывает сердце и все лучше и лучше питает сердце. Все, что сердцу нужно для жизни, энергичной работы, непрерывного вечного омоложения, все кровь несет ему в избытке. И сердце нежится в чистоте и довольстве. Сердце нежится в чистоте и довольстве. В области сердца приятное чувство свободы и легкости. В области сердца беспредельная свобода, безграничная свобода и легкость, дышится легко-легко. Грудь дышит легко, свободно. Все нервы в области сердца устойчиво-здоровы, прочно-спокойны, все нервы в области сердца устойчиво-здоровы, прочно-спокойны.

Молодеет, здоровеет сердце. Кровь постоянно-вечно начисто промывает сердце и омолаживает сердце. Сердце постоянно-вечно восстанавливает первозданную-юную свежесть. Сердце постоянно-вечно восстанавливает первозданную-юную свежесть, юную звонкость. Сердце молодое-юное-звонкое. Молодое звонкое-юное сердце. Тоны сердца ясные, чистые, нормальной высоты, нормальной громкости. Молодое-юное-звонкое сердце. Все мышцы сердца восстанавливают первозданную-юную свежесть, огромную-юную силу, юную звонкость. И потому тоны сердца ясные-чистые, нормальной высоты, нормальной громкости.

Молодое-юное-неутомимое-здоровое сердце. А моя вечно молодеющая-юная-здоровая кровь вечным-быстрым-непрерывным потоком свободно течет по всем кровеносным сосудам внутри самого сердца и продолжает постоянно-вечно начисто промывать сердце. Сердце первозданно-чистое. Кровь все лучше и лучше питает и омолаживает сердце и наполняет сердце все новыми и новыми юными силами. В моем сердце рождается новорожденно-юная жизнь колоссальной жизненной энергии, в моем сердце рождается новорожденно-юная жизнь колоссальной жизненной энергии. В моем сердце расцветает юная жизнь. Все мышцы сердца наполняются все новой и новой энергией. Все мышцы сердца становятся все более сильными. Непрерывно увеличивается запасная, резервная сила сердца. Непрерывно увеличивается запасная, резервная сила сердца. Сердце становится все сильней и сильней. Молодое-могучее-крепкое сердце. Молодое-могучее-здоровое сердце. Юное-неутомимое-здоровое сердце легко-шутя с молодецкой удалью гонит кровь по всему телу и наполняет меня все новой энергией, все новой и новой юной энергией. А вечно молодеющая кровь вечным-быстрым потоком течет по всему телу и омолаживает все тело. Все быстрей и быстрей омолаживает все тело и наполняет его все большей и большей энергией жизни.

Все кровеносные сосуды внутри самого сердца

вечно-постоянно полностью открыты по всей своей длине. Внутри сердца свободное, совершенно свободное кровообращение. На сердце так легко-свободно, на сердце так легко-свободно. В области сердца приятное чувство безграничной свободы и легкости. Все нервы в области сердца устойчиво-здоровые, прочно-спокойны. Дышится легко-свободно, дыхание легкое-свободное. Здоровеет, крепнет сердце, непрерывно увеличивается запасная резервная сила сердца и при надобности сердце может работать с огромной мощностью.

Я могу свободно бежать с большой скоростью целыми часами напролет без признаков утомления, сохраняя ровное дыхание. Я могу быстрым шагом и даже бегом бежать вверх-вниз по лестницам, сохраняя ровное дыхание.

Молодое-здоровое-могучее сердце легко-шутя справляется с любой физической нагрузкой. Внутренняя устойчивость работы сердца в десять раз сильней, в сто раз сильней любой физической нагрузки. И после длительной физической нагрузки, после длительного бега, после длительного пребывания в жаркой парной, где люди не выдерживают и 10—15 минут, сердце продолжает работать непоколебимо-устойчиво, сохраняя устойчивый-нормальный пульс 72 удара в минуту. Непоколебимо сохраняется устойчиво-ритмичный нормальный пульс 72 удара в минуту. Непрерывно увеличивается внутренняя устойчивость работы сердца. Сердце будет продолжать здороветь и крепнуть и будет продолжать увеличиваться запасная резервная сила и мощность сердца в течение долгих десятилетий до ста лет и больше, в течение долгих столетий до трехсот лет и больше, в течение всего того будущего времени, в которое способна проникнуть моя мысль, сердце будет продолжать все энергичней и быстрей становиться все более сильным, все более мощным и крепким. Молодое-юное-здоровое сердце, пульс полный сильного наполнения. Здоровое мощное сердце, пульс полный сильного наполнения. Молодое-юное сердце, пульс полный сильного наполнения. Молодое-юное-крепкое сердце, пульс полный сильного наполнения.

Внутренняя устойчивость работы сердца постоянно-непрерывно возрастает. Внутренняя устойчивость работы сердца в десять раз сильней, в сто раз сильней всех трудностей и невзгод жизни. Сквозь все вредные влияния внешней среды, сквозь все невзгоды сердце продолжает работать непоколебимо устойчиво и непоколебимо устойчиво сохраняется нормальный пульс 72 удара в минуту, все промежутки между ударами пульса точно-одинаковы.

Я стараюсь как можно ярче представить, о чем идет речь. В течение всего дня сквозь любую физическую работу, сквозь напряженную умственную работу сердце продолжает работать непоколебимо устойчиво. Все промежутки времени между ударами пульса точно-одинаковы, все удары пульса одинаковой, молодой нормальной силы, все удары пульса одинаковой, молодой нормальной силы, все удары пульса одинаковой молодой нормальной силы. Юное-неутомимое-здоровое сердце. Сердце работает с колоссальной внутренней устойчивостью. И потому чрезвычайно устойчиво молодое-юное кровяное давление – 120/80. Сквозь любую физическую нагрузку, сквозь все трудности и невзгоды жизни непоколебимо сохраняется нормальное-юное кровяное давление – 120/80. Пульс устойчиво-ритмичный – 72 удара в минуту, пульс устойчиво-ритмичный – 72 удара в минуту. Кровяное давление стабильно-нормальное – 120/80. Кровяное давление стабильно-нормальное-юное – 120/80. Пульс устойчиво-ритмичный – 72 удара в минуту.

Здоровеет, крепнет сердце. Румянец во все щеки с каждым днем, с каждым часом становится все более и более ярким. С каждым днем, с каждым часом губы становятся все более и более ярко-красными, как маки. Все тело становится все более и более ярко-розовым, как у ребенка. Молодое-юное-неутомимое здоровое сердце легко-шутя с огромной силой гонит кровь по всему телу и моя вечно молодеющая-юная-здоровая кровь все быстрей и быстрей омолаживает меня и наполняет меня все новой и новой энергией.

Все тело становится все более и более легким, невесомым. Все тело легкое-невесомое, походка легкая-быстрая, хожу, как на крыльях летаю, не чувствуя тяжести тела. Походка легкая-быстрая, хожу, как на крыльях летаю, не чувствуя тяжести тела. Во всем теле приятная свежесть и легкость. Во всем теле приятная бодрость, бодрость и свежесть. Чрезвычайно устойчивое прекрасное самочувствие и веселое жизнерадостное настроение, прекрасное самочувствие и веселое жизнерадостное настроение непоколебимо сохраняются сквозь все трудности жизни.

А головной-спинной мозг все энергичней и сильней защищает сердце от всех вредных влияний внешней среды и не пропускает в сердце никаких волнений. И под вечной защитой головного мозга сердце живет здоровой-полнокровной-свободной жизнью.

Я стараюсь как можно ярче представить, о чем идет речь. Головной мозг все энергичней и сильней не пропускает в сердце никаких вредных влияний внешней среды, никаких волнений. И под вечной защитой головного мозга сердце живет свободной полнокровной жизнью и с молодецкой удалью гонит кровь по всему телу, наполняя меня все новой и новой юной энергией, все большей и большей жизненной силой. Здоровеет, крепнет сердце, непрерывно увеличивается запасная-резервная мощность сердца. С каждым днем я становлюсь все более и более энергичным, все более сильным человеком. Энергия бьет ключом, все время хочется что-нибудь делать, работать, непрерывно увеличивается моя физическая и умственная работоспособность.

Я полностью прихожу в соответствие с тем состоянием, в котором обычно люди бывают только в 17 юных лет. Я всесторонне, полностью превращаюсь в молодого-юного человека, в молодого-юного, все более энергичного, все более быстро развивающегося человека. Сейчас я постараюсь всесторонне представить себя человеком вечно-юным, вечно-энергично-быстро развивающимся.

Я сейчас постараюсь наиболее ярко, наиболее полно представить себя человеком вечно-юным, вечно все более-энергично, все более-быстро развивающимся. Я сейчас упорнейшим образом постараюсь усвоить наиболее яркое, наиболее полное представление о себе, охватывающее как физическое состояние, так и мое умственное развитие.

Я человек вечно-непрерывно развивающийся. Во мне непрерывно продолжает энергично расцветать юная красота. Я становлюсь все более прекрасным, все более красивым юным человеком. Тело становится все более и более крепким, упругим. Тело становится все более и более розовым. Губы становятся все более и более ярко-красными, как маки. Белки глаз становятся все более и более ярко-светлыми, блестящими. Глаза становятся больше, выразительней. Глаза становятся все более волевыми, все более умными. Волосы на голове становятся все более и более густыми, все более крепкими. Я становлюсь все более и более юным человеком, непрерывно совершенствуется мое телосложение. Талия становится все более и более тонкой. Рельеф мышц на всем теле становится все более и более красивым, рельеф мыщц на всем теле становится все более и более ярко-выраженным, все более красивым. Все телосложение приобретает все более и более ярко-выраженный мужской характер. Голова и шея полные, талия тонкая. Резко-впалый-тощий-юный живот, тонкая-юная талия. Красивый рельеф мышц на всем теле, красивый рельеф мышц брюшного пресса.

Я становлюсь все более и более физически сильным человеком. Увеличивается моя физическая сила. Я становлюсь физически все более и более выносливым человеком. Увеличивается моя умственная и физическая работоспособность. По моему желанию организм может восстанавливать свои силы во время самой работы, как во время ночного сна у обычных людей. И за счет этого я могу практически сколько угодно долго продолжать интенсивную умственную и физическую работу.

Я становлюсь все более красивым, все более прекрасным юным человеком и в то же время я продолжаю становиться человеком все более знающим, все более опытным, все более мудрым. Происходит необычное для земных людей сочетание: мудрости с юностью. Я становлюсь все более и более мудрым, знающим человеком, все более высоко развитым, высоко образованным. И в то же время все более юным, все более красивым. Этот процесс будет продолжаться на протяжении всего того будущего времени, в которое я способен проникнуть своей мыслью.

Мои умственные и физические способности достигнут высочайшего уровня, более высокого уровня, чем у обычных людей. Я буду выполнять любые физические упражнения, которые могут выполнять лучшие мастера среди людей в области гимнастики, акробатики. Я буду выполнять все те опыты, которые могут выполнять йоги, а затем я буду выполнять также и опыты, которых еще никто никогда не мог выполнить. Я буду безгранично продолжать все более быстро, все более энергично развиваться. И на протяжении всего того будущего времени, в которое способна проникнуть моя мысль, я вижу себя все более энергично-быстро развивающимся, совершенствующимся во всех отношениях. Совершенствуются все системы организма. Весь мой организм становится все более и более устойчивым. Весь организм накапливает все большие и большие запасные жизненные силы, все большие и большие запасы, резервы жизненной силы, жизненной энергии. За счет этих запасов организм начисто-полностью-каждый момент преодолевает все инфекции, которые попадают в организм, сохраняя нормальное здоровое состояние и продолжая все более энергично, все более быстро развиваться. За счет этих непрерывно увеличивающихся запасов, резервов жизненных сил, жизненной энергии организм постоянно каждый данный момент начисто подавляет все вредные и вредоносные влияния внешней среды, влияния сильных длительных охлаждений в результате длительного пребывания на сильном морозе, под

401

дождем, в сырую погоду. И после длительного пребывания на сильном морозе, после того, как я, промокший насквозь, остаюсь на холодному ветру под дождем, организм продолжает жить нормальной здоровой жизнью, начисто-полностью подавляя все вредные влияния внешней среды при пребывании на сильном морозе, под сильным дождем, на холодном ветру. И сквозь все эти длительные вредные влияния внешней среды весь организм продолжает жить нормальной здоровой жизнью. Сквозь все вредные влияния внешней среды я продолжаю все более энергично, все более быстро, всесторонне развиваться за счет того, что организм накапливает силы, за счет резерва своих жизненных сил начисто-полностью подавляет все вредные влияния внешней среды и сохраняет нормальную-энергичную-здоровую-юную жизнь.

Весь организм продолжает постоянно-вечно восстанавливать первозданную-новорожденную-юную цельность.

В коже головы постоянно-непрерывно зарождаются и быстро растут все новые и новые волосы взамен утраченных. В костях челюстей постоянно-вечно зарождаются новые необычайно крепкие белоснежные зубы взамен утраченных.

Костный мозг вырабатывает все большее и большее число эритроцитов, работает все более и более энергично, вырабатывает все более юную, все более здоровую, все более энергичную кровь, наполненную все большей и большей жизненной энергией, жизненной силой.

Теперь я постараюсь упорнейшим образом учиться начисто подавлять абсолютно все свои сомнения в том, что в течение всего того будущего времени, в которое способна проникнуть моя мысль, я буду все более быстро, все более энергично развиваться, становиться все более прекрасным, все более крепким, энергичным-юным человеком. Все более энергично, все более быстро будут продолжать развиваться все мои умственные и физические способности. Я буду становиться все более энергичным в жизни, все более устойчивым, все более волевым, все более красивым-юным человеком.

Я сейчас прилагаю все свои силы, всю силу своей личности, чтобы подавить, начисто подавить абсолютно все свои сомнения в том, что процесс омоложения будет идти все быстрее и энергичней. Я буду продолжать все быстрей и энергичней всесторонне развиваться в течение долгих десятилетий до ста лет и больше, в течение долгих столетий до трехсот лет и больше, в течение долгих столетий до тысячи лет и больше, в течение всего того времени, в которое я способен проникнуть своей мыслью, я буду продолжать все сильней и энергичней всесторонне развиваться. И потому и через десять, и через сто лет я внешне буду выглядеть так, как обычные люди могут выглядеть только в 17 юных лет.

Я сейчас постараюсь упорнейшим образом учиться начисто подавлять все свои сомнения в том, что и через тридцать и через сто лет я буду внешне выглядеть так, как обычные люди могут выглядеть только в 17 юных лет. Я стараюсь как можно ярче представить себе это как непрерывное-вечное развитие, вечное совершенствование. И через тридцать, и через сто, и через триста лет я буду внешне выглядеть так, как обычные люди могут выглядеть только в 17 юных лет. Причем, по сравнению с обычным 17-летним человеком я буду выглядеть еще более красивым, все телосложение будет неизмеримо более совершенным: тонкая талия, стройная легкая гибкая фигура, волосы на голове густые-густые, крепкие-крепкие, красивого природного цвета, губы ярко-красные как маки, белки глаз ярко-светлые, блестящие, выразительные умные-волевые глаза. Голова и шея полные, щеки полные-круглые с ярким-красным-здоровым румянцем.

Я буду становиться человеком все более и более жизнестойким, все более крепким за счет того, что непрерывно организм увеличивает запасы, резервы жизненной силы, жизненной энергии, запасы, за счет которых организм начисто подавляет все инфекции, уничтожает все инфекции, попадающие в организм, начисто в каждый данный момент преодолевает все вредные влияния внешней среды, сохраняя здоровую-нормальную жизнь всего тела и продолжая все более быстро, все более энергично развиваться. Я начисто, полностью подавил абсолютно все свои сомнения в том, что в течение всего того будущего времени, в которое способна проникнуть моя мысль, я буду продолжать все более энергично, все более быстро развиваться и становиться все более прекрасным, все более развитым, все более мудрым-юным человеком.

Теперь у меня абсолютно нет в этом никаких, ни малейших сомнений. Я теперь твердо знаю как действительный факт, что я в течение всего того будущего времени, в которое способна проникнуть моя мысль, буду продолжать все более быстро, все более энергично развиваться, совершенствоваться, здороветь и крепнуть и становиться все более красивым, все более энергичным, все более крепким, все более устойчиво-здоровым человеком.

Весь мой организм мобилизует все свои силы, все свои безграничные резервы для того, чтобы как можно быстрее и точнее выполнить все то, что я сказал сейчас о себе. Сейчас весь организм мобилизует все свои силы для нового взрыва более быстрого, более энергичного омоложения. Теперь костный мозг будет еще быстрей и энергичней вырабатывать все больше и больше эритроцитов, вырабатывать все более горячую, все более энергичную-юную-здоровую кровь. Весь организм будет работать с еще большей мощностью для быстрого зарождения на всей большой первозданной площади волосистой части головы колоссального-первозданного числа волос.

Все волосы на голове теперь будут еще быстрей восстанавливать свой красивый природный цвет.

В костях челюстей теперь еще быстрей будут зарождаться новые необычайно крепкие зубы взамен утраченных. Все системы организма будут работать еще более энергично, все внутренние органы будут работать еще более энергично, с молодецкой удалью.

404

Мышцы во всем теле будут развиваться еще энергичней, еще быстрей, еще быстрей будет увеличиваться объем мышечной массы, еще быстрей все мышцы тела будут становиться еще более плотными.

Еще быстрей теперь будут развиваться все мои умственные способности. Мышление развивается все быстрей и энергичней. Мышление становится все более быстрым, все более активным. Память становится все более яркой и твердой и непрерывно увеличивается объем памяти. Внимание становится все более и более устойчивым. Я постоянно контролирую каждый свой поступок, каждое свое движение. Все мои музыкальные способности продолжают теперь еще более быстро развиваться. Все мои другие способности в области математики, физики, литературы продолжают еще энергичней, еще быстрей развиваться. Все мои умственные способности продолжают все быстрей и энергичней развиваться.

Все органы чувств наполняются еще большей юной энергией. Все нервные клетки в затылочной области головного мозга, связанные со зрением, еще быстрей наполняются все новой и новой юной энергией, работают все более и более энергично, восстанавливают первозданно-юную свежесть и все быстрей и быстрей накапливают энергетические запасы. Зрение становится еще более острым, сильным.

Я с каждым днем становлюсь человеком со все более и более острым, все более сильным зрением. Я могу часами напролет читать самый мелкий книжный текст без очков и при этом в области глаз сохраняется приятное чувство покоя и легкости. Все нервные клетки в височных долях головного мозга все энергичней и быстрей наполняются огромной юной энергией. С каждым днем я все лучше и лучше слышу, отчетливей слышу высокие звуки. С каждым днем, с каждым часом еще быстрей улучшается слух на высокие звуки. Слух становится все более и более тонким, все более яркой и твердой становится музыкальная память. Достаточно мне один раз прослушать очень сложную музыкальную мелодию, как я сразу же ее запоминаю, запоминаю ярко и твердо во всех деталях.

Все быстрей и энергичней идет мое физическое и умственное развитие. Еще быстрее теперь губы становятся все более и более ярко-красными, как маки. Еще быстрее розовеет все тело. Костный мозг еще быстрей и энергичней вырабатывает все большее и большее число эритроцитов, вырабатывает все более юную, все более энергичную здоровую кровь.

Я наполняюсь все большей и большей юной энергией. Все тело становится все более и более легким, как будто невесомым, походка легкая-быстрая, хожу, как на крыльях летаю, не чувствуя тяжести тела. Весь организм все быстрей и энергичней порождает новорожденно-юную жизнь колоссальной жизненной энергии, весь организм все быстрей и энергичней порождает новорожденно-юную жизнь колоссальной жизненной энергии.

Этот процесс идет неодолимо и никакие силы не могут его затормозить. Этот процесс все более энергичного, все более быстрого омоложения, развития сильней всего во Вселенной и ничто на свете не может его затормозить. Я теперь ярко-отчетливо всесторонне представляю себя человеком все более энергичным, все более быстро развивающимся, всесторонне-развивающимся, здоровеющим и крепнущим. Я теперь с беспредельной дерзновенностью непоколебимо твердо верю в то, что и через пятьдесят и через триста лет я буду внешне выглядеть еще более прекрасным, юным и мудрым человеком, еще более юным, еще более красивым, чем обычные люди в 17 лет.

Я теперь с беспредельной дерзновенностью непоколебимо-твердо верю в то, что и через пятьдесят и через триста лет я внешне буду выглядеть еще более юным, еще более прекрасным, еще более красивым человеком, чем обычные люди бывают в 17 юных лет. Эта моя вера сильней всего во всей Вселенной, эта моя вера сильней всего во всей Вселенной, и ничто на свете теперь не может разубедить меня в том, что я действительно буду продолжать здороветь, молодеть и крепнуть.

2.50. Здоровый дух

В меня вливается новая здоровая новорожденная жизнь, я весь наполняюсь новой-новой здоровой новорожденной жизнью. Огромной-колоссальной силы новорожденная жизнь вливается в мою голову. Во мне рождается колоссальной силы юная душа. Во мне рождается колоссальной силы здоровый дух. Во мне рождается огромной колоссальной силы здоровый дух. Во мне рождается несокрушимо здоровый дух. Я стараюсь это как можно глубже понять. Во мне рождается несокрушимо здоровый дух. Здоровый дух рождает здоровые-здоровые мысли. Здоровый дух рождает здоровые-здоровые мысли.

Колоссальной силы животворящая новорожденная жизнь вливается в мою голову. Во мне рождается колоссальной силы юная душа. Во мне рождается несокрушимо здоровая юная душа. Во мне рождается несокрушимо здоровый дух. Здоровый дух животворит: здоровый дух рождает здоровые-здоровые-веселые мысли. Здоровый дух рождает новые-здоровые-веселые мысли. Здоровый дух рождает новые-обновленные-здоровые-веселые-счастливые мысли.

Огромной-колоссальной силы животворящая новорожденная жизнь вливается в мою голову. Во мне рождается колоссальной силы новорожденно-юная невинная душа. Во мне рождается новорожденно-юная невинная душа. Во мне рождается здоровая-веселая-игривая душа. Во мне рождается здоровая-здоровая-веселая-игривая душа. Во мне рождается веселая-счастливая юная душа.

Новорожденно-юная душа рождает юную здоровую крепкую голову. Юная душа рождает здоровую-крепкую голову. Несокрушимо здоровая юная душа рождает крепкую-здоровую голову, рождает новые-здоровые-счастливые мысли, новые юные-молодые мысли, новые юные-молодые мысли.

Вся душа наполняется светлыми здоровыми-веселыми мыслями. Вся душа наполняется светлыми здоровыми-счастливыми мыслями.

Огромной-колоссальной силы юная душа наполняет голову колоссальной энергией жизни. Во все мозговые механизмы вливается огромная-колоссальная энергия жизни. Во все мозговые механизмы вливается огромная-колоссальная сила жизни. Во все мозговые механизмы вливается огромная-колоссальная сила жизни.

Все мозговые механизмы рождаются здоровые-сильные. Юная душа рождает здоровые мозговые механизмы. Здоровый дух рождает здоровые-здоровые мозговые механизмы. Здоровый дух рождает крепкие-здоровые нервы. Здоровый дух рождает здоровую-крепкую нервную систему. Здоровый дух рождает здоровую-сильную-крепкую нервную систему.

Во мне рождается колоссальная сила духа. Во мне рождается колоссальная сила духа. Во мне рождается несокрушимо здоровый дух. Здоровый дух рождает здоровое-крепкое тело. Здоровый дух рождает здоровую-сильную-крепкую голову.

Во мне рождается колоссальной силы юная душа. Во мне рождается несокрушимо здоровая юная душа. Во мне рождается игривая-веселая юная душа. Во мне рождается игривая новорожденно-юная счастливая душа.

Рождается полное господство духа над телом. Здоровый дух рождает крепкую здоровую голову. Здоровый дух рождает здоровые-веселые-счастливые мысли. Здоровый дух рождает веселые-веселые-здоровые-счастливые мысли.

Огромной-колоссальной силы животворящая новорожденная жизнь всю насквозь наполняет мою голову. Насквозь всю голову наполняет колоссальная энергия жизни. Насквозь вся голова наполняется колоссальной неиссякаемой энергией юности. Здоровый дух рождает юные здоровые счастливые мысли. Во мне рождается здоровая юная игривая душа. Рождается веселая-счастливая игривая душа. Во мне рождается новорожденно-юная невинная душа.

Во мне рождается новорожденно-юная несокрушимо здоровая душа. Во мне рождается несокрушимо здоровый дух. Здоровый дух рождает здоровую-крепкую голову. Колоссальной силы юная душа рождает энергичные-сильные мозговые механизмы, рождает энергичные-сильные мозговые механизмы, рождает энергичный-сильный здоровый головной-спинной мозг. Здоровая юная душа рождает здоровую сильную-крепкую нервную систему, рождает здоровую-крепкую голову. Колоссальная неиссякаемая энергия юности наполняет мою голову. Голова рождается энергичная-сильная. Голова рождается энергичная-сильная.

Огромной-колоссальной силы животворящая новорожденная жизнь всю насквозь наполняет мою голову. Во мне рождается новорожденно юная мужественная-волевая-смелая душа. Во мне рождается волевая-смелая душа. Я рождаюсь человеком смелым, твердо уверенным в себе. Я рождаюсь человеком смелым, твердо уверенным в себе. Я все смею, все могу. Я могу управлять своими мыслями, своими чувствами. Я твердо знаю как действительный факт: я могу управлять своими мыслями, я могу управлять своими чувствами. Рождается полное господство духа над мыслями. Рождается полное господство духа над чувствами.

Во мне рождается колоссальной силы юная душа. Во мне рождается несокрушимо здоровая юная душа. Во мне рождается веселая-игривая-веселая-игривая юная душа. Во мне рождается новорожденно юная невинная веселая-счастливая-игривая душа.

Веселый огонек загорается в моих глазах, солнечная светлая весенняя улыбка на моем лице. Юная душа рождает юное красивое невинное лицо. Юная душа рождает юное красивое невинное лицо. Юная душа рождает юные невинные красивые глаза, волевые умные глаза. Колоссальная сила духа светится в моих глазах.

Рождается полное господство духа над мыслями. Я полностью управляю своими мыслями, своими чувствами. Я полностью управляю своим состоянием. Я человек сильной воли, всепобеждающей сильной воли. Сильная воля светится в моих глазах, колоссальная сила духа светится в моих глазах и эту силу чувствуют во мне все люди, которые приходят со мной в соприкосновение. Во мне рождается волевая-смелая душа. Во мне рождается мужественная-смелая душа. Я рождаюсь человеком смелым, твердо уверенным в себе. Я все смею, все могу. Рождается полное господство духа над телом, полное господство духа над мыслями.

Здоровый дух рождает здоровое сильное крепкое тело. Здоровый дух рождает богатырски сильное здоровое тело. Я весь наполняюсь могучей здоровой богатырской силой. Колоссальной силы юная душа рождает меня новорожденно-юным богатырем огромной-колоссальной силы. Богатырская сила рождается сейчас во мне. Удаль молодецкая рождается в душе. Сила богатырская рождается во мне.

Огромной-колоссальной силы животворящая новорожденная жизнь вливается в мою голову. Во мне рождается несокрушимо здоровый дух. Здоровый дух животворит: здоровый дух рождает молодые-юные веселые мысли, веселые-счастливые-здоровые мысли. Вся душа наполняется здоровыми-веселыми-счастливыми мыслями.

Я рождаюсь веселый-энергичный-веселый. Веселый огонек загорается в моих глазах. Солнечная светлая весенняя улыбка на моем лице. Вся душа поет от счастья, от радости жизни. Все внутренние органы живут веселей, веселей-радостней, веселей-энергичней. Радость-веселье переполняют сердце. Радость-веселье переполняют сердце. Юная душа рождает веселое-веселое-счастливое сердце. Веселое-веселое-смеющееся сердце. Веселое-веселое-хохочущее сердце.

Здоровый дух рождает крепкое-здоровое юное сердце. Здоровый дух рождает богатырски сильное здоровое сердце. Рождается сердце большой-огромной богатырской силы. Сердце ярко чувствует свою силу богатырскую. Бегу, птицей на крыльях лечу, дыхание легкое-свободное, бегу, птицей на крыльях лечу: ярко чувствую свою удаль молодецкую, ярко чувствую свою силу богатырскую.

Во мне рождается новорожденно-юная невинная душа. Во мне рождается колоссальной силы юная душа. Во мне рождается несокрушимо здоровая юная душа. Здоровый дух животворит: здоровый дух рождает юные здоровые веселые-счастливые мысли. Вся душа наполняется веселыми-счастливыми юными мыслями. Я ярко-отчетливо чувствую себя новорожденно-юным веселым-счастливым.

Вся душа наполняется светлыми мечтами о будущем счастье. Во мне рождается несокрушимо здоровый дух. Во мне рождается колоссальная сила духа. Рождается полное господство духа над телом, полное господство духа над мыслями. Здоровый дух рождает здоровые-веселые-веселые мысли. Здоровый дух рождает здоровые-здоровые-веселые мысли. И через тридцать лет и дальше я молодой-веселый-несокрушимо-здоровый. И через пятьдесят лет и дальше я молодой-веселый-несокрушимо здоровый. И через сто лет и дальше я молодой-молодой-веселый-несокрушимо здоровый богатырь могучего телосложения. Своим внутренним зрением я все более ярко, все более отчетливо вижу себя и через тридцать лет, и через пятьдесят лет и дальше молодым-веселым, молодым-веселым несокрушимо здоровым и это наполняет меня радостью жизни. Я живу веселей-веселей-жизнерадостней, веселый огонек загорается в моих глазах, во всем теле колоссальная энергия жизни бьет ключом, я весь насквозь наполняюсь колоссальной неиссякаемой энергией юности.

2.51. На укрепление здоровья врача
через общение с больными

Я стараюсь до конца понять, как можно глубже осмыслить простую истину, что врач из сострадания к больному не должен, не имеет права болеть: будучи больным, он не сможет лечить. Я не должен входить в образ больного. Все разговоры больных о болезнях, о плохом самочувствии, о плохом настроении, о боли не имеют никакого отношения к моему собственному организму. Говоря о болезни, я никогда не должен показывать на себе, я должен при объяснениях больным показывать только от себя. Я обязан отводить от себя все болезни. Я обязан здороветь и крепнуть во время общения с больными. Я изо всех сил стараюсь ярко-твердо помнить: я обязан здороветь и крепнуть во время общения с больными, во время обсуждения с больным его состояния.

Вот сейчас я пойду осматривать больных, определять способы их лечения. А сам в это время буду здороветь, становиться моложе, буду увеличивать продолжительность своей будущей жизни. Я сейчас приду к больным здоровым-веселым и своим видом буду оказывать на больных бодрящее влияние, буду усиливать у них здоровые чувства, порождать у них здоровые веселые мысли. Я стараюсь как можно глубже осмыслить тот факт, что иначе я не смогу плодотворно работать и успешно лечить людей.

Вот сейчас я пойду общаться с больными, а в меня в это время будет вливаться животворящая новорожденная жизнь. После общения с больными я стану моложе, я поздоровею, увеличится продолжительность моей будущей жизни, улучшится мое настроение, улучшится мое самочувствие, я стану веселей-жизнерадостней.

Я постоянно поддерживаю полную боевую готовность к преодолению всех вредных влияний разговоров о болезнях, я твердо знаю, что эти разговоры к моему организму не имеют никакого отношения.

2.52. На укрепление здоровья врача после общения с больными

Я здоровею-крепну, в меня вливается животворящая новорожденная жизнь, она животворит-животворит: я сейчас рождаюсь абсолютно здоровый, идеально здоровый человек. В мою психику, в мои нервы вливается стальная крепость-стальная крепость вливается в мою психику, в мои нервы. Я здоровею-крепну, здоровею-крепну, становлюсь моложе, увеличивается продолжительность моей будущей жизни.

Я с каждой секундой становлюсь веселей-веселей-жизнерадостней, вся душа поет от счастья, от радости жизни, неугасимый веселый огонек всегда горит в моих глазах, торжествующая радость жизни светится в моих глазах, торжествующая сила молодости светится в моих глазах, солнечная светлая улыбка жизни на моем лице. Все внутренние органы работают веселей-энергичней, веселей-энергичней, все внутренние органы с молодецкой удалью выполняют в организме все свои функции, все тело живет веселей-энергичней, веселей-энергичней, во всем теле колоссальная сила жизни бьет ключом.

Животворящая новорожденная сила вливается в мою голову, новорожденная жизнь животворит-животворит: рождает энергичную неутомимую здоровую голову. Веселая-веселая, веселая-счастливая новорожденная молодость рождается в моей душе, веселые здоровые мысли рождаются в моей душе, яркие молодые чувства рождаются в моей душе.

В меня вливается огромная-колоссальная-неиссякаемая энергия новорожденной юности. Я становлюсь веселей-веселей-энергичней. Во мне рождается здоровая-здоровая долголетняя наследственность, во мне рождается новорожденная молодость в столетнем возрасте. И через десять лет, и через тридцать лет, и через сто лет я буду молодой веселый несокрушимо здоровый. Я вижу в будущем долголетнюю веселую счастливую молодость и потому я смело-уверенно смотрю в будущее. Я становлюсь смелей-решительней-уверенней в себе.

Оглавление

Сытин Георгий Николаевич

ЖИВОТВОРЯЩАЯ СИЛА

Помоги себе сам

Подписано в печать с оригинал-макета 9.02.93. Формат $84 \times 108^1/_{32}$. Бумага газетная. Гарнитура Сенчури. Печать офсетная. Усл. печ. л. 21,84. Усл. кр.-отт. 22,26. Уч.-изд. л. 20,16. Тираж 50 000экз. Зак. № 70.

Отпечатано с готовых диапозитивов в типографии им. И. Е. Котлякова Министерства печати и информации РФ. 195273, Санкт-Петербург, ул. Руставели, 13.